KB081944

강력한 단국대 인문계 논술

기출문제

저자 소개

저자는 경희대학교 대학원에서 글로벌경영학을 공부하고, 같은 대학의 대학원에서 교육경영최고위 과정도 수료했다. 대학에서는 경영학을 전공했으며, 연세대학교 교육대학원에서 교육경영최고위 과정도 수료했었다.
현재 대치투탑학원과 좋은성적학원을 운영 중이며, 대치쿰100과 위더스학원, 옹골찬학원에서 논술과 면접, 학생부관리를 지도하고 있다. 또한 수시와 정시, 고입 등의 입시컨설팅을 진행하며 입시현장에서 활약 중이다.

강력한 단국대 인문계 논술 기출문제

발　행 | 2024년 07월01일
저　자 | 김근수
펴낸이 | 김근현
펴낸곳 | 일으킨 바람
출판사등록 | 2018.11.12.(제2018-000186호)
주　소 | 경기도 고양시 일산서구 하이파크 3로 61 409동 1503호
전　화 | 031-713-7925
이메일 | ileukinbaram@gmail.com

ISBN | 979-11-93208-83-0

www.iluekinbaram.com

강력한 단국대 인문계 논술 기출문제

김 근 수 지음

차례

I. 단국대학교 논술 전형 분석

1. 논술 전형 분석

1) 전형 요소별 반영 비율

전형요소	논술	학생부교과	총합
논술고사	80%	20%	100%

★ 2024학년도부터 개편 :
논술과 학생부 교과 비율의 바뀜 (기존 논술 70%, 학생부 교과 30%)

2) 학생부 교과 반영

20%

(ㄱ) **반영교과 및 반영비율**

– 인문계열 : 국어, 수학, 영어, 사회 교과 반영

계열(모집단위)	반영교과 및 반영비율(%)					활용지표	비고
	국어	수학	영어	사회	과학		
인문	30	20	30	20	×	석차등급(9등급) 성취도	• 전학년 동일하게 적용 ▹재학생 : 3학년 1학기까지 ▹졸업생 : 3학년 2학기까지

(ㄴ) **공통과목 및 일반선택과목**

구분	등급	1등급	2등급	3등급	4등급	5등급	6등급	7등급	8등급	9등급
변환점수		100	99	98	97	96	95	70	40	0

(ㄷ) **진로선택과목**

– 반영교과에 해당하는 전 과목의 성취도를 등급으로 변환하여 반영

성취도	A	B	C
석차등급	1	2	5

- 성취도를 환산등급 표와 같이 석차등급으로 환산 후 석차등급 점수를 부여함
- 성취도 상위 3과목까지만 반영함

(ㄹ) **교과별 석차등급 환산점수 평균 산출 방법**

$$\text{변환 점수평균} = \frac{\sum(\text{반영 교과목 석차 등급 점수} \times \text{반영교과목 이수단위})}{\sum(\text{반영교과목 이수단위})}$$

(ㅁ) **석차등급 환산 점수 산출 방법**

$$\text{석차등급환산점수} = \sum\left(\text{교과별 석차등급 환산 점수 평균} \times \frac{\text{학생부 교과반영 비율(\%)}}{100}\right)$$

3) 수능 최저학력 기준

● **없음**

4) 논술 전형 결과

(ㄱ) 2024학년도 논술 전형 결과

	모집 인원	경쟁률	내신 등급			논술점수	후보 순위
			최고	평균	최저	평균	
국어국문학과	7	30.57	3.43	4.75	5.54	75.93	-
사학과	7	30.57	3.42	4.71	5.43	75.41	1
철학과	3	27.67	4.36	4.36	4.36	67.67	-
영미인문학과	4	28.00	4.15	4.78	5.20	74.13	-
법학과	16	42.13	2.68	3.94	5.52	76.50	1
정치외교학과	5	37.60	3.89	4.24	4.81	70.60	-
행정학과	7	37.43	3.08	4.26	5.32	78.71	-
도시계획· 부동산학부	8	38.88	4.04	4.56	5.25	72.19	-
미디어 커뮤니케이션학부	11	48.55	3.00	4.20	5.25	80.09	4
상담학과	5	37.60	3.63	4.54	5.50	74.70	1
경제학과	10	28.80	2.97	4.62	6.41	76.30	-
무역학과	7	31.29	2.85	4.31	6.05	76.79	-
경영학부	34	34.15	1.30	4.34	5.68	75.94	2
한문교육과	4	25.50	3.94	4.11	4.27	70.38	-
특수교육과	6	24.00	4.63	5.16	5.45	75.58	1

(ㄴ) 2023학년도 논술 전형 결과

	모집 인원	경쟁률	내신 등급			논술점수			후보 순위
			최고	평균	최저	최고	평균	최저	
국어국문학과	8	31.75	3.66	4.80	6.13	78.00	73.44	69.50	2
사학과	8	26.00	3.92	4.21	4.37	87.50	79.83	75.50	4
철학과	3	31.00	3.48	4.25	4.87	78.50	76.40	73.50	1
영미인문학과	5	30.31	4.15	4.75	5.29	81.00	75.56	72.50	1
법학과	16	34.33	3.64	4.48	5.41	80.50	77.58	75.50	1
정치외교학과	6	31.38	4.03	4.97	6.04	83.50	81.69	79.50	-
행정학과	8	36.25	3.63	4.43	5.21	80.00	76.00	73.00	1
도시계획·부동산학부	8	43.45	3.57	4.34	5.26	87.50	83.91	82.00	-
미디어커뮤니케이션학부	11	32.20	4.02	4.55	5.21	77.00	75.30	73.00	2
상담학과	5	27.90	3.39	4.63	5.57	85.00	80.60	77.50	1
경제학과	10	27.00	3.34	4.52	5.37	83.50	79.64	77.00	-
무역학과	7	32.61	3.64	4.60	5.59	83.00	75.29	71.00	-
경영학부	31	25.50	3.85	4.62	5.49	87.50	85.13	83.00	8
한문교육과	4	22.67	3.74	4.21	5.26	77.50	76.08	74.50	-
특수교육과	6	22.67	3.74	4.21	5.26	77.50	76.08	74.50	1

(ㄷ) 2022학년도 논술 전형 결과

	모집 인원	경쟁률	내신 등급			논술점수	후보 순위
			최고	평균	최저	평균	
국어국문학과	8	29.13	2.16	4.15	5.58	73.63	-
사학과	8	28.63	3.28	4.10	4.92	72.25	-
철학과	3	26.00	5.01	5.21	5.41	81.00	-
영미인문학과	5	31.20	4.72	5.07	5.68	70.40	-
법학과	18	26.78	3.41	4.41	5.48	80.56	2
정치외교학과	6	31.83	4.25	5.20	5.99	73.17	-
행정학과	8	30.38	3.25	4.44	5.35	73.81	-
도시계획· 부동산학부	11	31.73	3.86	4.43	5.45	73.05	1
커뮤니케이션학부	11	42.73	3.31	4.59	5.76	78.41	2
상담학과	5	29.40	3.92	4.49	5.18	73.30	-
경제학과	11	25.82	3.48	4.49	5.89	82.50	-
무역학과	8	26.88	4.03	4.62	5.38	79.44	2
경영학부	32	30.28	3.32	4.43	5.73	81.17	5
한문교육과	4	23.50	3.92	4.49	5.18	73.30	2
특수교육과	6	20.50	3.25	3.97	4.88	70.17	1

(ㄹ) 2021학년도 논술 전형 결과

모집 단위	모집 인원	경쟁률	내신등급			논술 성적 평균	후보 순위
			평균	최고	최저		
국어국문학과	8	22.78	4.07	3.41	5.10	80.44	-
사학과	8	23.50	4.62	4.02	5.28	78.63	-
철학과	3	23.67	4.60	4.04	4.93	65.33	-
영미인문학과	5	21.80	4.43	3.69	4.95	83.30	-
법학과	18	28.61	4.34	3.25	5.66	67.78	-
정치외교학과	6	26.33	4.53	3.54	5.59	79.25	1
행정학과	8	25.00	4.74	2.92	5.87	80.63	-
도시계획·부동산학부	11	26.45	4.67	4.15	5.28	80.82	3
커뮤니케이션학부	11	32.09	4.37	3.48	5.03	71.59	3
상담학과	5	27.40	4.05	2.59	5.00	72.70	-
경제학과	11	26.18	4.48	3.44	5.20	69.27	2
무역학과	8	26.13	4.24	3.70	4.70	65.69	-
경영학부	32	30.16	4.30	2.96	6.14	71.20	5
한문교육과	4	15.75	5.16	4.51	5.54	74.38	-
특수교육과	6	15.67	4.68	3.99	5.55	82.42	-

(ㅁ) 2020학년도 논술 전형 결과

모집 단위	2020		학생부등급			논술 성적 평균	후보 순위
	모집 인원	경쟁률	평균	최고	최저		
국어국문학과	8	30.38	3.81	2.94	4.83	77.13	1
사학과	8	31.00	4.88	4.09	5.69	78.31	-
철학과	3	29.00	4.43	4.07	4.86	74.17	1
영미인문학과	5	33.00	4.34	3.43	4.77	82.20	2
법학과	18	32.78	4.20	2.16	5.62	74.42	3
정치외교학과	6	31.17	3.80	2.83	4.71	79.17	-
행정학과	8	33.38	4.49	3.42	5.27	77.25	2
도시계획· 부동산학부	11	32.82	4.64	3.00	5.71	80.64	-
커뮤니케이션학부	11	44.82	3.99	2.36	5.05	80.59	-
상담학과	5	36.20	3.90	3.23	4.51	78.50	-
경제학과	11	31.64	4.22	2.94	5.20	73.77	4
무역학과	11	29.45	3.99	2.71	5.27	73.65	1
경영학부	32	34.25	4.12	2.67	5.19	76.19	3
한문교육과	4	22.75	4.47	3.88	5.17	78.38	2
특수교육과	6	23.33	3.85	2.43	4.71	80.75	1

2. 논술 분석

구분	인문계열
출제 근거	고교 교육과정 내 출제
출제 범위	국어과, 사회과 도덕과 교육과정 범위와 수준 내 출제 국어, 화법과 작문, 독서, 언어와 매체, 문학, 생활과 윤리, 윤리와 사상, 통합사회, 한국사, 한국지리, 세계지리, 동아시아사, 세계사, 경제, 정치와 법, 사회·문화
논술유형	인문형
문항 수	3문항 (유형이 정형화 되어있음)
답안지 형식	문항별 글자수 제한, 원고지형 답안지
고사 시간	120분

1) 출제 구분 : 계열 구분

2) 출제 유형 :

- 평가목표를 명료하게 하고 평가하고자 하는 지식과 사고의 성격을 구체화, 유형화
- 고등학교 교육과정 범위와 수준을 준수하여 국어, 사회 및 도덕분야를 중시하여 출제하며 특정 교과나 영역에 치우치지 않음
- 변별력 있는 문제를 위해 청소년 권장 교양도서를 일부 활용
- 난이도를 '하, 중, 상'으로 구성하여 수험생의 수준별 평가가 가능하도록 출제

문제 유형	문제형식(범례)	분량	예상시간 (총120분)
주제어 제시 및 요약형	제시문의 주제어를 제시하고 요약하시오.	200자 내외	35분
	찾은 주제어를 중심으로 다른 제시문을 해석 및 설명하시오.	400자 내외	
논지 활용 설명형 (또는 비교설명형)	[가]와 [나]의 논지를 활용하여 [다]를 설명 또는 평가(비교 설명)하시오.	600자 내외	40분
논지 활용 문제해결형	제시문의 논지를 활용하여 ○○문제의 해결방안을 제시하시오, 혹은 [가], [나]의 논지를 활용하여 [다]를 비판하시오.	600자 내외	45분

문항	질문 평가 내용
1번	제시문 [가], [나], [다]를 이용하여 1) 주제어를 찾고 2) 요약하며 3) 설명하는 능력을 측정하기 위한 것이다.
2번	문제는 글에 드러난 관점과 내용을 정확하게 파악하고 이를 문제 상황에 맞게 적용하여 통일성과 응집성 있는 글을 쓰는 능력을 평가하기 위한 것이다.
3번	쓰기는 의미를 구성하여 소통하는 사회적 상호작용임을 이해하고, 타당한 논거를 수집하고 적절한 설득 전략을 활용하여 설득하는 글을 쓸 수 있는지 확인하는 것이다. 또한 글에 드러난 정보를 바탕으로 중심 내용, 주제, 글의 구조와 전개 방식 등 사실적 내용을 파악하며 읽을 수 있는지, 매체의 특성에 따라 정보가 구성되고 유통되는 방식을 알고 이를 의사소통에 활용하는지가 중요한 평가 기준으로 활용하고 있다.

3) 출제 및 평가내용 :

- 대학교육에 필요한 범교과적인 지식과 사고능력, 문제해결능력을 평가
- 기초사고력, 분석력, 종합력, 적용력, 비판력 등을 평가
- 고교 교육과정을 고려하여 개별적, 단편적 지식이 아닌 논리적, 체계적 지식을 평가
- 답안 작성 시 국어 규범능력(맞춤법, 표준어, 문법적 문장)도 평가에 포함
- 답안 작성 시 제시문을 그대로 옮겨 적거나 남용하면 고득점을 받을 수 없음

3. 출제 문항 수

구분	인문계
문항수	3문항

4. 시험 시간

· **120분**

5. 논술 유의사항

1. 시험시간은 120분이며, 고사 종료시까지 퇴실할 수 없습니다. (중도퇴실할 경우 결시처리)
2. 문제번호와 답안번호가 반드시 일치하여야 합니다. (일치하지 않을 경우 0점 처리됨)
3. 문제별 답안작성란을 벗어나지 않게 작성하여야 합니다.
4. 답안 작성 시 인적사항 등 답안과 관련 없는 내용을 작성한 경우 0점처리 됩니다.
5. 답안은 반드시 검정색 필기구로 작성하시기 바랍니다.
(연필, 샤프, 빨간색이나 파란색 필기구 사용금지)
6. 답안지는 교체가 불가하오니 원고지 교정부호 또는 수정테이프를 사용하여 수정하시기 바랍니다.
7. 연습지는 대학에서 제공하는 A4용지를 활용하시기 바랍니다.
8. 휴대폰 등 전자기기는 전원을 끄고 비닐백에 넣어 좌석 아래에 보관하시기 바랍니다. 고사 중에 벨소리, 진동, 알람 등의 소리가 울릴 경우 부정행위자로 간주하여 처리합니다.

II. 기출문제 분석

1. 출제 경향

학년도	교과목	질문 및 주제
2024학년도 수시 오전	국어, 독서	선동, 마녀사냥, 노블레스 오블리주, 언론
	독서, 화법과 작문, 통합사회, 생활과 윤리	평등, 불공정, 소수자 우대 정책, 역차별, 분배, 차별
	국어, 화법과 작문, 독서, 언어와 매체, 통합사회, 경제	경기, 기준 금리, 대출, 투자, 주식, 부동산, 금융 이해력, 과소비
2024학년도 수시 오후	국어, 문학, 독서	이해, 입장, 장님, 공정 무역
	독서, 화법과 작문, 통합사회, 윤리와 사상, 정치와 법	국제 문제, 협력과 갈등, 국제주의, 세계 시민주의, 해외 원조, 롤스, 싱어
	국어, 화법과 작문, 독서, 언어와 매체, 통합사회, 사회·문화, 생활과 윤리, 정치와 법	SNS(누리소통망), 스마트폰, 정치, 소통, 외로움, 가짜 뉴스, 사이버 범죄, 정보 윤리, 잊힐 권리
2024학년도 모의	독서, 국어,	정보사회, 개인의 정보, 감시, 처벌, 통제, 식품안전,
	생활과 윤리	과학기술의 윤리적 가치, 가치 중립성, 내적책임, 외적책임, 인공지능, 연구 통제
	통합사회, 사회문화, 경제	빈곤, 상대적 빈곤, 절대적 빈곤, 고령층의 빈곤, 사회복지지출
2023학년도 수시 오전	국어, 독서, 문학	공감, 영감, 경험, 감동, 사실, 애정
	국어, 화법과 작문, 독서, 생활과 윤리, 윤리와 사상, 통합사회	공리주의, 개인주의, 평등주의, 인간 중심주의, 대지 윤리, 생태 중심주의
	국어, 화법과 작문, 독서, 언어와 매체, 통합사회, 한국사, 세계지리, 경제	보호무역주의, 전기차 시장, 배터리, 광물, 수출 의존도, 기업 혁신, 혁신 성장, 자원 개발

학년도	교과목	질문 및 주제
2023학년도 수시 오후	국어, 언어와 매체, 문학	공감, 재판, 분쟁, 갈등, 예술, 이해
	화법과 작문, 독서, 윤리와 사상, 통합사회, 한국사	스토아학파, 이성, 자연 법칙, 실용주의, 듀이, 유엔, 평화유지활동
	국어, 화법과 작문, 독서, 언어와 매체, 생활과 윤리, 통합사회, 한국사, 사회.문화	사회 갈등, 사회 변화, 세대 차이, 세대 갈등
2023학년도 모의	국어, 독서, 문학	조화, 역할과 기능, 전통과 새로움, 과거와 현재, 사람과 만물
	생활과 윤리, 독서,	예술이 인간의 삶에 끼치는 효과, 예술과 윤리, 도덕주의, 예술 지상주의 아폴론적 예술, 디오니소스적 예술
	통합사회, 경제, 생활과 윤리	렌트카 문제로 본 교통문제, 렌트카 총량제, 수요의 가격 탄력성, 공급량의 재조정, 대체제 공급, 경제 유인, 편익 증가, 비용 감소, 사회 갈등과 사회 통합
2022년도 수시 오전	국어, 독서, 문학, 미술	사랑, 역설, 표현, 상징, 철학, 성찰, 능력, 품성
	통합사회, 사회.문화, 생활과 윤리, 독서, 언어와 매체, 미술	성격, 아름다움, 도덕, 지성, 과학, 진리, 예술, 만족감, 문화, 기준, 개성
	국어, 화법과 작문, 독서, 언어와 매체, 통합사회, 경제, 사회문화	기업가 정신, 혁신 수준, 경제 성장, 규제, 완화, 개혁
2022년도 수시 오후	국어, 문학, 독서, 생활과 윤리	공존, 관용, 이성, 인공지능, 가치, 인식
	윤리와 사상, 정치와 법	자유주의, 민주주의, 사회주의, 자유 민주주의, 민주 사회주의, 사회 민주주의
	국어, 화법과 작문, 독서, 언어와 매체, 통합사회, 사회.문화, 경제, 생활과 윤리	반려동물, 반려인, 반려문화, 펫티켓, 사회 갈등

학년도	교과목	질문 및 주제
2022년도 모의	독서, 생활과 윤리, 문학	사랑, 자아, 개인주의, 유대, 소속감, 보호, 책임, 존경, 이해
	윤리와 사상, 통합사회, 경제	인간 본성, 이성, 관심, 의사결정의 다양성, 합리적 의사 결정, 사적 이익, 공적 이익, 사회적 이익
	통합사회, 경제, 사회문화	사회 불평등, 지속 가능 발전, 소득 불균형, 건강 격차, 사교육 격차, 정보화 격차, 자살
2021학년도 수시 오전	국어, 문학, 독서, 윤리와 사상	경험, 인식, 판단, 아름다움, 취향, 기준, 현실주의자, 이상주의자, 명제
	독서, 화법과 작문, 윤리와 사상, 생활과 윤리, 정치와 법	우상, 미끄러운 경사 길 논증, 가짜 뉴스, 정치 문화, 윤리적 공백, 이상적 대화 상황
	국어, 화법과 작문, 독서, 언어와 매체, 통합사회, 사회·문화, 한국지리	누리 소통망, 재택근무, 거리 두기, 정보화 수준, 언어 예절, 사회적 접촉
2021학년도 수시 오후	국어, 문학, 독서	권태, 무위, 타락, 이기주의, 자유, 낭만
	독서, 화법과 작문, 통합사회, 사회.문화, 한국사, 동아시아사, 윤리와 사상	문화, 문화적 수준, 계몽, 조화, 강요, 경쟁, 민족 개조, 합의
	국어, 화법과 작문, 독서, 언어와 매체, 통합사회, 사회·문화, 경제	기업, 사회적 책임, 폐기물, 온실가스, 산업 재해, 감정 노동, 공정 거래
2021학년도 수시 모의	국어, 독서, 국어	행복, 가난, 문명, 정신적 만족감, 풍요, 여유, 휴식
	통합사회, 한국사	행복, 도덕적 가치, 책임, 과거사, 반성, 배상, 연대 의무, 연대 책임, 세대
	통합사회, 사회문화	삶의 만족도, 성적, 경제 수준, 부모, 자녀, 우울증, 스트레스, 불행감, 어린이, 청소년

2. 출제 의도

학년도	출제의도
2024학년도 수시 오전	제시문 [가], [나], [다]를 이용하여 1) 주제어를 찾고 2) 요약하며 3) 설명하는 능력을 측정하기 위한 것이다. ○ 제시문 [가]는 유럽 사회에서 일어났던 마녀사냥을 선동의 관점에서 고찰하고 있다. 이 제시문은 고등학교 독서 교과서에 나오는 '다양한 분야의 글 읽기' 부분에서 '인문·예술 분야의 글 읽기'의 사례로 제시한「우리 안의 마녀사냥」에서 발췌한 글이다. ○ 제시문 [나]는 노블레스 오블리주를 내용으로 하고 있다. 이 제시문은 고등학교 독서 교과서에 나오는 '독서의 분야' 부분에서 '다양한 매체 자료 읽기'의 사례로 제시한「노블레스 오블리주」에서 발췌한 글이다. ○ 제시문 [다]는 드레퓌스 사건에 대한 여론의 선동 사례를 보여 주고 있다. 이 제시문은 고등학교 독서 교과서에 나오는 '독서의 분야' 부분에서 '사회·문화 분야의 글 읽기'와 관련이 있는 것으로 나는 고발한다에서 발췌한 글이다.
	문제는 글에 드러난 관점과 내용을 정확하게 파악하고 이를 문제 상황에 맞게 적용하여 통일성과 응집성 있는 글을 쓰는 능력을 평가하기 위한 것이다. ○ 제시문 [가]는 고등학교 통합사회 교과에서 '사회 정의와 불평등' 영역의 정의가 요청되는 이유를 파악하고, 정의의 의미와 실질적 기준을 탐구하는 문항이다. ○ 제시문 [나], [다]는 고등학교 생활과 윤리 교과의 "공정한 분배를 이룰 수 있는 방안으로서 우대 정책과 이에 따른 역차별 문제를 분배 정의 이론을 통해 비판 또는 정당화할 수 있으며, 사형 제도를 교정적 정의의 관점에서 비판 또는 정당화할 수 있는지 살펴보는 것이다. ○ 제시문 [라]는 고등학교 통합사회 교과의 사회적 소수자 차별, 청소년의 노동권 등 국내 인권 문제와 인권지수를 통해 확인할 수 있는 세계 인권 문제의 양상을 조사하고, 이에 대한 해결 방안을 제시하는 관계를 살펴보는 것이다.
	○ 이 문제는 고등학교 경제 교과 중 총수요와 총공급을 이용하여 경기 변동을 이해하고 재정 정책과 통화 정책을 통한 경제 안정화 방안을 모색해보고자 하였다. 또한 현대 경제생활에서 금융의 의미와 중요성을 인식하고, 현재와 미래의 삶을 위하여 수입, 지출, 신용, 저축, 투자의 의미와 역할을 이해하는지, 수입과 지출에 영향을 주는 요인들을 인식하고, 개인 자산과 부채의 합리적인 관리 방법을 설명할 수 있는지 평가한다.

학년도	출제의도
	○ 통합사회 교과에서 행복한 삶을 실현하기 위한 조건으로 질 높은 정주 환경의 조성, 경제적 안정, 민주주의의 발전 및 도덕적 실천이 필요함을 설명함을 이해하는지 평가하였다. 경제 교과에서도 자산 관리를 적절하게 하는 능력을 계발하기 위하여 자산 관리의 원칙을 파악하고, 다양한 금융 상품의 특성을 이해하고 비교할 수 있는지 시장 실패 현상을 개선하기 위한 정부의 시장 개입과 그로 인해 나타날 수 있는 문제점을 이해하고 이를 보완할 수 있는 방안을 모색하는 종합적으로 이해하여 해결 방안을 제시할 수 있는지 평가한다.
2024학년도 수시 오후	○ 이 문제는 제시문 [가], [나], [다]를 이용하여 1) 주제어를 찾고 2) 요약하며 3) 설명하는 능력을 측정하기 위한 것이다. ○ 제시문 [가]는 남의 입장을 나의 입장으로 이해하는 태도를 설명하고 있다. 이 제시문은 고등 학교 문학 교과의 '독서의 본질과 구조' 부분에서 '문학의 유기적 구조'의 사례로 제시한 「나와 남」에서 발췌한 글이다. ○ 제시문 [나]는 장님이 아닌 사람과 사물에 대한 이해에 차이를 보이는 장님이 등장하고 있다. 이 제시문은 고등학교 독서 교과서에 '독서의 방법' 중 '감상적 읽기'와 관련이 있는 것으로 사람의 아들에서 발췌한 글이다. ○ 제시문 [다]는 공정 무역 인증 제도의 실효성 문제를 지적하고 있다. 이 제시문은 고등학교 독서교과서의 「윤리적 소비는 효율적인가」에서 발췌한 글이다.
	○ 이 문제는 글에 드러난 관점과 내용을 정확하게 파악하고 이를 문제 상황에 맞게 적용하여 통일성과 응집성 있는 글을 쓰는 능력을 평가하기 위한 것이다. ○ 글의 내용을 파악하는 능력은 글에 드러난 관점이나 내용, 글에 쓰인 표현 방법, 필자의 숨겨진 의도나 사회·문화적 이념을 비판하며 읽는 지 또한, 타당한 논거를 수집하고 적절한 설득 전략을 활용하여 설득하는 글을 쓰는지 살펴보는 것이다. ○ 제시문 [가]는 국제 문제(안보, 경제, 환경 등)를 이해하고, 이를 해결하기 위해 국제기구들이 수행하는 역할과 활동을 분석하는 내용이다. ○ 제시문 [나]는 오늘날의 국제 관계 변화(세계화 등)를 이해하고 국제 사회에서 국제법이 지닌 의의와 한계를 탐구하고자 하였다. ○ 제시문 [다]는 사회적 소수자 차별, 청소년의 노동권 등 국내 인권 문제와 인권지수를 통해 확인할 수 있는 세계 인권 문제의 양상을 조사하고, 이에 대한 해결 방안을 제시하는 과정을 살펴보았다.

학년도	출제의도
	○ 제시문 [라]는 동·서양의 평화사상들을 탐구하여 세계시민주의와 세계시민윤리의 원칙 및 지향을 이해하고, 이를 통해 세계시민이 가져야 할 태도에 대해 성찰해 보고자 하였다. ○ 제시문 [마]는 국제 갈등과 협력의 사례를 통해 국제 사회의 행위 주체의 역할을 파악하고, 평화의 중요성을 인식하고자 하였다.
	○ 이 문제는 세계화 및 정보화로 인한 변화 양상을 설명하고 관련 문제에 대처하는 방안을 모색하고 하였다. 또한, 교통·통신의 발달과 정보화로 인해 나타난 생활공간과 생활양식의 변화 양상을 조사하고, 이에 따른 문제점을 해결하기 위한 방안을 이해할 수 있는지 평가한다. ○ 이 문제는 교통·통신의 발달과 정보화로 인해 나타난 생활공간과 생활양식의 변화 양상을 조사하고, 이에 따른 문제점을 해결하기 위한 방안을 제안한다. 또 개인과 사회의 관계를 바라보는 여러 관점을 비교하고 인간의 사회화 과정을 설명한다. 여기데 더해 정보기술과 매체의 발달에 따른 윤리적 문제들과 해결 방안을 정보윤리와 매체윤리의 관점에서 제시할 수도 있다. 민주 국가의 정치과정을 분석하고, 시민의 정치 참여의 의의와 유형을 탐구해 통합적으로 연결하여 해결 방안을 제시할 수 있는 사고력을 평가한다.
2024학년도 모의	○ 이 문제는 제시문 [가], [나], [다]를 이용하여 1) 주제어를 찾고 2) 요약하며 3) 설명하는 능력을 측정하기 위한 것이다. ○ 제시문 [가]는 정보 사회에서 개인의 정보와 데이터를 통한 감시를 설명하고 있다. 이 제시문은 교과의 '비판적 읽기'의 사례로 제시한 「감시와 역감시의 역사」에서 발췌한 글이다. ○ 제시문 [나]는 생산 조직의 효과적인 통제를 위한 통제 체제의 역할과 기능을 설명하고 있다. 교과의 「감시와 처벌」이라는 자료에서 발췌한 글이다. ○ 제시문 [다]는 학생이 교내의 식품 안전을 위해 교장 선생님께 건의하고 있다. 이 제시문은 '쓰기' 부분에서 '설득하는 글쓰기'의 사례로 제시한 글이다.
	○ 이 문제는 글에 드러난 관점과 내용을 정확하게 파악하고 이를 문제 상황에 맞게 적용하여 통일성과 응집성 있는 글을 쓰는 능력을 평가하기 위한 것이다. ○ 제시문 [가], [나], [다], [라]는 과학기술 연구에 대한 다양한 관점을 조사하여 비교、설명할 수 있으며 이를 과학기술의 사회적 책임 문제에 적용하여 비판 또는 정당화 할 수 있는지 살펴보는 것이다.

<table>
<tr><th>학년도</th><th>출제의도</th></tr>
<tr><td></td><td>○ 이 문제는 사회 및 공간 불평등 현상의 사례를 조사하고, 정의로운 사회를 만들기 위한 다양한 제도와 실천 방안을 탐색하려는 교과 목표를 따랐다. 또 세계의 인구 분포와 구조 등에 대한 자료 분석을 통해 현재와 미래의 인구 문제 양상을 파악하고, 그 해결 방안을 고민해보는 문항이다. 이를 통해 가계, 기업, 정부 등 각 경제 주체가 국가 경제 속에서 수행하는 기본적인 역할을 통합적으로 이해할 수 있는지 평가한다.
○ 이 문제는 사회 계층과 불평등, 사회 이동과 사회 계층 구조의 의미를 설명하고 그 유형과 특징을 분석한다. 사례를 통해 다양한 사회 불평등 양상을 조사하고 그와 관련한 차별을 개선하기 위한 방안을 모색해 사례에 대한 적절한 해결 방안을 제시할 수 있는지 평가한다.</td></tr>
<tr><td rowspan="2">2023학년도
수시 오전</td><td>○ 이 문제는 제시문 [가], [나], [다]를 이용하여 1) 주제어를 찾고 2) 요약하며 3) 설명하는 능력을 측정하기 위한 것이다.
○ 제시문 [가]는 소설을 통한 공감이 좋은 영감을 주어 연주에 도움이 된다는 글이다. 이 제시문은 문학의 즐거움과 가치의 체험을 위해 활용한 장한나의 글이다.
○ 제시문 [나]는 사실에 입각한 이순신의『 난중일기』 문장의 강력함에 대한 글이다. 이 제시문은 상황에 맞는 문장 쓰기를 위해 활용한 김훈의「회상」에서 발췌한 글이다.
○ 제시문 [다]는 인간에 대한 진심의 애정이 드러나야 감동이 생기고 힘 있는 사진이 된다는 글이다. 이 제시문은 예술 분야의 글을 통해 삶의 문제와 인간의 태도를 비판적으로 이해하는 것과 관련된다. 윤광준의『내가 찍고 싶은 사진』에서 발췌한 글이다.</td></tr>
<tr><td>○ 이 문제는 글에 드러난 관점과 내용을 정확하게 파악하고 이를 문제 상황에 맞게 적용하여 통일성과 응집성 있는 글을 쓰는 능력을 평가하기 위한 것이다.
○ 제시문 [가]는 의무론과 칸트의 정언명령, 결과론과 공리주의의 특징을 비교하여 각각의 윤리사상이 갖는 장점과 문제점을 파악할 수 있는지 확인하는 것이다.
○ 제시문 [나]는 자연에 대한 인간의 다양한 관점을 사례를 통해 설명하고, 인간과 자연의 바람직한 관계에 대해 제안한다.
○ 제시문 [다]는 자연을 바라보는 동서양의 관점을 비교·설명할 수 있으며 오늘날 환경 문제의 사례와 심각성을 조사하고, 이에 대한 해결 방안을 윤리적 관점에서 제시할 수 있는지 살펴본다.
○ 제시문 [라]는 문학의 수용과 생산 활동을 통해 다양한 사회·문화적 가치를 이해하고 평가할 수 있다.</td></tr>
</table>

학년도	출제의도
	○ 이 문제는 자원, 노동, 자본의 지역 분포에 따른 국제 분업과 무역의 필요성을 이해하고, 무역의 확대가 우리 삶에 어떤 영향을 끼치는지 사례를 통해 탐구한다, 시장 가격의 결정과 변동 원리를 이해하고, 수요와 공급의 원리를 노동 시장과 금융 시장 등에 적용한다. 또한 지구적 차원에서 사용 가능한 자원의 분포와 소비 실태를 파악하고, 지속가능한 발전을 위한 개인적 노력과 제도적 방안을 탐구하고 함께 연관 지어 설명할 수 있는지 평가하는 문제이다. ○ 이 문제는 가계, 기업, 정부 등 각 경제 주체가 국가 경제 속에서 수행하는 기본적인 역할을 이해한다. 또한 조선 시대 세계관의 변화를 국내 정치 운영과 국제 질서의 변동 속에서 탐구한다. 사하라 이남 아프리카와 중、남부 아메리카에서 나타나는 자원개발의 주요 사례들을 조사하고 환경 보존이나 자원의 정의로운 분배라는 입장에서 관점을 넓힌다. 자원, 노동, 자본의 지역 분포에 따른 국제 분업과 무역의 필요성을 이해하고, 무역의 확대가 우리 삶에 어떤 영향을 끼치는지 사례를 통해 탐구해 통합적으로 이해하는 사고력을 평가하는 문제이다.
2023학년도 수시 오후	○ 이 문제는 제시문 [가], [나], [다]를 이용하여 1) 주제어를 찾고 2) 요약하며 3) 설명하는 능력을 측정하기 위한 것이다. ○ 제시문 [가]는 판사가 재판 당사자들의 말과 글에 더욱 공감하면 분쟁 해결의 실마리를 찾을 수 있어 더 좋은 결론이 나온다는 글이다. 이 제시문은 언어의 가치와 문화를 성찰하기 위해 활용한 이영창의 「나와 우리말과 글」에서 발췌한 글이다. ○ 제시문 [나]는 북으로 상징되는 성규 할아버지의 삶을 둘러싼 세대 간의 갈등을 보여 주는 글이다. '자아 성찰과 타자 이해' 부분에서 세대 간 화합의 가능성을 생각하기 위해 활용한 최일남의 「흐르는 북」에서 발췌한 글이다. ○ 제시문 [다]는 인생을 이해하는 데 있어서 어린이와 어른의 관심의 차이를 보여 주는 글이다. 주체적인 관점에서 문학을 해석하고 평가하는 것과 관련된다. 이 제시문은 생텍쥐페리의 『어린 왕자』에서 발췌한 글이다.
	○ 이 문제는 글에 드러난 관점과 내용을 정확하게 파악하고 이를 문제 상황에 맞게 적용하여 통일성과 응집성 있는 글을 쓰는 능력을 평가하기 위한 것이다. ○ 제시문 [가]는 행복에 이를 수 있는 방법으로서 쾌락의 추구와 금욕의 삶을 강조하는 윤리적 입장을 비교하여 각각의 특징과 한계를 살펴본다. ○ 제시문 [나]는 현대의 실존주의, 실용주의가 주장하는 윤리적 입장

학년도	출제의도
	들을 이해하고, 우리의 도덕적 삶에 기여하는 바를 설명한다. ○ 제시문 [다]는 국제 갈등과 협력의 사례를 통해 국제 사회의 행위 주체의 역할을 파악하고, 평화의 중요성을 인식하게 한다. ○ 제시문 [라]는 4、19 혁명과 그 이후의 정치 변화를 살펴보고, 독재에 맞선 민주화 운동과 그 의미를 탐구한다. 또한 경제 성장의 성과와 문제점을 살펴보고, 이에 따른 사회、문화의 변화도 파악한다.
	○ 이 문제는 사회에서 일어나는 다양한 갈등의 양상을 제시하고, 사회 통합을 위한 구체적인 방안을 제안할 수 있으며 바람직한 소통 행위를 담론윤리의 관점에서 설명하고 일상생활에서 실천할 수 있는지 확인하고, 산업화, 도시화로 인해 나타난 생활공간과 생활양식의 변화 양상을 조사하고, 이에 따른 문제점을 해결하기 위한 방안을 제안한다. 대한민국의 발전에서 경제 성장의 성과와 문제점을 살펴보고, 이에 따른 사회、문화의 변화를 파악한다. 이에 더해 저출산、고령화와 다문화적 변화로 인해 대두되는 과제를 제시하고 이에 대한 대응 방안을 모색하여 통합적으로 연결하는 사고력을 평가하는 문제이다. ○ 제시문 [가]는 우리 사회에 당면한 사회 갈등에 관하여 설명하고, 이와 관련한 원인과 해결 방안을 제시한 것이다. ○ 제시문 [나]는 시대의 변화, 과학기술의 발전, 정보 기술 발달에 따른 사회 변화와 세대 간 디지털 역량의 차이, 그리고 핵가족화와 1인 가구의 증가를 제시한 것이다. ○ 제시문 [다]는 세대 간 정치 성향의 차이, 세대 간 결혼에 대한 견해 차이, 그리고 세대 간 소통의 부족을 제시한 것이다. ○ 제시문 [라]는 가정 내에서의 세대 갈등, 정치적인 측면에서의 세대 갈등, 경제적인 측면에서의 세대 갈등, 직장 내에서의 세대 갈등 사례를 든 것이다.
2023학년도 모의	○ 이 문제는 제시문 [가], [나], [다]를 이용하여 1) 주제어를 찾고 2) 요약하며 3) 설명하는 능력을 측정하기 위한 것이다. ○ 제시문 [가]는 오케스트라와 같은 조직체에서의 조화를 설명하고 있다. 이 제시문은 문학 갈래의 특징을 이해하기 위해 활용한 피천득의 「플루트 연주자」라는 수필 작품이다. ○ 제시문 [나]는 전통을 그대로 보존하거나 전통을 보존한 채 새로움을 꾀하는 도시 풍경을 제시한 글이다. 이 제시문은 정석의 「도시 생태계와 종 다양성」이라는 자료에서 발췌한 글이다. ○ 제시문 [다]는 사람, 금수, 초목이 동등한 가치를 지닌 존재라는 깨달음을 설명한 글이다. 문학의 생활화와 관련이 있는 것으로 홍대용의 「의산문답(醫山問答)」이라는 자료에서 발췌한 글이다.

학년도	출제의도
	○ 이 문제는 글에 드러난 관점과 내용을 정확하게 파악하고 이를 문제 상황에 맞게 적용하여 통일성과 응집성 있는 글을 쓰는 능력을 평가하기 위한 것이다. ○ 글의 내용을 파악하는 능력은 글에 드러난 관점이나 내용, 글에 쓰인 표현 방법, 필자의 숨겨진 의도나 사회ㆍ문화적 이념을 비판하며 읽을 수 있어야 한다. 또한 타당한 논거를 수집하고 적절한 설득 전략을 활용하여 설득하는 글로 표현할 수 있다. ○ 제시문 [가]는 미적 가치와 윤리적 가치를 예술과 윤리의 관계 차원에서 설명할 수 있으며 대중문화의 문제점을 윤리적 관점에서 비판하고 그 개선 방안을 제시할 수 있는지 살펴본다. ○ 제시문 [나], [다], [라]는 인문·예술 분야의 글을 읽으며 제재에 담긴 인문학적 세계관, 예술과 삶의 문제를 대하는 인간의 태도, 인간에 대한 성찰 등을 비판적으로 이해할 수 있는지 평가한다. 사회·문화 분야의 글을 읽으며 제재에 담긴 사회적 요구와 신념, 사회적 현상의 특성, 역사적 인물과 사건의 사회ㆍ문화적 맥락 등을 비판적으로 이해할 수 있다.
	○ 이 문제는 쓰기는 의미를 구성해 소통하는 사회적 상호작용임을 이해하고 글을 쓸 수 있는지 살펴본다. 타당한 논거를 수집하고 적절한 설득 전략을 활용하여 설득하는 글을 쓰며 글에 드러난 정보를 바탕으로 중심 내용, 주제, 글의 구조와 전개 방식 등 사실적 내용을 파악하며 읽어야 한다. 또한 다양한 매체의 특성에 따라 정보가 구성되고 유통되는 방식을 알고 이를 의사소통에 활용할 수 있는 지가 중요한 평가 기준으로 활용한다. ○ 산업화, 도시화로 인해 나타난 생활공간과 생활양식의 변화 양상을 조사하고, 이에 따른 문제점을 해결하기 위한 방안을 제안할 수 있는지 점검하였다. 시장경제의 원활한 작동과 발전을 위해 요청되는 정부, 기업가, 노동자, 소비자의 바람직한 역할에 대해 설명하고, 시장 실패 현상을 개선하기 위한 정부의 시장 개입과 그로 인해 나타날 수 있는 문제점을 이해하고 이를 보완할 수 있는 방안을 제시할 수 있는지 평가한다. ○ 이 문제는 시장 가격의 결정과 변동 원리를 이해하고, 수요와 공급의 원리를 노동 시장과 금융 시장 등에 적용해 볼 수 있는지 확인한다. 이로인해 사회에서 일어나는 다양한 갈등의 양상을 제시하고, 사회 통합을 위한 구체적인 방안을 제안할 수 있으며 바람직한 소통 행위를 담론윤리의 관점에서 설명하고 일상생활에서 실천할 수 있지도 점검한다. 다양한 사례를 통해 비용과 편익을 고려하여 선택하는 능력을 계발하고 매몰 비용은 의사 결정 과정에서 고려하지 않아야

학년도	출제의도
	함과 인간은 경제적 유인에 반응함을 인식한다는 요소를 연결하는 사고력을 평가한다.
2022학년도 수시 오전	○ 이 문제는 제시문 [가], [나], [다]를 이용하여 1) 주제어를 찾고 2) 요약하며 3) 설명하는 능력을 측정하기 위한 것이다. ○ 제시문 [가]는 사랑의 역설적인 표현 방식을 설명하고 있다. 제시문은 '언어 공동체의 담화 관습'을 살펴보기 위해 활용한 「사랑 대 러브(love)」라는 자료에서 발췌한 글이다. ○ 제시문 [나]는 클림트의 <철학>과 <의학> 그림에서 보이는 표현 방식을 설명하고 있다. 인문、예술 분야의 글을 읽는 것과 관련이 있는 것으로 『다정한 철학자의 미술관 이용법』이라는 자료에서 발췌한 글이다. ○ 제시문 [다]는 우직한 어리석음이 세상을 변화시킴을 주장하고 있다. 「어리석은 자의 우직함이 세상을 조금씩 바꿔 갑니다」라는 자료에서 발췌한 글이다. ○ 이 문제는 '아트 테러리스트'로 불리는 영국의 미술 작가로 그래피티 아티스트, 사회운동가로 알려진 뱅크시(Banksy, 실명은 아직 알려진 바 없으며, 가디언 언리미티드 기사에는 1974년생으로 밝히고 있다.)의 〈쇼핑하는 원시인〉을 모티브로 하고 있다. 그는 예술을 겉치레로 여기고 제대로 감상하지 않는 사람들을 비판하기 위해 행위 예술을 통해 기존의 예술이나 사회적 권위를 비판(이를 '제도 비판 예술'이라고 한다.)하였다. ○ 문제는 사회 현상에 대한 비판적 사고력의 향상과 예술 작품 감상을 통한 비평적 글쓰기 및 올바른 문화와 예술의 향유 태도와 사회 변동에 따른 사회、문화 현상에 대한 다양한 관점과 태도를 통합적 인식으로 구성하고 표현하는 능력을 평가하고 있다. ○ "시간적, 공간적, 사회적, 윤리적 관점의 특징을 이해하고, 이를 바탕으로 인간, 사회, 환경의 탐구에 통합적 관점이 요청되는 이유를 파악한다. 대중문화의 특징을 대중매체와의 관계 속에서 분석하고 대중문화를 비판적으로 수용하는 태도로 사회、문화 현상에 대한 이해와 대중문화에 대한 비판과 주체적 수용 자세에 대한 교과 지식의 학습에 기초하고 있다. ○ 제시문 [가]는 미적 가치와 윤리적 가치를 예술과 윤리의 관계 차원에서 설명할 수 있으며 대중문화의 문제점을 윤리적 관점에서 비판하고 그 개선 방안을 제시하고 예술 분야의 글을 읽으며 제재에 담긴 인문학적 세계관, 예술과 삶의 문제를 대하는 인간의 태도, 인간에 대한 성찰 등을 비판적으로 이해하는 과정을 점검한다. 사회、문화 분야의 글을 읽으며 제재에 담긴 사회적 요구와 신념, 사회적 현상의

학년도	출제의도
	특성, 역사적 인물과 사건의 사회·문화적 맥락 등을 비판적으로 이해하여야 한다. ○ 제시문 [다]는 미술 작품에 대한 자신의 견해를 관련 자료와 정보 등을 활용하여 논리적으로 서술할 수 있는지 점검하는 글이다. 매체를 바탕으로 하여 형성되는 문화에 대해 비판적으로 이해하고 주체적으로 향유할 수 있어야 한다.
	○ 이 문제는 쓰기는 의미를 구성하여 소통하는 사회적 상호작용임을 이해하고, 타당한 논거를 수집하고 적절한 설득 전략을 활용하여 설득하는 글을 쓸 수 있는지 확인하는 것이다. 또한 글에 드러난 정보를 바탕으로 중심 내용, 주제, 글의 구조와 전개 방식 등 사실적 내용을 파악하며 읽을 수 있는지, 매체의 특성에 따라 정보가 구성되고 유통되는 방식을 알고 이를 의사소통에 활용하는지가 중요한 평가 기준으로 활용하고 있다. ○ 산업화, 도시화로 인해 나타난 생활공간과 생활양식의 변화 양상을 조사하고, 이에 따른 문제점을 해결하기 위한 방안을 제안할 수 있는지 확인한다. 자본주의의 역사적 전개 과정과 그 특징을 조사하고, 시장경제에서 합리적 선택의 의미와 그 한계를 파악하고, 다양한 사례를 통해 비용과 편익을 고려하여 선택하는 능력을 계발하고 매몰비용은 의사 결정 과정에서 고려하지 않아야 함과 인간은 경제적 유인에 반응함을 인식하는 관점에서 해결할 수 있는지 평가한다. ○ 시장경제의 원활한 작동과 발전을 위해 요청되는 정부, 기업가, 노동자, 소비자의 바람직한 역할에 대해 설명하고, 경제의 순환 과정을 이해하고 경제 주체의 지출과 소득으로 국민경제활동 수준을 파악하여야 한다. 사회 집단 및 사회 조직의 유형과 사례를 조사하고 그 특징을 또한 비교한다.
2022학년도 수시 오후	○ 이 문제는 제시문 [가], [나], [다]를 이용하여 1) 주제어를 찾고 2) 요약하며 3) 설명하는 능력을 측정하기 위한 것이다. ○ 제시문 [가]는 나와 남의 공존을 설명하고 있다. '문학의 유기적 구조'를 살펴보기 위해 활용한 「나와 남」이라는 자료에서 발췌한 글이다. ○ 제시문 [나]는 예수 그리스도의 복음과 인간의 이성에 있어서 관용의 필연성을 설명하고 있다. 다문화 사회의 윤리 분야의 글을 읽는 것과 관련이 있는 것으로 『관용에 관한 편지』라는 자료에서 발췌한 글이다. ○ 제시문 [다]는 인공 지능 시대에 인간을 인간답게 만드는 가치를 설명하고 있다. 『로봇 시대, 인간의 일』이라는 자료에서 발췌한 글이다.

학년도	출제의도
	○ 이 문제는 개인과 공동체의 관계, 개인의 권리와 의무, 자유의 의미와 정치 참여에 대한 자유주의와 공화주의의 입장을 비교하여, 개인선과 공동선의 조화를 위한 대안을 모색할 수 있는지 확인한다. 또한 민주주의의 사상적 기원과 근대 자유민주주의를 탐구하고, 참여민주주의와 심의민주주의 등 현대 민주주의 사상들이 제시하는 가치 규범을 이해하여, 바람직한 민주시민의 자세에 대해 토론할 수 있는지도 살펴보았다. 자본주의의 규범적 특징과 기여 및 이에 대한 비판들을 조사하고, 이를 통해 우리 사회가 인간의 존엄과 품격을 보장하는 자본주의 사회로 발전해 갈 수 있는 방향에 대해 이해하고 법에 의해 보장되는 근로자의 기본적인 권리를 이해하고, 이를 일상생활의 사례에 적용하는지 알아보았다.
	○ 이 문제는 쓰기는 의미를 구성하여 소통하는 사회적 상호작용임을 이해하고, 타당한 논거를 수집하고 적절한 설득 전략을 활용하여 설득하는 글을 쓸 수 있는지 확인하는 것이다. 또한 글에 드러난 정보를 바탕으로 중심 내용, 주제, 글의 구조와 전개 방식 등 사실적 내용을 파악하며 읽을 수 있는지, 매체의 특성에 따라 정보가 구성되고 유통되는 방식을 알고 이를 의사소통에 활용하는지가 중요한 평가 기준으로 활용하고 있다. ○ 이 문제는 세계의 인구 분포와 구조 등에 대한 자료 분석을 통해 현재와 미래의 인구 문제 양상을 파악하고, 그 해결 방안을 제안한다. 또한 사회적 지위와 역할의 의미를 설명하고 역할 갈등의 원인 및 해결 방안을 탐색하여 설명할 수 있는지 평가한다. ○ 이 문제는 사회에서 일어나는 다양한 갈등의 양상을 제시하고, 사회 통합을 위한 구체적인 방안을 제안할 수 있으며 바람직한 소통 행위를 담론윤리의 관점에서 설명하고 일상생활에서 실천있다는 교과목표를 근거로 하였다. 다양한 사례를 통해 비용과 편익을 고려하여 선택하는 능력을 계발하고 매몰 비용은 의사 결정 과정에서 고려하지 않아야 함과 인간은 경제적 유인에 반응함을 인식함을 통합적으로 연결하는 사고력을 평가하고 있다. ○ 제시문 [가]는 1인 가구의 증가, 저출산, 딩크족 선호, 반려동물을 키우는 가구의 증가를 제시한 것이다. ○ 제시문 [나]는 반려동물 관련 산업 규모의 추이를 제시한 것이다. ○ 제시문 [다]는 반려인과 비반려인 간의 갈등 사례와 중앙 정부 혹은 지방 자치 단체와 주민 간의 갈등 사례를 든 것이다. ○ 제시문 [라]는 순서대로 각각 통합적 관점, 사회 통합, 의사소통과 사회적 담론, 재정, 세입, 경제적 유인을 설명한 것이다.

학년도	출제의도
	○ 이 문제는 제시문 [가], [나], [다]를 이용하여 1) 주제어를 찾고 2) 요약하며 3) 설명하는 능력을 측정하기 위한 것이다. ○ 제시문 [가]는 현대인의 사랑에 대한 인식과 그 가치를 설명하고 있다. 이 제시문은 「사랑의 역사」라는 읽기 자료에서 발췌한 글이다. ○ 제시문 [나]는 사랑의 성격을 '준다'라는 요소 외에도 '보호', '책임', '존경', '이해'의 요소들로 설명하고 있다. 교과에서 '사랑과 성은 어떤 관계여야 할까'라는 논술 과제의 제시문으로 나온 「사랑의 기술」이라는 글을 참고하되, 실제 해당 부분이 수록된 『사랑의 기술』 원전에서 발췌한 글이다. ○ 제시문 [다]는 생전에 사랑했던 노부부의 사별을 묘사한 것이다. 「님아, 그 강을 건너지 마시오」라는 시나리오에서 발췌한 글이다.
2022학년도 모의	○ 이 문제는 글의 중심 내용을 정확하게 파악하여 설명하고 이를 사회 현상에 적용하여 통일성과 응집성 있는 글을 쓰는 능력을 평가하기 위한 것이다. 글에 드러난 관점이나 내용, 글에 쓰인 표현 방법, 필자의 숨겨진 의도나 사회・문화적 이념을 비판하며 읽고 시사적인 현안이나 쟁점에 대해 자신의 관점을 수립하여 비평하는 글을 쓸 수 있는지 확인한다. 글에서 자신과 사회의 문제를 해결하는 방법이나 필자의 생각에 대한 대안을 찾으며 창의적으로 파악하고 사회·문화 분야의 글을 읽으며 제재에 담긴 사회적 요구와 신념, 사회적 현상의 특성, 역사적 인물과 사건의 사회·문화적 맥락 등을 비판적으로 이해하여야 한다. 글을 쓸 때는 타당한 논거를 수집하고 적절한 설득 전략을 활용하여야 한다. ○ 도덕적 판단과 행동에 관한 이성과 감정의 역할을 규명하고, 도덕적인 삶을 위한 양자 사이의 바람직한 관계에 대해 살펴본다. 자본주의의 역사적 전개 과정과 그 특징을 조사하고, 시장경제에서 합리적 선택의 의미와 그 한계를 파악할 수 있어야 한다. 또한 시장경제의 원활한 작동과 발전을 위해 요청되는 정부, 기업가, 노동자, 소비자의 바람직한 역할에 대해 설명하는 요소들을 연계하여 설명하는 능력을 평가하고 있다. ○ 사람들의 경제생활에서 희소성이 존재함을 인식하고 합리적 선택의 필요성을 이해하여야 한다. 다양한 사례를 통해 비용과 편익을 고려하여 선택하는 능력을 계발하고 매몰 비용은 의사 결정 과정에서 고려하지 않아야 함과 인간은 경제적 유인에 반응함을 인식하는 것도 중요하다. 지구적 차원에서 사용 가능한 자원의 분포와 소비 실태를 파악하고, 지속 가능한 발전을 위한 개인적 노력과 제도적 방안을 고민해 본다. 더 나아가 생명의 존엄성에 대한 여러 윤리적 관점을 비

학년도	출제의도
	교·분석하고, 생명 복제, 유전자 치료, 동물의 권리문제를 윤리적 관점에서 설명하며 자신의 관점을 윤리 이론을 통해 정당화할 수 있지 관련된 사회 현상에 대해 논술하고 평가하는 능력을 평가하고 있다.
	○ 이 문제는 쓰기는 의미를 구성하여 소통하는 사회적 상호작용임을 이해하고, 타당한 논거를 수집하고 적절한 설득 전략을 활용하여 설득하는 글을 쓸 수 있는지 확인하는 것이다. 또한 글에 드러난 정보를 바탕으로 중심 내용, 주제, 글의 구조와 전개 방식 등 사실적 내용을 파악하며 읽을 수 있는지, 매체의 특성에 따라 정보가 구성되고 유통되는 방식을 알고 이를 의사소통에 활용하는지가 중요한 평가 기준으로 활용하고 있다. ○ 사회 및 공간 불평등 현상의 사례를 조사하고, 정의로운 사회를 만들기 위한 다양한 제도와 실천 방안과 지구적 차원에서 사용 가능한 자원의 분포와 소비 실태를 파악하고, 지속가능한 발전을 위한 개인적 노력과 제도적 방안을 고민해 본다. 가계, 기업, 정부 등 각 경제 주체가 국가 경제 속에서 수행하는 기본적인 역할을 이해하고 수입과 지출에 영향을 주는 요인들을 인식하고, 개인 자산과 부채의 합리적인 관리 방법을 파악할 수 있어야 한다. 또한 다양한 사회 불평등 양상을 조사하고 그와 관련한 차별을 개선하기 위한 방안을 모색하고 자 하였다. 교통·통신의 발달과 정보화로 인해 나타난 생활공간과 생활양식의 변화 양상을 조사하고, 이에 따른 문제점을 해결하기 위한 방안을 제안들도 통합적으로 연결하는 사고력을 평가하고 있다. ○ 도시의 지역 분화 과정 및 내부 구조의 변화를 이해하고, 대도시권의 형성 및 확대가 주민 생활에 미친 영향을 살펴보고 실업과 인플레이션의 발생 원인과 경제적 영향을 알아보고, 그 해결 방안을 모색하여 야기되는 문제들을 해결하는 능력을 평가하고 있다.
2021학년도 수시 오전	○ 이 문제는 제시문 [가], [나], [다]를 이용하여 1) 주제어를 찾고 2) 요약하며 3) 설명하는 능력을 측정하기 위한 것이다. ○ 제시문 [가]는 필연성과 엄밀한 보편성이 선험적 인식의 특징이라는 것을 설명하고 있다. 인간의 사유 능력과 이성을 강조했던 칸트의 생각을 살펴보기 위해 활용한 '순수 이성 비판 서론'이라는 읽기 자료이다. ○ 제시문 [나]는 아름다움은 그 소재 자체의 아름다움 속에 있지 않고, 아름다움에 대한 사람들의 인식에 달려 있다는 것을 설명하고 있다. 미(美)와 이상을 실현하려는 노력을 설명하기 위해 활용한 '서양 미술사'라는 읽기 자료이다. ○ 제시문 [다]는 동・서양의 이상 사회론들을 비교하여 현대 사회에

학년도	출제의도
	주는 시사점을 추론하여 정치 이론 및 명제에 대해서 이상주의자와 현실주의자가 어떻게 인식하고 있는지를 설명하고 있다. 제시문은 '이상 사회는 가능한가'와 관련이 있는 것으로 E. H. 카의 『 역사란 무엇인가/이상과 현실』에서 발췌한 글이다.
	○ 이 문제는 글의 중심 내용을 정확하게 파악하고 이를 사회 문제 상황에 맞게 적용하여 통일성과 응집성 있는 글을 쓰는 능력을 평가하기 위한 것이다. ○ 도덕적 판단과 행동에 관한 이성과 감정의 역할을 규명하고, 도덕적인 삶을 위한 양자 사이의 바람직한 관계와 인간의 삶에서 나타나는 다양한 문제를 윤리적 관점에서 이해하는지 평가한다. 학문으로서 다루는 윤리학의 성격과 특징과 정보기술과 매체의 발달에 따른 윤리적 문제들에 대한 해결 방안을 정보윤리와 매체윤리의 관점에서 제시할 수 있는지 살펴보았다.
	○ 이 문제는 쓰기는 의미를 구성하여 소통하는 사회적 상호작용임을 이해하고, 타당한 논거를 수집하고 적절한 설득 전략을 활용하여 설득하는 글을 쓸 수 있는지 확인하는 것이다. 또한 글에 드러난 정보를 바탕으로 중심 내용, 주제, 글의 구조와 전개 방식 등 사실적 내용을 파악하며 읽을 수 있는지, 매체의 특성에 따라 정보가 구성되고 유통되는 방식을 알고 이를 의사소통에 활용하는지가 중요한 평가 기준으로 활용하고 있다. ○ 산업화, 도시화로 인해 나타난 생활공간과 생활양식의 변화 양상을 조사하고, 이에 따른 문제점을 해결하기 위한 방안과 시장경제의 원활한 작동과 발전을 위해 요청되는 정부, 기업가, 노동자, 소비자의 바람직한 역할을 살펴본다. 교과에서 지역 개발의 영향으로 나타나는 공간 및 환경 불평등과 지역 갈등 문제를 파악하고, 국토 개발 과정이 우리 국토에 미친 영향에 대해 평가한다.
2021학년도 수시 오후	○ 이 문제는 제시문 [가], [나], [다]를 이용하여 1) 주제어를 찾고 2) 요약하며 3) 설명하는 능력을 측정하기 위한 것이다. ○ '초록'의 변화 없는 단조로움, 초록이 없는 황막한 벌판을 보고도 자살이나 민절하지 않는 농민들의 일생, 일상에서 일어나는 일을 다반사로 여겨 흥분하지 않는 농민들의 삶, 전기로 어둠을 물리치지 못하는 전선주가 들판에 늘어선 포플러 나무와 다르지 않아 권태롭다는 것을 주장하고 있다. ○ 제시문 [나]는 문학의 생활화와 공동체 문화 발전을 설명하기 위한 푸시킨의 작품 '삶이 그대를 속일지라도'와 관련이 있는 것으로 톨스토이의 『부활』에서 발췌한 글이다. 군복무를 하면서 완전한 무위, 합리적이고 유익한 지적 활동 무시, 이기주의의 발광 상태에 빠짐, 생

학년도	출제의도
	활의 기본적인 요구 사항들을 스스로 해결하지 않고 남에게 의지, 소비적인 삶을 반복하는 권태로운 삶을 제시하고 있다. ○ 제시문 [다]는 광복 이후의 문학을 설명하기 위해 활용한 '새 출발점에 선 당신에게'라는 읽기 자료이다. 권태로운 삶을 극복하는 방안을 제시하는 글이다. 탁이 아닌 자신의 발로 지탱하는 삶, 인간 관계 속에서 자유와 낭만을 추구하고 일상에 내장되어 있는 '안이한 연루'와 결별하는 삶, 풍요한 자리인 중간에서 영위하는 삶 등을 통해 권태로운 삶이 아니라 넓고 드높은 삶을 살 수 있다는 주장을 하고 있다.
	○ 이 문제는 글의 중심 내용을 정확하게 파악하고 이를 사회 문제 상황에 맞게 적용하여 통일성과 응집성 있는 글을 쓰는 능력을 평가하기 위한 것이다. ○ 문화적 차이에 대한 상대주의적 태도의 필요성을 이해하고, 보편 윤리의 차원에서 자문화와 타문화를 성찰할 수 있는지 교과 내용을 통해 알아보았다. 문화에 대한 이해를 바탕으로 문화를 바라보는 여러 관점을 설명하고 문화 다양성 존중 및 조화를 추구하는 태도와 사회 변동을 설명하는 다양한 이론을 비교하고 사회 운동이 사회 변동에 미치는 영향을 분석하는 과정을 살펴본다. ○ 3·1 운동 이후 일제 식민 지배 정책의 변화를 살펴보고, 1920년대 국내외에서 전개된 민족 운동의 흐름과 특징과 1930년대 이후 일제가 추진한 징병, 징용, 일본군 '위안부' 강제 동원 등의 전시 수탈과 우리말 사용 금지와 같은 민족 말살 정책을 파악하고, 1930~1940년대 국내외 민족 운동의 흐름과 건국 준비 활동을 연관해 살펴본다. 제국주의 침략의 실상과 일본 군국주의로 인한 전쟁의 확대 과정과 그에 대항한 각국의 민족 운동을 비교하여 설명할 수 있어야 하고 동아시아 각국에서 서양 문물의 수용으로 나타난 사회·문화·사상적 변화 사례도 관찰할 수 있다. 더 나아가 국가의 개념과 존재 근거에 대한 주요 사상가들의 주장을 탐구하여 다양한 국가관의 특징을 이해하고, 국가의 역할과 정당성에 대한 비판적이고 체계적인 관점을 제시할 수 있어야 한다. ○ [가]는 서구인의 동양에 대한 '문화적 주도권'의 형태와 의식을, [나]는 사회 변동 과정에서 지식인들의 역할과 문화적 계몽의 성격을, [다]는 밀의 자유론이 담고 있는 핵심 요지를 파악하는 데 주안점을 두고 있다. 이를 활용하여 [라]와 [마]를 읽고 정확하게 '이해'하는 능력과 이를 바탕으로 [라]의 일본 군국주의 시대의 지식인 가토 히로유키의 사회 진화론과 [마] 일제 강점기 이광수의 민족 개조론에 대하여 자신의 의견을 논술하는 능력을 평가한다.

학년도	출제의도
	○ 이 문제는 쓰기는 의미를 구성하여 소통하는 사회적 상호작용임을 이해하고, 타당한 논거를 수집하고 적절한 설득 전략을 활용하여 설득하는 글을 쓸 수 있는지 확인하는 것이다. 또한 글에 드러난 정보를 바탕으로 중심 내용, 주제, 글의 구조와 전개 방식 등 사실적 내용을 파악하며 읽을 수 있는지, 매체의 특성에 따라 정보가 구성되고 유통되는 방식을 알고 이를 의사소통에 활용하는지가 중요한 평가 기준으로 활용하고 있다. ○ 안정적인 경제생활을 위해 금융 자산의 특징과 자산 관리의 원칙을 파악하고, 이를 토대로 생애 주기별 금융 생활을 설계하는 교과 내용의 이해가 필요하다. 자산 관리를 적절하게 하는 능력을 계발하기 위하여 자산 관리의 원칙을 파악하고, 다양한 금융 상품의 특성을 이해하고 비교해 내용을 심화・확대하는 계열성을 고려하였다
2021학년도 모의 논술	○ 이 문제는 글의 중심 내용을 정확하게 파악하고 간명하게 요약·설명하는 능력을 평가하기 위한 것이다. ○ 제시문 [가]는 문명의 이기에 기대지 않고도 치몽 주민들이 '행복'한 삶을 영위하는 것과 방문객들도 '행복'하게 해 주는 모습을 제시하고 있다. ○ 제시문 [나]는 절망에 빠진 상황을 근검절약으로 극복하고 희망을 실현한 '행복'한 주인공의 인물형상을 제시하고 있다. ○ 제시문 [다]는 중학교 1학년 시절을 회상하는 화자가 첫 생물 수업을 빼먹는 일탈을 통해 느끼는 '행복'을 보여주고 있다.
	○ 이 문제는 '인간애'를 지향하는 단국대학교의 인재상에 부합하는 역량을 묻고 있다. ○ 제시문 [가]와 [나]는 행복한 삶을 실현하기 위한 조건으로 질 높은 정주 환경의 조성, 경제적 안정, 민주주의의 발전 및 도덕적 실천이 필요함을 설명한다. 이에 근거로 자유주의와 공동체주의의 대비를 통해 행복의 의미와 기준이 동서양의 문화권과 시대에 따라 어떤 공통점과 차이점이 있는지 파악하는 능력을 평가한다. ○ 제시문 [다]와 [라]는 남북 분단의 배경과 통일의 필요성, 동아시아의 역사 갈등 상황에 대한 분석과 그 해결 방안을 다룬다. 아울러 국제적 위상, 역사적 상황, 지정학적 위치 등을 고려하여 국제 사회의 평화에 우리나라가 기여할 수 있는 방안도 고려하였다.
	○ 이 문제는 쓰기는 의미를 구성하여 소통하는 사회적 상호작용임을 이해하고, 타당한 논거를 수집하고 적절한 설득 전략을 활용하여 설득하는 글을 쓸 수 있는지 확인하는 것이다. 또한 글에 드러난 정보를 바탕으로 중심 내용, 주제, 글의 구조와 전개 방식 등 사실적 내용

학년도	출제의도
	을 파악하며 읽을 수 있는지, 매체의 특성에 따라 정보가 구성되고 유통되는 방식을 알고 이를 의사소통에 활용하는지가 중요한 평가 기준으로 활용하고 있다. ○ [가]에서는 두 개의 자료를 제시하였다. '아버지와의 관계와 성적에 따른 삶의 만족 차이', '어머니와의 관계와 경제 수준에 따른 삶의 만족 차이'는 성적, 경제 수준, 부모와의 관계가 어린이·청소년의 삶의 만족도에 미치는 영향을 파악하기 위한 자료이다. ○ [나]의 'OECD 국가 연평균 노동시간(2017년)', '나라별 직무 스트레스 비율', '전체 부부 중 맞벌이 부부 비중'은 어린이·청소년과 부모와의 관계에 부정적인 영향을 미치는 요인을 보여주는 자료이다.

III. 논술이란?

1. 논술이란?

1) 논술이란?

어떤 문제에 대해 자기 나름의 주장이나 견해를 내세운 다음, 여러 가지 근거를 제시하여 그 주장이나 견해가 옳음을 증명하는 글쓰기 활동을 말한다. 따라서 논술의 가장 기본적인 요소는 주장과 근거이다. 다시 말해 어떤 주제에 관해서 자신의 견해를 밝히고 자기 의견을 내세우는 글이 바로 논술이다. 때문에 논술은 특별히 논리적이어야 한다는 요구를 받게 된다. 왜냐하면 여러 가지 의견이 있을 수 있는 문제에 대해 자신의 의견을 세워 다른 사람을 설득하려면, 그 주장이 충분한 근거 위에서 논리적으로 개진될 때만 가능하기 때문이다.

2) 대한민국 논술고사는?

한국에서의 대학 입시 논술고사는 실제 교과 과정과 교과서가 기본이 되어 응용된 사고와 풀이 능력과 지식을 바탕으로 한다. 논술고사는 일반적을 비판적으로 글을 읽는 능력과 창의적으로 문제를 설정하고 해결하는 능력 그리고 논리적으로 서술하는 능력을 종합적으로 평가하는 시험이다. 비판적으로 글을 읽는다는 것은 능동적으로 자신의 관점에서 글을 읽는 것을 말하며, 창의적으로 문제를 설정하고 해결하는 능력이란 심층적이고 다각적으로 논제에 접근함으로써 독창적인 사고와 풀이를 이끌어낼 수 있는 능력을 말한다. 그리고 논리적 서술 능력은 글 구성 능력, 근거 설정 능력, 표현 능력 등을 포괄한다.

3) 인문계 논술? 그리고 그 변화

모든 글은 일반적으로 3가지 종류로 나뉘어진다. 시, 소설 등 문학 작품과 같은 글쓰기인 창작적 글쓰기(creative writing)와 설명문이나 해설문의 글쓰기는 해명적 글쓰기(expository writing), 그리고 논설문의 글쓰기인 비판적 글쓰기(critical writing)가 있다. 이 글쓰기 중 대한민국의 대학입시에서 시행되고 있는 인문계 논술은 창작적 글쓰기는 포함되지 않는다. 새로운 문학 작품을 쓰는게 아니라 제시문을 읽고 내용을 구체화시켜 잘 설명하는 설명문의 형태가 있고, 주어진 문제에 대해 생각하고 깊이있는 주장을 피력하는 비판적 글쓰기도 있다.

2. 논술의 기본 용어

1) 논제 : 논술의 문제를 의미한다.

반드시 해결하고 접근하여야 할 논술 시험의 대상이다.

(ㄱ) 중심 논제 : 채점할 때 가장 배점이 높으며, 핵심적으로 해결해야 할 논술의 문제

(ㄴ) 세부 논제 : 큰 논제 속에 포함된 작은 문제, 각 단계별 채점의 기준이 되며 세부 채점 항목으로 필수 해결 항목이다.

2) 논거 : 논술에서 설명하고 주장하는 논리적인 근거 혹은 이유

3) 주장 : 수험생이 생각하고 채점자에게 알리고 싶은 생각
4) 제시문 : 보기 지문을 말한다.
(ㄱ) 출제자가 논제 해결을 위해 보여주는 다양한 글
(ㄴ) 각종 그래프, 도표, 그림 등
자료가 정해져 있지는 않다. 하지만 고등학교 교과서를 가장 많이 인용하고, 고등학교 교과 과정으로 분석하고 판단할 수 있는 내용을 제시한다.
5) 개요 : 논제에 맞게 더 구체적으로는 세부 논제에 맞게 글의 진행 방향을 간략하게 정리하는 과정이다.

3. 논술의 명령어

논술고사 후 대학의 발표 자료를 보면 논술은 출제자의 의도에 부합하게 글을 써야 한다고 강조한다. 그런데 출제자의 의도를 파악하는 것은 자칫 상당히 모호하고 주관적인 것으로 판단하기 쉽다.

하지만 인문계 논술에서는 명령어가 한정되어 있다. 그 명령어들을 잘 익히고 의미를 파악한다면 훨씬 논술의 이해가 높아질 것이다. 또한 대학의 채점 기준에는 명령어의 요구조건을 충족하는지를 평가한다. 그러므로 인문계 논술의 명령어는 수험생에게는 아주 기초적이지만 필수적이며 절대 잊지 말아야 할 중요한 핵심이다.

1) ~ 에 대해 논술하시오.

; 주장을 밝히고 근거를 제시한다.

2) ~ 에 대해 설명하시오.

: 사실, 주장 등을 쉽게 풀어서 밝힌다.

- **~ 제시문 간의 관련성을 설명하시오.**
- **~ 제시문의 논리적 타당성과 문제점을 설명하시오.**
- **~ 제시문을 참고하여 주어진 자료의 특징을 설명하시오.**
- **~ 제시문의 관점에서 왜 그런 현상이 생기는지 그 이유를 설명하시오.**

3) ~ 의 비교하시오. 혹은 대조하시오.

: 공통점과 차이점을 중심으로 설명한다.

- **~ 공통점과 차이점을 설명하시오.**

4) ~ 을 분석하시오.

: 주제를 구성요소로 나누고 각 부분의 의미와 상호관계를 밝힌다.

5) ~ 제시문과 주어진 자료를 참고하여 현상을 예측해 보시오.

: 주어진 자료를 해석하고 자료로부터 얻을 수 있는 시간에 따른 변화나 자료의 발생 이유를 살핀다.

6) ~ 제시문의 문제점을 지적하고 그 문제점을 해결할 방법을 제시하시오.

: 보통은 수학이나 과학의 역사에서 발생했던 여러 오류나 실험과정에서 나타난 문

제점을 가지고 있다. 또한 이론이나 실험, 학생의 실험보고서 등과 같이 확실한 오류가 있는 제시문을 주기도 한다. 분명히 문제점을 파악하여 답안에 서술하고 문제점이나 해결할 수 있는 방법 등을 명확히 하여야 한다.

● ~ 제시문의 관점에서 왜 그런 현상이 생기는지 그 원리를 설명하고 그런 현상을 예방할 수 있는 방안을 제시하시오.
● ~ 문제점을 지적하고 합리적 대안을 제안해 보시오.
● ~ 주어진 관점을 검증할 수 있는 방법을 논하시오.
● ~ 주어진 문제점을 해결할 수 있는 실험을 설계해 보시오.

7) 제시문의 관점에서 주장을 비판하시오.

: 어떤 주장의 타당성이나 가치 등을 평가한다.

4. 인문계 논술 글쓰기 유의사항

① 논제의 해결이 핵심이다. 출제자가 원하는 답을 써야 한다.

② 논제에 부합하는 글을 일관성 있게 써야 한다.

③ 한편의 글을 완성하여야 한다. 나열하거나 사례를 보여주는 것은 의미가 없다.

④ 제시문을 활용, 인용하는 것과 제시문을 그대로 옮겨 쓰는 것은 다르다. 적절하게 제시문의 내용을 사용하여 논제를 해결하여야 한다. 절대 제시문의 문장을 그대로 쓰면 안 된다. 금기사항이고 감점요인이다.

⑤ 부적절한 문장 즉, 비문을 만들지 말아야 한다. 주어와 서술어가 적절하게 있어 문장의 의미를 명확히 전달하여야 한다. 주어를 생략하거나 지시어를 과도하게 사용하면 문장의 의미가 모호해 진다.

⑥ 문장은 짧고 간결하게 써야 한다. 자신의 의견을 명확히 간결하고 효과적으로 밝혀야 한다.

5. 논술 확인 사항

1. 답안지는 지급된 흑색 볼펜으로 원고지 사용법에 따라 작성하여야 합니다.
(수정액 및 수정테이프 사용 금지)
2. 수험번호와 생년월일을 숫자로 쓰고 컴퓨터용 사인펜으로 ● 표기하여야 합니다.
3. 답안의 작성 영역을 벗어나지 않도록 각별히 유의 바라며, 인적사항 및 답안과
. 관계없는 표기를 하는 경우 결격 처리 될 수 있습니다.
4. 제시된 작성 분량 미 준수 시 감점 처리됨을 유의 바랍니다.

IV. 인문계 논술 실전

1. 각 대학별 논술 유의사항을 파악하라!

많은 대학에서 글자수 제한을 확인하여야 한다. 그래서 원고지 형이 많지만, 문항별 칸을 만들거나 밑줄 답안 형식도 있다. 논술 시험 시간은 각 대학별로 다양하다. 60분 즉, 한 시간을 시작으로 많게는 2시간까지 (120분)까지 다양하게 있다. 대학별로 준비해야 하는 중요한 이유이다. 답안을 작성하는 필기구도 다양하다. 연필(샤프펜)의 사용이 꾸준히 증가하지만 아직까지 검정색 볼펜이나 청색 볼펜으로 사용하는 학교도 많다. 주의할 것은 수정법이다. 수정은 학교에 따라 수정액, 수정테이프의 사용을 제한하는 경우도 있고 틀리면 두줄을 긋고 써야 하는 곳도 있다. 그러므로 각 대학별 특징을 파악하고, 미리 답안 작성 연습은 물론이고 작성할 때도 대학별로 금지하는 내용을 숙지하고 시험장에 가야 한다.

각 대학별 유의사항 사례

사례 1)

가. 답안은 한글로 작성하되, 글자수 제한은 없다.

나. 제목은 쓰지 말고 특별한 표시를 하지 말아야 한다.

다. 제시문 속의 문장을 그대로 쓰지 말아야 한다.

라. 반드시 본 대학교에서 지급한 필기구를 사용하여야 한다.

마. 수정할 부분이 있는 경우 수정도구를 사용하지 말고 원고지 교정법에 의하여 교정하여야 한다.

바. 본 대학교에서 지급한 필기구를 사용하지 않거나, 수정도구를 사용한 경우, 답안지에 특별한 표시를 한 경우, 또는 원고지의 일정분량 이상을 작성하지 않은 경우에는 감점 또는 0점 처리한다.

사례 2)

Ⅰ. 필요한 경우 한 개 또는 여러 개의 제시문을 선택하여 논의를 전개하고, 사용한 제시문은 꼭 참고문헌 형태로 표시하시오.

예) …[제시문 1-4].

예) …되며[제시문 2-4], …의 경우는 ~을 보여준다[제시문 2-1].

Ⅱ. [문제 1]부터 [문제 4]까지 문제 번호를 쓰고 순서대로 답하시오.

Ⅲ. 연필을 사용하지 말고, 흑색이나 청색 필기구를 사용하시오.

Ⅳ. 인적사항과 관련된 표현을 일절 쓰지 마시오.

Ⅴ. 문제당 배점은 동일함.

사례 3)

◇ 각 문제의 답안은 배부된 OMR 답안지에 표시된 문제지 번호에 맞춰 작성하시오.

◇ 각 문제마다 정해진 글자수(분량)는 띄어쓰기를 포함한 것이며, 정해진 분량에 미달하

거나 초과하면 감점 요인이 됩니다.
◇ 답안지의 수험번호는 반드시 컴퓨터용 수성 사인펜으로 표기하시오.
◇ 답안은 검정색 필기구로 작성하시오. (연필 사용 가능)
◇ 답안 수정시 원고지 교정법을 활용하시오. (수정 테이프 또는 연필지우개 사용 가능)
◇ 답안 내용 및 답안지 여백에는 성명, 수험번호 등 개인 신상과 관련된 어떤 내용, 불필요한 기표하면 감점 처리됩니다.

사례 4)
◆ 답안 작성 시 유의사항 ◆
□ 논술고사 시간은 90분이며, 답안의 자수 제한은 없습니다.
□ 1번 문항의 답은 답안지 1면에 작성해야 하고, 2번 문항의 답은 답안지 2면에 작성해야 합니다. 1, 2번을 바꾸어 작성하는 경우 모두 '0점 처리'됩니다.
□ 연습지는 별도로 제공하지 않습니다. 필요한 경우 문제지의 여백을 이용하시기 바랍니다.
□ 답안은 검정색 또는 파란색 펜으로만 작성하며 연필, 샤프는 사용할 수 없습니다.
□ 답안 수정은 수정할 부분에 두 줄로 긋거나 수정테이프(수정액은 사용 불가)를 사용해서 수정합니다.
□ 답안지에는 답 이외에 아무 표시도 해서는 안 됩니다.
□ 답안지 교체는 고사 시작 후 70분까지 가능하며, 그 이후는 교체가 불가합니다.

2. 제시문에 먼저 눈을 두지 말고 문제를 파악하라!!!

대학별 고사인 논술의 어려운 점은 시간의 제한이 있는 글쓰기 시험이라는 것이다. 자유롭게 잘 쓸 수 있는 내용일지라도 시간의 제한이 있으면 얘기가 달라진다. 특히 지금과 같이 각 대학별로 다양하게 등장하는 시험에 익숙하지 않은 수험생에게는 더 큰 부담으로 작용을 한다.

대학에서는 다양하게 제시문과 문제를 분포시킨다. 문제를 등장시키고 제시문이 등장하는 경우, 그림과 도표, 그래프 등과 같이 자료를 제시하고 제시문과 문제를 함께 등장시키는 경우, 제시문을 많이 등장시키고 마지막에 문제를 제시하는 경우 등... 이렇듯 다양한 문제에 시간의 적절한 활용은 대학별 고사의 실전에서는 당락을 결정하는 중요 요소이다.

이러한 실전적 논술에서 핵심은 바로 목적을 가지고 제시문의 읽기가 선행되어야 한다. 글 읽기의 핵심은 문제을 통해 논제를 구체적으로 파악하고 그 논제에 부합하게 제시문을 분석하는 것이다.

① 문제를 먼저 확인하라!! - 제시문을 읽고 문제를 보면 다시 긴 제시문을 또 읽어 시간을 낭비한다.
② 세부 논제 확인하라!! - 한 문제라도 그 문제 속에 다루는 논제는 여러 개가 될 수 있

다. 그 질문 내용을 파악하라. 그리고 요구한 논제에 맞게 글을 구성한다.
③ 전제적 요건 파악하라!! - 각 문제의 전제적 요건 및 글로 표현된 부연 설명 등이 중요한 키워드가 될 수 있다.

V. 단국대학교 기출

1. 2024학년도 단국대 수시 논술 (오전)

[문제 1] 다음의 제시문을 읽고 주어진 물음에 답하시오. (30점)

1) [가]에서 주제를 나타내는 단어 하나를 찾고, 그 단어를 이용하여 [가]의 내용을 요약하시오. (200자 내외) (10점)

2) [가]에서 찾은 단어를 이용하여, [나]를 요약하고 [다]를 설명하시오. (400자 내외) (20점)

[가] 근대로 들어오면서 일반 민중들은 정치적으로, 종교적으로 큰 에너지를 띠게 된다. 다스리는 자 입장에서는 이들을 그 상태 그대로 방치해서는 안 되고 질서 체계 안으로 끌어들여야 할 것이다. 질서를 부과한다는 것은 곧, 그것을 거부하는 자들을 억압한다는 것을 뜻한다. 근대의 권력 당국, 곧 국가와 종교는 그들의 권위에서 벗어나려는 자들을 제거하고 모든 국민들의 복종을 확립하려고 하였다. 국가는 종교로부터 이념을 빌리고 종교는 국가로부터 힘을 얻는다. 한 국가 안에 있는 모든 사람은 사고마저도 함께해야 한다. 모두 같은 종교를 믿어야 하며, 종교의 신임을 받은 국왕을 잘 따라야 한다. 근대 국가는 '균질한 영혼'들이 국가 기구에 복종하도록 만들어야 했고, 이것이 마녀사냥이 결과적으로 행한 역할이라 할 수 있다.

인간의 지성은 갈수록 발달하고 사회는 더욱 문명화되는 것일까? 만일 그랬다면 지금쯤 우리는 지상 낙원에서 오순도순 살아가고 있을 것이며, 비참한 탄압과 야만적인 전쟁 같은 것은 아예 사라졌을 것이다. 마녀사냥과 같은 현상을 보노라면 우리 마음속에 집단 광기가 숨어 있는 것은 아닌지 자문하게 된다. 마녀사냥은 그 모습 그대로는 근대 초 유럽의 특이한 현상이지만 유사한 현상은 언제나 있었다. 사회 전체를 근본적으로 위협하는 불순한 세력! 그것은 히틀러에게는 유대인이었고, 파시스트들에게는 공산주의자들이었다. 때로 권력은 일부러 그런 위험 세력을 조작해 내서 사람들을 선동하려 한다. 그런 조작이 너무나도 쉽게 받아들여진다는 사실 자체가 우리 내면에 '마녀사냥'식의 충동이 잠재해 있음을 짐작하게 한다.

출처 : 이삼형 외, 『고등학교 독서』

[나] 영국에 항복하는 것 외에 다른 아무런 대안이 없음을 깨달은 칼레의 시민들은 조금이라도 유리한 조건으로 항복하기 위해 필사의 노력을 다했다. 그러나 칼레의 사자를 접한 영국 왕 에드워드 3세의 태도는 전혀 누그러질 줄 몰랐다.

이때 왕의 측근 월테 머네이 경이 왕 앞에 나섰다. 측근까지 나서서 자비를 구하자, 잠시 생각에 잠긴 에드워드 3세는 마침내 마음을 고쳐먹은 듯 입을 열었다.

"좋다. 자비를 베풀겠노라. 모든 칼레 시민의 생명을 보장하겠다. 그러나 지체 높은 사람들 가운데 여섯 명만은 예외이다. 그것이 나의 조건이다. 누군가는 그

동안의 어리석은 반항에 대해 책임을 져야 할 것이 아닌가? 모든 칼레의 시민들을 대표하여 그들은 머리에 아무것도 쓰지 말고 맨발로 나에게 걸어와야 할 것이며, 목에는 교수형에 쓸 밧줄을 메고 있어야 한다. 물론 그 가운데 하나는 내가 성문을 열고 들어갈 때 사용할 열쇠 꾸러미를 손에 들고 있어야 하겠지."

이 소식은 곧 파수대 앞에 모인 칼레의 시민들에게 전해졌다. 시민들은 결국 항복하게 되었다는 굴욕감과 그럼에도 대다수가 목숨을 부지할 수 있게 되었다는 안도감, 그리고 이를 위해 시민 여섯 명이 스스로 목숨을 내놓아야 한다는 자괴감 등으로 피 같은 눈물을 흘렸다. 패자의 운명은 이렇듯 야속하고 수치스럽기 그지없는 것이었다. 모두가 절망감에 빠져 어쩔 줄 몰라 하는 그 순간, 외스타슈라는 노인이 앞으로 나섰다.

"내가 죽으러 가겠소. 자, 우리 자원해서 희생합시다. 우리는 싸움에 져서 항복했을 뿐이지 우리의 얼과 넋마저 내어 준 것은 아니오. 제비뽑기 같은 것을 해서 희생자를 뽑는다면 그 구차 함에 후손들에게도 부끄러울 것이오. 우리 당당하게 죽읍시다. 자원할 사람은 앞으로 나오시오." 외스타슈는 칼레에서 가장 부유하고 영향력이 있는 사람이었다. 그가 이렇듯 제일 먼저 자신이 희생하겠다고 나서자, 다른 지도층 인사들도 다투어 나섰다. 그렇게 여섯 명이 채워졌고 이들은 눈물을 흘리며 송별하는 시민들을 뒤로한 채, 시장 광장에서 에드워드의 진지를 향해 나아갔다. 광장에 모인 사람들은 슬픔과 절망감에 싸여 통곡하며 그들의 이름을 불렀다.

출처 : 한철우 외, 고등학교 독서

[다] 여론의 압력은 계속되고 있었다. 언론은 이 사건을 제멋대로 과장해서 보도했다. 『르 프티 주르날지』는 정치적 편향을 보이지 않는 신문이었고 대체로 그런 이유 때문에 300만의 독자를 가진 신문이었지만 이렇게 선언했다.

"만약 전쟁이 일어났더라면 드레퓌스는 국방부가 신임하는 인물이 되었을 것이다. 그는 자기 동료들을 자신의 묵인 하에 놓인 덫에 걸리게 해서 죽음으로 몰아넣었을는지도 모른다." 『레코 드 파리』 같은 보수적인 신문은 아무런 인용 없이 드레퓌스가 병력 동원의 규모, 시간, 밀집 지역에 대한 정보를 적에게 팔아넘겼다고 보도했다. "병력 동원 시간표를 다시 작성하는 데만도 3년이 걸릴 것"이라고 이 신문은 주장했다.

최근에 일어났던 해결되지 않은 일련의 반역 행위의 책임까지 드레퓌스에게 돌려졌다. 드레퓌스는 러시아를 방문한 적이 없었는데도 어떤 신문은 그가 독일 귀족들과 함께 페테르부르크에 있는 것이 목격된 적이 있다고 보도하며 그가 묵은 것으로 '알려진' 호텔의 이름과 객실의 번호까지 밝혔다.

주요 일간지인 『르 탕』지와 『르 마탱』지는 드레퓌스가 어떤 연애 사건과 연루되어 있다고 보도했다. 이들 신문에 따르면 드레퓌스는 니스에 사는 귀족 출신의 이탈리아 미녀를 애인으로 갖고 있었다. 그를 유혹해서 반역 행위를 하게 만든 것은 바로 이 여자였다고 이 두 신문은 공언했다.

“드레퓌스는 프랑스 국민을 파멸시키고 프랑스 영토를 차지하려고 획책해 온 국제적 유대인 조직의 스파이”라고 가톨릭계 신문인 『라 크루아』지는 썼다. 『라 리브르 파롤』, 『라 코카르드』, 『라 파트리』 등의 신문은 모두 입을 모아 드레퓌스를 사형에 처하라고 요구했다.
참모본부는 드레퓌스의 유죄를 입증하지 못할 경우 어떤 일이 뒤따를 것인지 명백히 내다볼 수 있었다. 메르시에는 사직하게 될 것이며 아마 내각 자체도 무너지게 될 것이었다.

출처 : 니홀라스 할라스, 『나는 고발한다』

[문제 2] [가]의 관점에서 [나]를 설명하고, [다]의 관점에서 [라]를 평가하고 근거를 제시하시오. (600자 내외) (30점)

[가] 필요를 기준으로 분배하자고 주장하는 사람들은 타고난 신체적 조건뿐만 아니라 사회적·경제적 환경의 차이에 의해 능력과 업적에 차이가 나타나기 때문에, 능력과 업적만을 기준으로 분배하는 것은 불평등하고 불공정하다고 본다. 더욱이 개인의 육체적·정신적 능력은 인종, 지역, 가정 환경 등 외적 조건에 따라 교육과 훈련 여건의 차이가 발생하는 경우가 많다. 그러므로 이 사람들은 사회적 불평등을 완화하고 사회적 약자를 보호하기 위해 기회의 평등을 넘어 결과의 평등이 이루어져야 한다고 본다.

사회 구성원들의 필요를 기준으로 분배하자는 견해는 능력과 업적을 중시하는 사회에서 생겨나는 사회적·경제적 약자를 보호하기 위한 다양한 복지 제도와 사회 안전망을 마련하고 사회 불평등의 문제를 개선하며 경제의 안정성을 도모하는 근거가 된다. 하지만 개인의 성취동기와 창의성을 저하시켜 경제적 비효율성을 증가시킬 수 있다. 또한 가치 있는 재화는 한정되어 있으므로 모든 사람의 필요와 욕구를 만족시킬 수는 없다.

출처 : 박병기 외, 『고등학교 통합사회』(출제진 재구성)

[나] 미국의 흑인 실업률이 두 달 연속 가파르게 상승한 것으로 지난 6월 고용 통계에서 나타났다. 노동시장이 얼어붙기 시작한 조기 징후가 보이는 가운데, 노동자 이탈이 진행되고 있다고 블룸버그가 보도했다. 그러나 이러한 이탈 현상은 한결같지 않다. 미 노동부 통계에 따르면, 흑인 실업자 수는 5~6월 26만 7,000명 증가했다. 전체적으로 30만 명 증가한 실업자 수의 90% 가까이를 차지한다.

6월 고용 통계에 따르면 흑인 실업률은 6%로 상승해 지난해 8월 이후 최고치를 기록했다. 반면 백인 실업률은 3.1%로 낮아져 흑인의 절반 수준에 불과하다. 흑인 노동자들은 경기가 악화되기 시작한 국면에서 가장 먼저 해고되는 경향이 있다고 조사 분석에서 지적되고 있다. 고용자 수가 최근 감소한 것은 노동시장 전체에 하나의 위험 초기 신호일지도 모른다고 매체는 평가했다.

……(중략)……

흑인 노동자들의 경우 노동시장 이탈이 계속되고 있다. 노동참여율은 그동안 개선세를 이어가면서, 올해는 한 때 15년 만의 높은 수준에 도달했었다. 그러나 고용자 수는 3개월 기준으로 3% 감소했다. 사상 최대의 감소율을 기록한 것이다. 노동시장 불평등을 측정하는 데 중시되는 흑인과 백인의 실업 격차도 확대로 돌아섰다.

출처 : 초이스 경제, 2023. 7. 11.

최근 맥킨지에서 발표한 자료에 따르면 10년 후 미국 흑인이 종사하고 있는 450만 개 일자리가 없어질 것이라고 한다. 맥킨지 파트너 겸 보고서 공동 저자인 제이슨 라이트는 "현대의 경제에 존재하는 현대화, 자동화, 글로벌 전환에 미국 흑인들은 백인들과 비교하여 더 높은 위험에 노출되어 있다."고 말했다.
전체 노동력에서 22%의 일자리가 AI 및 자동화로 인하여 '파괴'되어 없어지거나 저임금으로 대체될 것이지만, 미국 흑인 노동력의 사례는 10%포인트 더 높을 것으로 전망된다. 이 같은 추산은 아무런 대책이나 중재가 없다면 2030년까지 450만 개의 흑인 일자리가 사라진다는 뜻이다.

……(중략)……

AI 및 자동화는 이미 확대되고 있는 인종적 부의 격차를 심화시킬 수 있다. 미국의 백인 가구와 흑인 가구 사이의 재산 차이는 1992년 이후 54,000달러 증가했다. 백인 미국인들은 흑인 미국인들에 비해 더 많은 집을 소유하고 있고 학생 부채를 덜 가지고 있는데, 이는 역사적으로 진행되어 왔던 고용 차별에서 비롯된 것이라고 볼 수 있다.

출처 : AI타임스, 2019. 10. 9.(출제진 재구성)

[다] 차별을 극복하기 위해 시행된 소수자 우대 정책이 역차별이라는 문제가 제기되고 있다. 부당한 차별을 받는 대상을 우대하는 제도나 정책이 도리어 상대편을 차별하게 된다는 것이다. 이러한 이유로 소수자 우대 정책이 윤리적으로 정당한지에 대해 논란이 일고 있다. 예를 들어 소수자 우대 정책의 혜택을 받는 대상이 실제 차별을 받았던 것인지, 혜택을 받는 사람의 자존감이 손상되지는 않는지, 노력과 성취에 따른 업적주의 원칙에 어긋나는 것은 아닌지 등이 쟁점이 된다. 따라서 역차별의 문제를 균형감 있게 살펴보고, 분배 정의의 관점에서 소수자 우대 정책의 필요성을 살펴볼 수 있어야 한다.
소수자 우대 정책은 과거에 차별을 받았던 소수 집단이나 이에 영향을 받은 후손에게 차별을 보상함으로써 과거의 잘못을 교정할 수 있다. 또 소수자 우대 정책을 통해 사회적 약자의 처지를 개선하고 사회적 다양성과 공동선을 실현할 수 있으며, 환경이 좋지 않은 사람을 먼저 배려함으로써 사회적 격차를 줄일 수 있다.
한편 보상 받는 자는 과거에 차별을 받았던 당사자가 아닐 수 있고 현재 보상하는 사람들도 과거 차별을 가했던 당사자가 아닐 수 있다. 소수자 우대 정책은 사회적 약자의 자존감을 손상할 수 있고, 역차별로 인한 다수 집단의 분노를 일으킬 수 있다.

출처 : 변순용 외, 『고등학교 생활과 윤리』(출제진 재구성)

[라] 19일(현지 시간) CNN 방송 등 미국 언론에 따르면, 인근 대학 견학을 추진하는 미국 인디애나주 사우스벤드 지역의 7개 초등학교가 지난 16일 견학 참가 학생을 흑인으로만 제한해 논란을 일으켰다.
대상에서 제외된 일부 백인 학생의 학부모는 이중 잣대에 따른 인종차별이라며 지역 방송과의 인터뷰에서 강하게 불만을 토로하고 20일 2차 대학 방문 때에는

이를 바로잡을 것을 요청했다. 이번 대학 견학을 기획한 이는 사우스벤드 지역 학교 흑인 학부모·학생 자치 연합의 책임자로 선임된 흑인 데이비드 모스 박사다. 모스 박사는 흑인 학생의 대학 진학률이 낮은 점을 들어 이들에게 동기를 주기 위한 행보라며 차별 논란을 부인했다. 그는 "많은 어린 흑인 학생이 흑인 대학생을 본보기로 삼고 대학은 좋은 곳이라는 인식을 심어주려고 한 일"이라고 행사의 의미를 설명했다.

……(중략)……

보수 성향의 인터넷 매체인 『데일리 콜러』는 최근 공립학교에서 흑인 학생만을 위한 의도적인 백인 역차별이 점점 늘고 있다는 사례를 소개했다. 『데일리 콜러』를 보면, 지난 2월 캘리포니아 주 베네시아 중학교의 한 흑인 여성 교사는 수업 시간에 흑인 학생만을 대상으로 미국의 인권 운동 동영상 자료를 보여주고 나서 인종 문제와 관련한 설문지를 나눠 줬다. 같은 달 일리노이 주 시카고 외곽의 오크 파크 리버 포리스트 고교에서도 백인 학생을 배제한 채 오로지 흑인 학생을 위한 '흑인의 삶은 소중하다'는 행사가 열려 주목을 받기도 했다.

출처 : 연합뉴스, 2015. 4. 20.

[문제 3] [가], [나], [다]를 서로 연관 지어 설명하고, [라]를 활용하여 [마]를 해결하기 위한 방안을 서술하시오. (600자 내외) (40점)

[가]

<한국은행의 통화 정책>

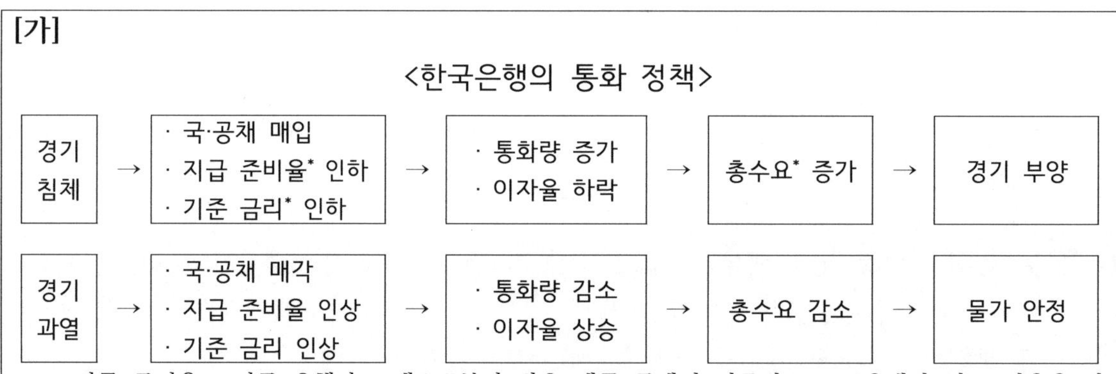

* 지급 준비율 : 시중 은행이 고객으로부터 받은 예금 중에서 의무적으로 보유해야 하는 비율을 말한다. 지급 준비율을 인하하면 은행의 대출 가능 자금이 증가하여 시중의 통화량이 증가하고 이자율은 하락한다. 반대로 지급 준비율을 인상하면 은행의 대출 가능 자금이 감소하여 시중의 통화량이 감소하고 이자율이 상승한다.

* 기준 금리 : 한국은행이 금융 기관과 거래를 할 때 기준이 되는 정책 금리이다. 물가 동향, 국내외 경제 상황, 금융 시장 여건 등을 종합적으로 고려하여 한국은행의 금융통화위원회에서 결정한다. 이렇게 결정된 기준 금리는 시중의 예금 및 대출 금리의 변동으로 이어져 실물 경제 활동에 영향을 미친다.

* 총수요 : 한 나라의 모든 경제 주체들이 소비와 투자의 목적으로 사려고 하는 재화와 서비스를 모두 합한 것이다.

출처 : 허수미 외, 『고등학교 경제』(출제진 재구성)

<한국은행 기준 금리 변동 추이> (단위 : %)

변경 일자		기준 금리
2019년	07월 18일	1.50
2019년	10월 16일	1.25
2020년	03월 17일	0.75
2020년	05월 28일	0.50
2021년	08월 26일	0.75
2021년	11월 25일	1.00
2022년	01월 14일	1.25
2022년	04월 14일	1.50
2022년	05월 26일	1.75
2022년	07월 13일	2.25
2022년	08월 25일	2.50
2022년	10월 12일	3.00
2022년	11월 24일	3.25

한국은행 금융통화위원회는 14일 서울 중구 한국은행 본관에서 통화 정책 방향 회의를 열고 기준 금리를 연 1%에서 1.25%로 0.25%포인트 인상하기로 했다. 지난해 11월(0.75%→1%)에 이은 연속 금리 인상이다. 앞서 한국은행은 지난해 8월 기준 금리를 0.5%에서 0.75%로 인상했다. 다만 이날 금융통화위원회에서는 금리 동결을 주장하는 소수의견도 나왔다.

이에 따라 1년 10개월 만에 기준 금리는 코로나19 본격 확산 이전 수준(연 1.25%)으로 복귀했다. 한국은행은 2020년 3월 당시 코로나19 확산에 따른 경제 충격을 흡수하기 위해 기준 금리를 0.5% 포인트(1.25%→0.75%) 대폭 인하했고, 이어 2020년 5월 추가로 금리를 0.25%포인트 인하했다. 통화 정책 정상화에 나선 한국은행이 금리 인상에 속도를 낸 건 치솟는 물가를 억누르려는 중앙은행의 의지가 작용했기 때문으로 풀이된다. 통계청에 따르면 지난해 국내 소비자물가지수는 1년 전보다 2.5%가 오르며 2011년(4.0%) 이후 10년 만에 가장 높은 상승폭을 기록했다. 한국은 행의 물가 목표치(2%)를 웃돈다.

출처 : 중앙일보, 2022. 1. 14.(출제진 재구성)

[나]

<코스피 지수* 추이>

	2019.12.	2020.12.	2021.12.	2022.12.
코스피 지수	2,198	2,873	2,978	2,236

*코스피 지수 : 한국 거래소 상장 기업들의 주식 가격 변동을 기준 시점과 비교하고 주식 수를 가중 평균하여 작성한 지수이다.

출처 : 한국거래소, 2023

<아파트 매매 실거래 가격 지수* 추이>

	2019.12.	2020.12.	2021.12.	2022.12.
수도권	112	136	168	130
지방	95	107	120	107
전국	103	120	142	118

*아파트 매매 실거래 가격 지수 : 매월 지자체에 신고된 실제 아파트 거래 가격 자료를 토대로 기준 시점인 2017년 11월을 지수 100으로 하고 해당 연월의 가격 변화를 상대가격으로 표시한 지수이다.

출처 : 한국부동산원, 2023

[다]

<신용 거래 융자 잔고* 추이> (단위 : 백만 원)

	2019.12.	2020.12.	2021.12.	2022.12.
신용 거래 융자 잔고	9,213,276	19,221,357	23,089,636	16,518,648

*신용 거래 융자 잔고 : 투자자들이 증권사에 빚을 내서 주식을 산 금액을 말한다.

출처 : 금융투자협회, 2023

<예금 취급 기관의 주택 담보 대출금 잔액* 추이> (단위 : 조 원)

	2019.12.	2020.12.	2021.12.	2022.12.
주택 담보 대출금 잔액	843	911	982	1,013

*예금 취급 기관의 주택 담보 대출금 잔액 : 은행이나 금융 기관으로부터 주택을 담보로 빌린 금액 중 갚지 않고 남은 금액을 말한다.

출처 : 한국은행, 2023

<가계 대출 현황>

		2019.12.	2020.12.	2021.12.	2022.12.
차주*수 (십만 명)		194	196	199	198
대출 잔액 (조 원)		1,622	1,753	1,869	1,861
차주당 대출 잔액 (십만 원)		837	893	940	939
총부채 원리금 상환 비율*70% 이상	차주수 (십만 명)	26	27	28	30
	비율 (%)	13.5	13.5	14.2	15.3

* 차주 : 대출을 받은 사람을 말한다.
* 총부채 원리금 상환 비율 : 대출자가 한 해 갚아야 하는 원리금 상환액을 연 소득으로 나눈 값이다. 보통 당국과 금융기관 등은 총부채 원리금 상환 비율이 70% 정도면 최저 생계비만 빼고 거의 모든 소득을 원리금 상환에 쏟아부어야 하는 상황으로 간주한다.

출처 : 한국은행, 2023

[라]

<금융 이해력*과 자산과의 관계>

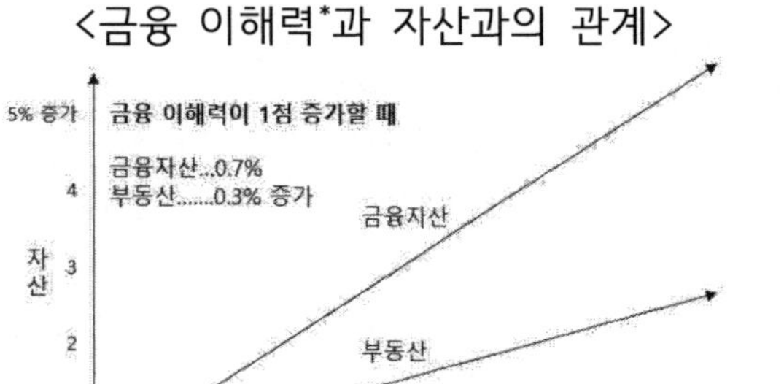

*금융 이해력 : 금융 정보를 이해하고 합리적인 금융 의사 결정을 할 수 있는 능력을 말한다.

출처 : 『조선일보』, 2020. 1. 7.

<수익성과 안전성의 관계>

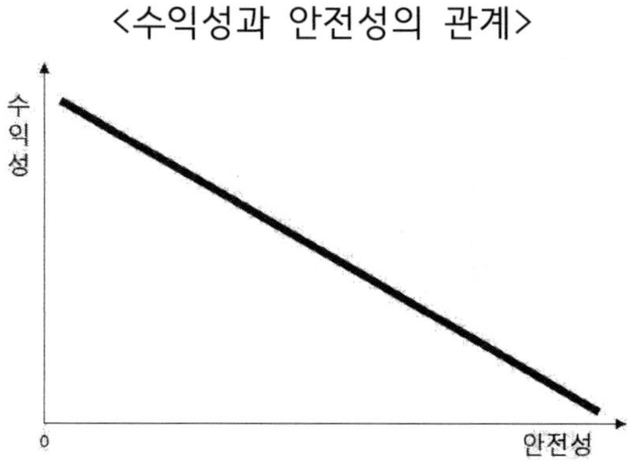

출처 : 김종호 외, 『고등학교 경제』

<무엇이 삶을 의미 있게 만드는가에 대한 국가별 대답 순위>

	1위	2위	3위	4위	5위
호주	가족	직업	친구	돈	사회
뉴질랜드	가족	직업	친구	돈	사회
스웨덴	가족	직업	친구	돈/건강	
프랑스	가족	직업	건강	돈	친구
그리스	가족	직업	건강	친구	취미
독일	가족	직업/건강		돈/긍정	
캐나다	가족	직업	돈	친구	사회
싱가포르	가족	직업	사회	돈	친구
이탈리아	가족/직업		돈	건강	친구
네덜란드	가족	돈	건강	친구	직업
벨기에	가족	돈	직업	건강	친구
일본	가족	돈	직업/건강		취미
영국	가족	친구	취미	직업	건강
미국	가족	친구	돈	직업	믿음
스페인	건강	돈	직업	가족	사회
한국	돈	건강	가족	사회/자유	
대만	사회	돈	가족	자유	취미

출처 : 뉴스로드, 2021. 11. 25.

<2018~2020년 OECD 국가 행복 지수 순위> (단위 : 점, 10점 만점 기준)

순위	국가	점수	순위	국가	점수
1	핀란드	7.84	19	벨기에	6.83
2	덴마크	7.62	20	프랑스	6.69
3	스위스	7.57	21	스페인	6.49
4	아이슬란드	7.55	22	이탈리아	6.48
5	네덜란드	7.46	23	슬로베니아	6.46
6	노르웨이	7.39	24	슬로바키아	6.33
7	스웨덴	7.36	25	멕시코	6.32
8	룩셈부르크	7.32	26	리투아니아	6.26
9	뉴질랜드	7.28	27	에스토니아	6.19
10	오스트리아	7.27	28	칠레	6.17
11	호주	7.18	29	폴란드	6.17
12	이스라엘	7.16	30	라트비아	6.03
13	독일	7.16	31	콜롬비아	6.01
14	캐나다	7.10	32	헝가리	5.99
15	아일랜드	7.09	33	일본	5.94
16	영국	7.06	34	포르투갈	5.93
17	체코	6.97	35	한국	5.85
18	미국	6.95	36	그리스	5.72

출처 : 중앙일보, 2021. 5. 19.

프랑스 혁명 당시 정권을 잡은 로베스피에르는 생활필수품의 가격이 폭등하여 민심이 나빠지자 서민들의 생활을 안정시키겠다는 명목으로 가격 통제에 나섰다. 물가를 안정시키고 더불어 민심도 얻겠다는 의도였다.

그는 우윳값이 비싸 자녀들에게 우유를 먹일 수 없다는 어머니들의 원성에 우유 가격 인하를 명령했다. 강제적인 우유 가격 인하 직후에 우유를 싼 가격에 마실 수 있게 된 다수의 국민들은 환호했다. 그러나 생산 비용도 보전하기 어렵게 된 목축업자들이 연쇄적으로 도산하였고, 우유의 생산량이 감소하여 우유 가격은 오히려 더 폭등하게 된다.

그 다음으로 로베스피에르가 내놓은 방안은 사료비 통제였다. 사료업자들 역시 도산하고 말았고, 결국 우유는 품귀 현상이 발생하여 가격 통제 이전보다 훨씬 비싼 값을 치러야만 구할 수 있게 되었다.

이처럼 정부의 정책은 그 목적과 다르게 시장 질서를 왜곡하여 예상치 못한 부작용을 발생시키기도 한다. 특히 대중에게 인기를 얻기 위한 선심성 정책처럼 합리적이지 못한 경제정책은 시장의 실패를 해결하기는커녕 정부 실패의 원인이 된다.

출처 : 김종호 외, 『고등학교 경제』

[마] "작년에 집값이 너무 올라 내 집 마련은 꿈도 못 꿨죠. 그래서 그 돈으로 더 주식 투자에 올인했던 것 같아요. 주식은 난생처음이라 남들 다 버는 장이었다고 하는 데 그리 많이 벌진 못했습니다."(32세 직장인 A 씨)

26일 금융투자업계에 따르면 지난 1년 A 씨처럼 주식에 '빚투(빚내서 투자)'한

2030 세대가 급증했다. 부동산 대출 규제와 집값 상승세가 맞물리면서 내 집 마련이 어려워지자, 청년들이 부동산에서 주식 시장으로 눈을 돌린 것으로 분석된다.
이런 상황에서 연내 기준 금리 인상 시기가 앞당겨질 가능성이 제기된다. 영끌(영혼까지 끌어모아)해 빚투한 청년들은 괜찮을까?

출처 : 뉴시스, 2021. 6. 26.

이지환(25, 가명) 씨는 평소 형들에게 "남자는 무조건 차다."라는 얘기를 많이 들었다. 형들의 부추김에 외제차를 타 보고 싶은 욕구는 더욱 강해졌다. 비싼 차에 대한 욕망은 군대에서 극에 달했다. 소심한 성격 탓인지 군대에서 괴롭힘을 당하는 것이 일상이었다. 그때마다 외제 차를 몰고 거침없이 도로를 달리는 모습을 상상했다. 멋있는 차를 타고 여자 친구와 이곳저곳 여행을 다니겠다고 다짐했다. 주변의 부러워하는 시선을 생각하니 기분이 좋았고 이런 상상들이 군대 생활을 버티게 해줬다.
2019년 말 23살이 됐을 때 이 씨의 상상은 현실이 됐다. 당시 카드론을 썼던 이력 때문에 신용 등급이 7등급으로 내려간 상황이었다. 제1 금융권 시중 은행에서는 대출을 받을 수 없었고 제2 금융권 캐피털에서 자동차 가격을 뛰어넘는 금액을 대출 받을 수 있었다. 마침내 이 씨는 차량 금액 4,300만 원 전액을 대출받고 중고 외제차의 차주가 됐다. 이 씨의 차는 친구들 사이에서 큰 화제가 됐고 그는 자신감을 얻었다. 여자 친구는 항상 차로 데리러 와 달라고 부탁했고 지인의 드라이브 요청도 많았다. 카페나 식당에 갈 때는 일부러 주차장이 큰 곳만 골라 갔다.
1년이 넘자 격월로 고장이 발생했다. 딜러가 20만 km까지 무상 보증 혜택 대상 차량이라고 설명했지만 실상은 달랐다. 서비스 센터에 가면 특수 부위 수리라 비용을 내야 한다는 말만 돌아왔다. 주로 우측 로커암 커버와 스로틀 바디 문제였다. 1년 새 수리비만 1,000만 원이 나왔다. 유류비와 보험료를 포함한 차량 관련 비용은 한 달에 200만 원이다. 숨만 쉬어도 차량 유지비 200만 원이 매달 통장에서 빠져나가는 셈이다. 이 씨는 지금 심정을 두 마디로 표현했다. "빠듯하다." 그리고 "후회한다."

출처 : 국민일보, 2021. 12. 25.

부동산 과열을 막기 위해 주택 담보 대출 규제 등 강도 높은 정책을 집중한 지역들이 오히려 다른 지역보다 집값 상승률이 높았다는 연구 결과가 나왔습니다. 규제 강화가 부동산 가격 상승 기대감을 자극해 집값을 끌어올렸다는 것입니다.
한국은행 금융 안정 연구팀 ○○○ 차장은 이 내용의 보고서를 지난 10일 발표하며 "강한 규제에도 불구하고 부동산 가격 상승에 대한 기대 심리 등으로 집값 상승이 억제되지 못했다."고 평가했습니다.

출처 : SBS Biz, 2023. 7. 11.

단국대학교
DANKOOK UNIVERSITY

논술답안지

※감독자 확인란

모집단위

성 명

수 험 번 호

생년월일 (예 : 050512)

【유의사항】

1. 답안 작성 시 문제번호와 답안번호가 일치하도록 알맞은 칸에 작성하여야 한다.
2. 답안 작성 시 필요한 경우에 수식 및 그림을 사용할 수 있다.
3. 필기구는 반드시 검은색 필기구만을 사용하여야 한다. (검은색 이외의 필기구로 작성한 답안은 모두 최하점으로 처리함)
4. 문제와 관계없는 불필요한 내용이나, 자신의 신분을 드러내는 내용이 있는 답안 및 낙서 또는 표식이 있는 답안은 모두 최하점으로 처리한다.
5. 답안은 반드시 정해진 답안작성란 안에만 작성하여야 한다. (답안작성란 밖에 작성된 내용은 채점 대상에서 제외함)

1번 (1) 답안 **(반드시 해당 문제와 일치 하여야 함)**

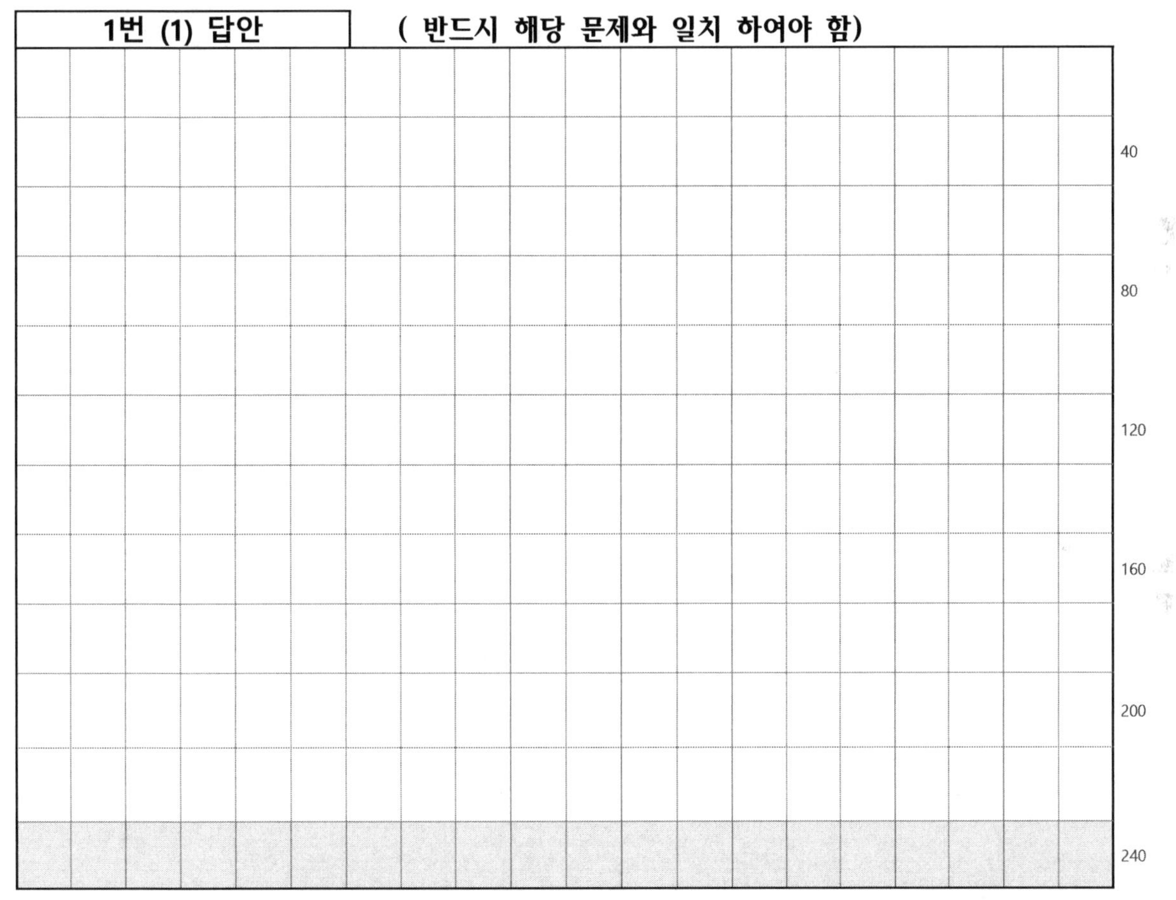

이 줄 아래에 답안을 작성하거나 낙서할 경우 판독이 불가능하여 채점 불가

1번 (2) 답안 (반드시 해당 문제와 일치 하여야 함)

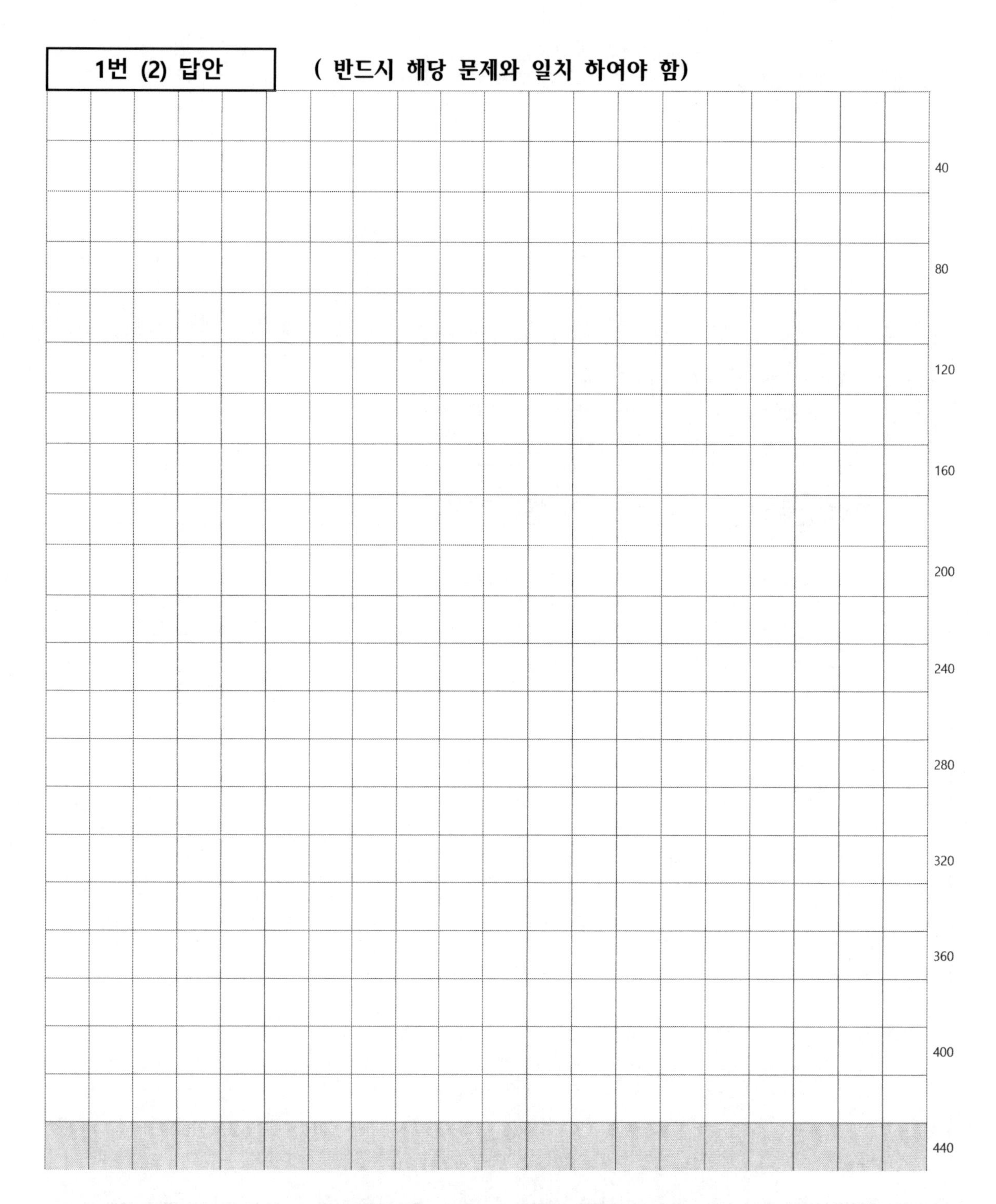

이 줄 아래에 답안을 작성하거나 낙서할 경우 판독이 불가능하여 채점 불가

2번 답안 (반드시 해당 문제와 일치 하여야 함)

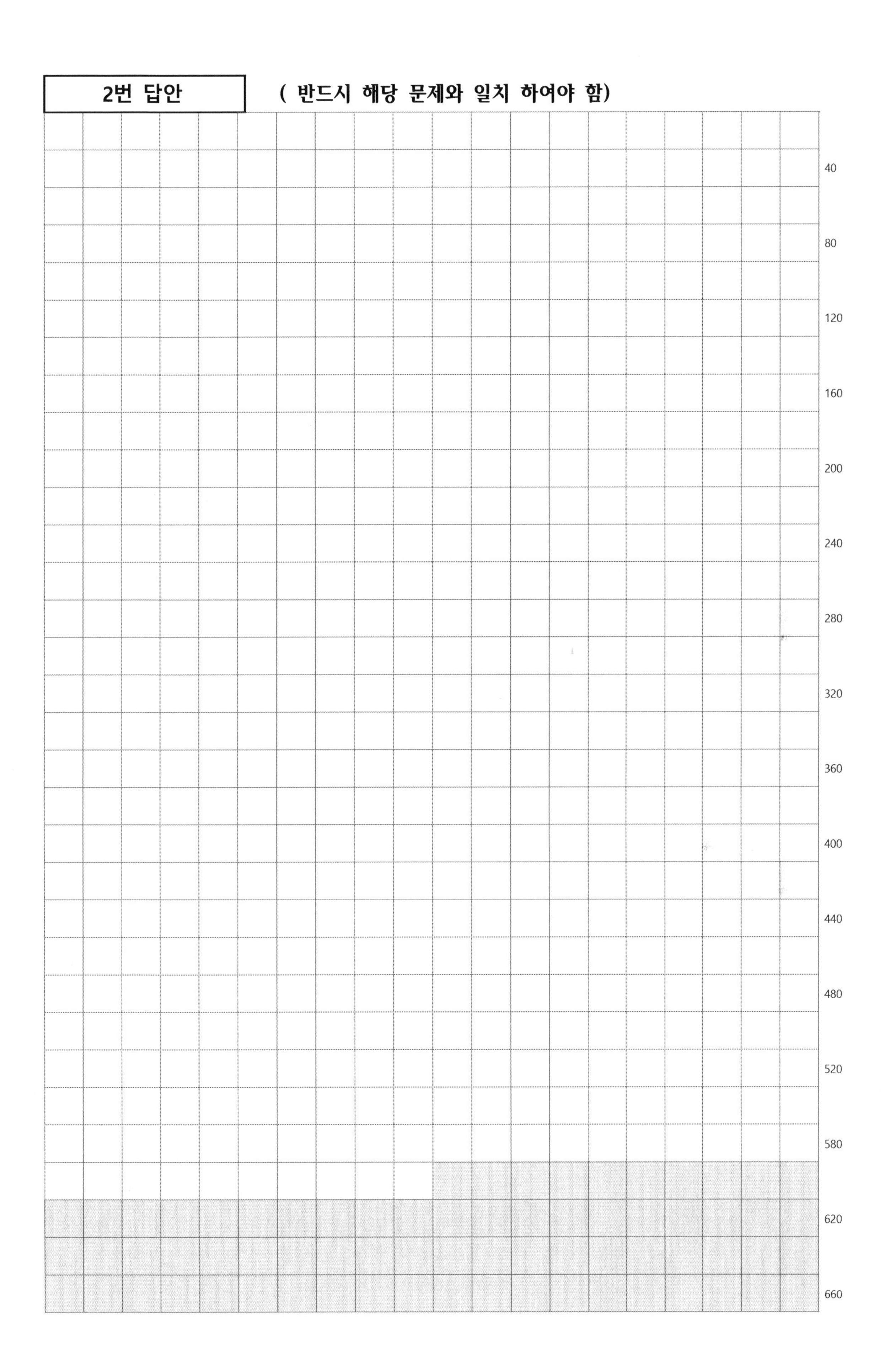

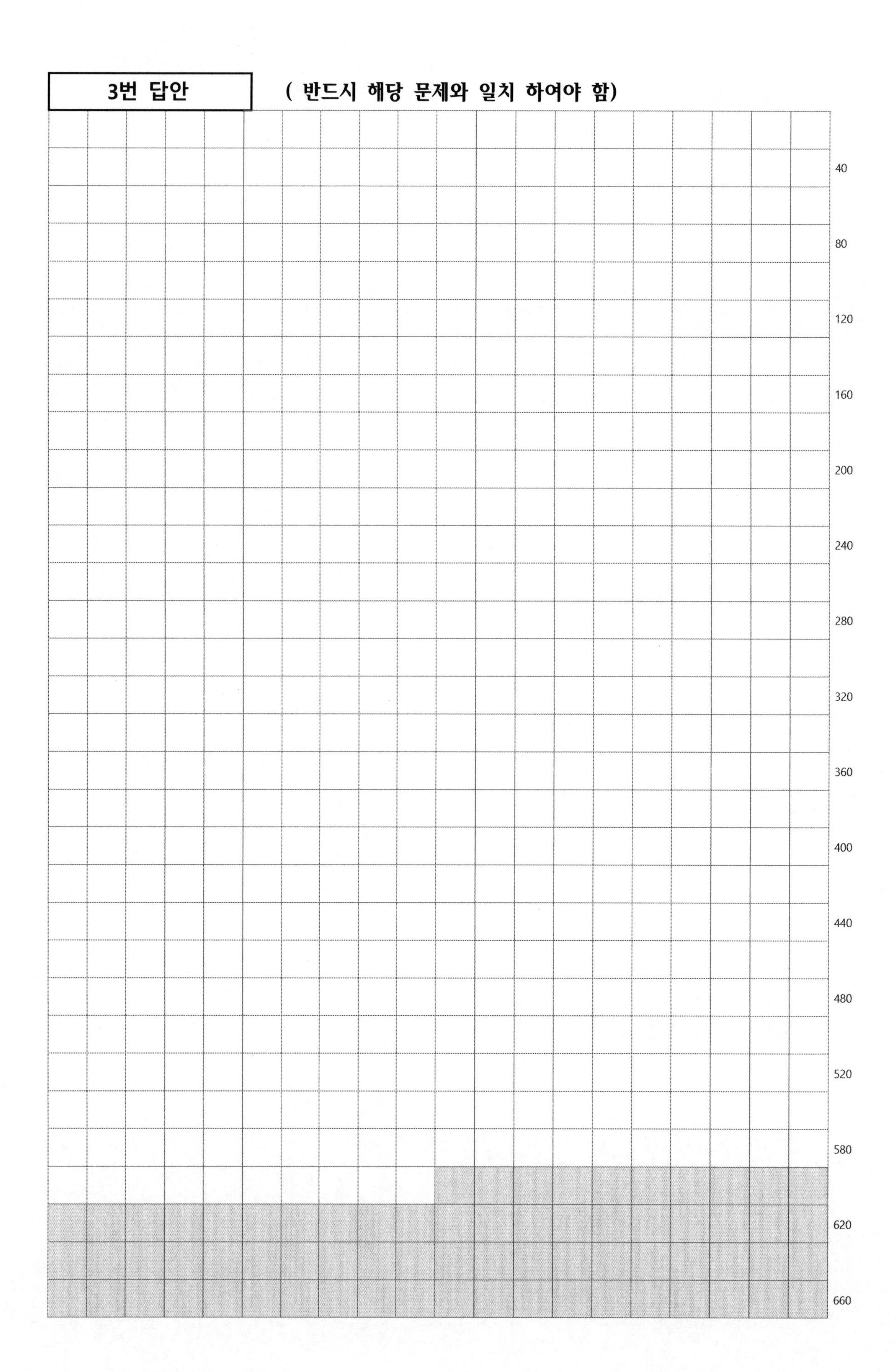
3번 답안
(반드시 해당 문제와 일치 하여야 함)
40
80
120
160
200
240
280
320
360
400
440
480
520
580
620
660

2. 2024학년도 단국대 수시 논술 (오후)

[문제 1] 다음의 제시문을 읽고 주어진 물음에 답하시오. (30점)

1) [가]에서 주제를 나타내는 단어 하나를 찾고, 그 단어를 이용하여 [가]의 내용을 요약하시오. (200자 내외) (10점)

2) [가]에서 찾은 단어를 이용하여, [나]를 요약하고 [다]를 설명하시오. (400자 내외) (20점)

[가] 아주 옛날, 프로메테우스가 인간을 빚으면서, 각자의 목에 두 개의 보따리를 매달아 놓았다고 한다. 보따리 하나는 다른 사람의 결점으로 가득 채워 앞쪽에, 또 다른 보따리는 자신들의 결점으로 가득 채워 등 뒤에 달아 놓았다고 한다. 그래서 사람들은 앞에 매달린 다른 사람의 결점들은 잘도 보고 시시콜콜 이리 뒤지고 저리 꼬투리 잡지만, 뒤에 매달린 보따리 속의 자기 결점은 전혀 볼 수 없게 되었다고 한다.

따지고 보면 아무리 평판 좋고 훌륭한 사람일지라도 마음만 먹으면 비난거리는 얼마든지 찾아낼 수 있다. 인간 성향이라는 게 모두 양면적이라서 마음먹기에 따라 얼마든지 서로 상반되는 해석이 가능하기 때문이다. 아주 겸손하고 나서기 꺼려하는 사람은 카리스마가 부족하고 자신감이 없다고 비난하고, 반대로 박력 있고 당당한 사람은 겸손하지 못하고 되바라졌다고 욕한다. 그런가 하면 쾌활하고 잘 웃으면 사람이 가볍고 진중하지 못하다고 욕하고, 잘 웃지 않고 진중하면 괜히 무게 잡는다고 욕한다. 상냥하고 사근사근하면 내숭 떨고 여우 같다고 욕하고, 상냥하지 못하면 뻣뻣하다고 욕한다. 너그럽고 많이 베푸는 사람에겐 잘난 척하고 우월감을 갖고 있다고 비난하고, 잘 베풀지 않는 사람은 또 구두쇠이고 편협하다고 욕한다.

……(중략)……

비슷하면서도 다르고, 다르면서도 비슷한 우리들. 앞뒤로 보따리 하나씩 메고 돌아다니면서 열심히 앞 보따리를 뒤적거려 보지만, 결국은 앞 보따리나 뒤 보따리나 속에 들어 있는 건 매한가지이다. 이렇게 보면 장점이 저렇게 보면 단점이고, 저렇게 보면 단점이 이렇게 보면 장점이다. 결국 장단점이 따로 없지만, 어차피 세상을 판단하는 기준은 자기 자신이다. 그런데 제각각 나에게 맞는 도수의 안경을 끼고 다른 사람을 보니, 이리저리 찌그러지고 희미하고 탐탁지 않게 보이는 것은 당연하다. 그러니 서로 다른 안경을 끼고 서로 손가락질하며 못생겼다고 흉보며 사는 세상이 항상 시끄러운 것도 당연하다.

가끔 누군가 내게 행한 일이 너무나 말도 안 되고 화가 나서 견딜 수 없을 때가 있다. 며칠 동안 가슴앓이하고 잠 못 자고 하다가도 문득 '만약 내가 그 사람 입장이었다면 나라도 그럴 수 있었을지 모르겠다.'라는 생각이 들 때가 있다. 그러면 꼭 이해하는 마음이 아니더라도 '오죽하면 그랬을까.'하는 동정심이 생기는 것이다. 물론 그러지 않았더라면 좋았겠지만, 그리고 그 대상이 나였다는 것이 너무나 억울하고 마음 아프지만, 그래도 마음의 응어리가 조금씩 풀어지면서 '까

짖것, 그냥 용서해 버리자.'라는 마음이 생길 때가 있다. '남'의 마음을 '나'의 마음으로 헤아릴 때 생기는 기적이다.

출처 : 이숭원 외, 『고등학교 문학』

[나] "나는 한평생 해를 연구해 온 사람이오. 나도 한때는 해에 대해 당신들과 같은 식으로, 그러나 당신들보다 훨씬 더 많은 것을 알고 있었던 적이 있었소. 하지만 더욱 많이 그리고 더욱 확실하게 해를 알려다가 종당엔 이 두 눈만 잃어버리고 말았소. 너무 자주, 오래 해를 쳐다보다가 뜨거운 햇살에 두 눈의 동자가 타 버린 것이오. 그런데 한번 두 눈을 잃자 갑자기 해는 있다는 것조차가 의심스런 것이 되고 말았소이다. 그렇소. 정녕 해가 있다면 그것은 당신들이 지금 알고 있는 것이 아니라 그 이름이 가진 어떤 추상일 뿐이오. 왜냐하면 모든 사물의 겉모습은 우리들의 온전치 못한 감각이 그때그때 나름대로 받아들인 일시적이고도 자의적인 느낌일 뿐, 그 본질과는 멀다는 것을 깨달았기 때문이오."

"그럼, 사물의 겉모습이란 결국 뭐란 말이오?"

한참 지난 뒤에야 겨우 어렴풋하게나마 그 장님의 말을 알아들은 사내 하나가 그렇게 물었다. 장님은 더욱 단정적으로 대답했다.

"그 이름에 걸쳐 둔 넝마 같은 것이오. 예를 들어봅시다. 해의 빛깔만 하더라도 우리는 대부분 아무런 의심 없이 희다 혹은 붉다 따위로 단정하고 있지만, 사실 그것은 우리의 정확하지 못한 두 눈이 멋대로 정한 느낌일 뿐이오. 만약 그을음 낀 수정판과 같은 각막을 가진 짐승이 있다면 태양은 겨울 달처럼 새하얗다고 말할 것이며, 연한 자수정 각막을 통해 보면 핏빛처럼 빨갛게 보일 것이요, 잘 간 에메랄드 같은 각막을 지닌 눈에는 보라색이라고 주장될 것이고, 금강석처럼 깎인 각막을 통해 보면 오색이 영롱할 것이오. 또 모르긴 하되, 어떤 생물에게는 그저 막연한 밝음일 수도 있는 것처럼 어떤 생물에게는 빛이 아니라 열기로만 느껴질 수도 있을 것이외다. 다시 말해서 우리가 말하는 그런 빛깔은 없는 게 되고, 그것은 장님이 된 이 나에게도 마찬가지오.

지금 나에게 있어서 해는 빛깔이 없소. 있다면 지난날 두 눈을 뜨고 있을 때 받았던 어떤 느낌의 기억이나 말이 가진 추상뿐. 해의 크기나 모양이나 성질에 대해서도 똑같은 얘기를 할 수가 있소. 우리는 흔히 해는 얼마만 하고 어떻게 생겼으며 그 성질은 어떠하다는 둥 말을 하지만 기실 그것은 우리들 오관의 주관적인 단정에 지나지 않소. 만약 위대한 이성이 있어, 불완전하고 변덕스러우며 때로는 기만적이기도 한 오관으로부터 자유로울 수만 있다면, 모든 존재는 말 특히 이름만이 확실할 뿐인 순수한 추상 이상 아무것도 아님을 알게 될 것이오.

나도 실은 시각을 잃고 나서야 비로소 그걸 깨달았소. 그리하여 오관의 감각들마저 이성의 힘으로 봉해 버리자 당신들이 말하는 그런 해는 내게 없어져 버린 거요. 있다면 오직 해란 말이 가진 순수한 추상뿐이오."

출처 : 이문열, 『사람의 아들』

[다] 공정 무역 인증은 가난한 나라의 노동자에게 더 높은 임금을 보장해 주는 것을 목적으로 하며, 주로 바나나, 초콜릿, 커피, 설탕, 차 등 개발 도상국의 생산 작물에 적용된다. 공정 무역 인증서는 최저 임금 지급, 구체적인 안전 요건 준수 등 일정한 기준을 충족시킨 생산자에게만 부여된다. 공정 무역 인증에는 두 가지 혜택이 따른다. 첫째, 생산자는 생산 제품에 대해 최저 가격을 보장 받는다. 가령 원래 1파운드당 1.4달러였던 커피의 시장 가격이 추후 그보다 떨어지더라도 커피 생산자는 1.4달러를 보장 받는다. 둘째, 생산자들은 시장 가격에 붙는 웃돈인 '소셜 프리미엄'을 받는다. 커피 시장 가격이 1.4달러 이상 오르면 생산자들은 파운드당 20센트를 추가로 받는 식이다. 이 소셜 프리미엄은 민주적 절차를 거쳐 선정된 지역 공동체 사업 기금으로 쓰인다.

공정 무역 인증 마크가 처음 등장한 1988년 이후로 공정 무역 상품의 수요는 급격히 증가하고 있다. 2014년에는 전 세계 공정 무역 인증 상품의 매출이 69억 달러에 육박했다. 타국의 농부가 공정한 보수를 받을 수 있도록 웃돈을 얹어 주면서까지 상품을 사는 사람들이 이렇게나 많다는 사실은 감동적이다. 그런데 일반 커피보다 몇 달러 더 주고 공정 무역 커피를 사면 가난한 나라 사람들에게 얼마나 도움이 될까? 객관적 증거에 따르면 실망스러운 수준이다.

첫째, 공정 무역 제품을 산다고 해서 무조건 가난한 나라의 빈곤층에 수익이 돌아가는 것은 아니다. 공정 무역 인증 기준은 상당히 까다롭다. 가난한 나라의 농부들은 이 기준을 충족하기 어렵다. 그렇기 때문에 공정 무역 제품을 사는 것이 농부들에게 더 많은 몫을 되돌려 주는 방법이라 하더라도, 상대적으로 부유한 나라의 공정 무역 제품을 사는 것보다 최빈국의 비공정 무역 상품을 사는 것이 더 효율적일 수 있다.

둘째, 공정 무역 제품이라는 까닭으로 소비자가 추가로 지급한 돈 가운데 실제로 농부들의 수중에 떨어지는 것은 극히 일부이다. 나머지는 중개인이 갖는다. 세계은행 경제 자문관인 피터 그리피스가 수행한 연구에 따르면 추가 금액 가운데 가난한 나라의 커피 생산자에게 돌아가는 몫은 1퍼센트 미만이다.

셋째, 생산자에게 돌아가는 그 적은 몫마저 더 많은 임금으로 바뀐다는 보장이 없다. 공정 무역 인증은 인증 받은 단체가 생산한 제품에 더 높은 가격을 쳐주는 절차이지, 해당 단체에 소속된 생산자들에게 더 높은 임금을 보장해 주는 것이 아니다. 런던 대학교 동양 아프리카 연구소의 크리스토퍼 크레이머 교수가 이끈 연구팀이 4년에 걸쳐 에티오피아와 우간다에서 일하는 공정 무역 노동자들의 임금을 조사한 결과, 이들은 비공정 무역 노동자들보다 임금이 더 낮고 노동 조건도 열악한 것으로 나타났다. 또 공정 무역이 큰 성과로 내세우는 지역 공동체 사업에서도 정작 극빈층이 소외되는 경우가 많았다.

이쯤 되면 공정 무역 제품을 살 까닭이 없다. 기껏해야 상대적으로 부유한 나라의 노동자에게 아주 미미한 금액을 보태 줄 따름이다. 차라리 더 저렴한 상품을 사고 그렇게 절약한 돈을 비용 효율성이 높은 자선 단체에 기부하는 것이 낫다.

출처 : 고형진 외, 고등학교 독서

[문제 2] [가]를 활용하여 [나]와 [다]를 설명하고, [라]의 두 관점에서 각각 [마]를 평가하시오. (600자 내외) (30점)

[가] 세계 곳곳에서는 정치, 경제, 문화 등의 영역에 걸쳐 다양한 문제가 발생하고 있다. 그중에는 개별 국가나 지역을 넘어 여러 국가나 국제 사회 전반에 악영향을 미치는 문제도 있는데, 이러한 문제를 국제 문제라고 한다.

……(중략)……

국제 문제는 국경을 초월하여 발생하고 한 국가가 해결하기 곤란하며 다수의 국가에 영향을 미치기 때문에 국가 간의 협력이 필수적이다. 그런데 국제 문제는 책임 소재가 분명하지 않은 경우가 많고 자국의 이익을 우선시하는 경향으로 인해 해결 방안에 대한 국가 간 합의 도출이 어려워 갈등이 생기기도 한다. 또한 중앙 정부가 없는 국제 사회의 특성상 개별 국가에 대하여 합의를 이행하도록 강제하기도 쉽지 않다.

출처 : 서범석 외, 고등학교 정치와 법(출제진 재구성)

[나] 2020년부터 적용되는 「파리 기후 변화 협약」은 지구 온난화 등에 대응해야 할 의무를 세계 모든 나라에 지우고 이를 이행할 새로운 방안을 담았다. 특히, 주요 온실가스 배출국인 미국과 중국 등이 협약에 참여하여 실질적인 효과를 거둘 수 있을 것이라는 평가가 나온다. 온실가스 감축 방식과 관련해서는 국가별 의무 감축분을 하향식으로 할당했던 과거 방식에서 벗어나, 각국이 스스로 감축 목표를 결정할 수 있도록 허용하는 유연한 접근 방식을 채택했다. 또한 개발 도상국에 대한 선진국의 재정 및 기술 지원 방안을 포함하여 개발 도상국의 반감을 줄였다.

출처 : 이경호 외, 고등학교 정치와 법

[다] 지중해를 건너 유럽으로 향하는 아프리카·중동 출신 불법 이민자들이 폭증하면서 유럽 국가간 갈등이 격화하고 있다. 특히 유럽의 화합과 단결을 이끌어 왔던 서유럽 4대 주요국(빅 4 : 독일, 영국, 이탈리아, 프랑스)끼리 노골적으로 반목하는 양상이 두드러진다. 조르자 멜로니 이탈리아 총리는 25일 올라프 숄츠 독일 총리에게 공식 서한을 보내 "독일 정부가 이탈리아 정부와 상의 없이 지중해에서 불법 이민자 구조 활동을 하는 비정부기구(NGO)에 자금 지원을 하기로 결정했다는 사실을 접하고 경악했다."고 밝혔다. 유럽연합(EU) 회원국 정상 간에 이렇게 날이 잔뜩 선 메시지가 적나라하게 전달되는 것은 매우 이례적인 일이다.

출처 : 조선일보, 2023. 9. 27.

[라] 국제주의는 개별 국가를 전제로 하면서도 국가 간의 연대와 협력을 지향한다. 이러한 국제주의의 입장에서 해외 원조가 도덕적 의무라고 주장한 대표적인 사상가가 롤스이다. 롤스는 질서 정연한 사회의 만민은 불리한 여건으로 인해 고통을

겪는 사회를 원조해야 할 의무가 있다고 보았다. 원조의 목적은 고통 받는 사회가 질서 정연한 사회가 되도록 하는 데 있다. 즉 해외 원조의 의무는 사회 구조와 제도의 개선에 있다는 것이다. 롤스에 따르면 억압이나 폭력, 기아나 빈곤과 같은 문제는 국내 정치·사회 제도의 부정의함에서 비롯되는 것이므로, 정치적 부정의함이 제거되고 정의로운 제도가 수립되면 그와 같은 문제도 자연히 해결될 것이라고 보았다.

……(중략)……

세계 시민주의는 인종이나 국가 등과 상관없이 모든 인간의 이익을 평등하게 고려하며 보편적 인류애를 강조한다. 이러한 세계 시민주의의 입장에서 해외 원조를 주장한 대표적인 사상가가 싱어이다. 싱어는 공리주의적 관점에서 세계의 모든 가난한 사람을 원조의 대상으로 삼아야 한다고 주장하였다. 싱어에 따르면 우리가 커다란 희생 없이도 어려운 처지에 있는 사람을 도울 수 있다면 무조건 돕는 것이 우리의 의무이다. 원조의 의무는 모든 존재의 이익을 동등하게 고려해야 한다는 '이익 평등의 고려의 원칙'을 전제로 하고 있다. 일반적으로 우리는 나와 상관없이 멀리 떨어져 있는 사람들보다 나와 가까운 사람들을 먼저 도와야 한다고 생각한다. 그러나 싱어는 고통을 겪는 인간을 차별하지 말고 공평하게 원조해야 한다고 주장한다.

출처 : 정창우 외, 고등학교 윤리와 사상

[마] 2011년 3월 19일 미국, 영국, 프랑스가 합동으로 리비아의 수도 트리폴리와 독재자 카다피의 관저를 맹렬히 공습하였다. 리비아에서는 2월 중순부터 반정부 시위가 시작되었고, 카다피는 시위자들을 무력으로 진압하고 사살하였다. 국제연합(UN)*은 카다피 정부에 무력 진압과 시민 학살을 중단할 것을 촉구하였다. 그러나 카다피 정부는 국제사회의 경고를 무시하였다. 오히려 시위가 확산하자 시위자들에게 항복하지 않으면 모두 학살하겠다고 위협하였다. 위협이 현실이 될 가능성이 커지자 국제연합은 무고한 민간인을 보호하기 위해 군사 개입을 결정하였다.

국제연합의 군사 개입으로, 반정부 시위가 시작된 지 248일 만에 카다피의 독재는 공식적으로 끝이 났다. 리비아 군사 개입은 민간인 학살을 막았다는 점에서 인도적 목적을 달성하였으나, 리비아의 향후 평화에 긍정적인 영향을 미칠 수 있을지는 아직 알 수 없다.

* 국제연합(UN) : 국제 평화와 안전의 유지, 국제 우호 관계의 증진 등에 관한 국제 협력을 달성하기 위하여 창설된 국제기구이다.

출처 : 정창우 외, 고등학교 통합사회

[문제 3] [가], [나], [다]를 연관 지어 설명하고, [라]를 활용하여 [다]를 해결하기 위한 방안을 서술하시오. (600자 내외) (40점)

[가]

<SNS(누리소통망) 이용률>

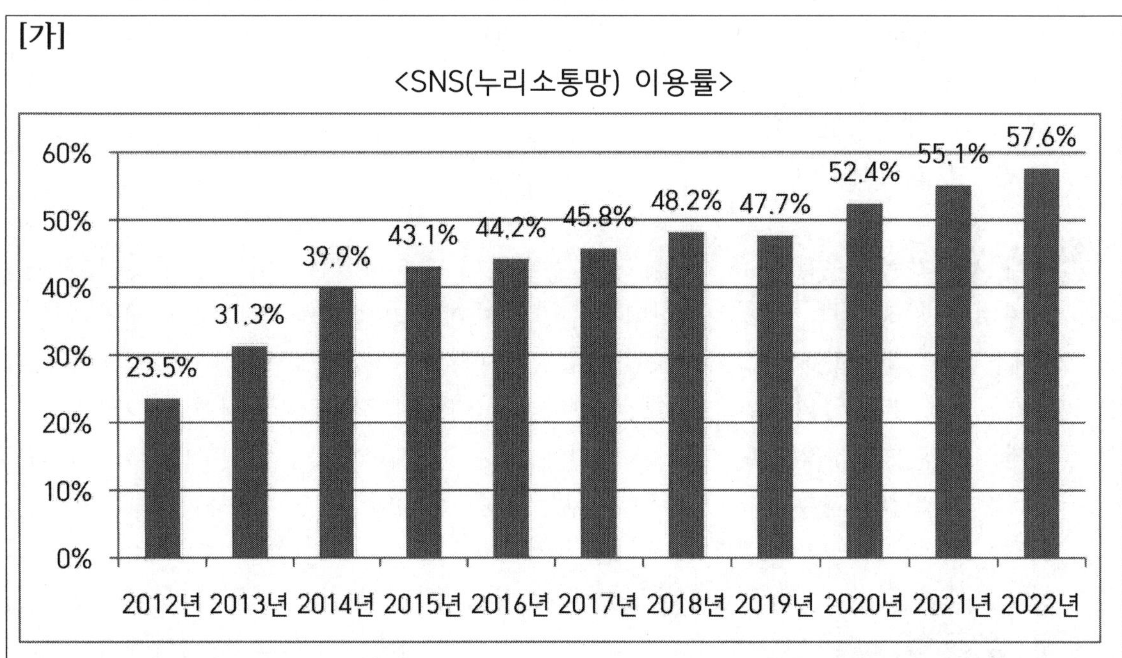

출처 : 정보통신정책연구원, 2022

항목	성 별		연 령							
이용률	남성	여성	만10세 미만	만 10 ~ 19세	만 20 ~ 29세	만 30 ~ 39세	만 40 ~ 49세	만 50 ~ 59세	만 60 ~ 69세	만 70세 이상
	58.4	56.8	7.7	55.3	93.3	88.0	75.2	58.6	29.0	3.8

출처 : 정보통신정책연구원, 2022

[나] 인맥은 흔히 성공의 필수 요소로 간주되며, 사람들은 인맥을 만들기 위해 많은 노력을 한다.

……(중략)……

이러한 인맥, 혹은 네트워크의 효과를 잘 설명하는 말로 '느슨한 연결(weak ties)의 힘'을 들 수 있다. 친한 친구나 가족 같은 '강한 연결(strong ties)' 관계가 아니라 안면 정도 있는 지인이나 친구의 친구들을 통해 더 다양하고 많은 정보를 접할 수 있다는 의미다. 이런 느슨한 연결은 특히 새로운 직장을 찾거나 이직할 때 큰 도움이 되는 것으로 알려졌다. 가까운 관계에 있는 사람과는 서로 네트워크가 겹치니 큰 도움이 안 되지만, 적당히 거리가 있는 사람을 통해서는 지금의 인맥과는 다른 더 넓고 새로운 네트워크를 형성할 수 있기 때문이다.

출처 : 이코노미스트, 2022. 10. 1.

뉴 미디어는 기술 및 의사소통 방식의 측면에서 종합화, 상호 작용성, 비동시화 등의 특징을 지닌다. 종합화는 아날로그 시대에 개별적으로 존재했던 매체들이 하나의 정보망으로 통합되는 것이다. 상호 작용성은 뉴 미디어가 기존의 대중 매체가 지닌 일방향성을 극복하고 송·수신자 간의 쌍방향성을 증진한 것이다. 비동시화는 과거에는 송신자가 정보를 제공하는 시간이나 프로그램을 수신자가 선택하여 볼 수 없었지만, 뉴 미디어는 수신자가 자신이 원하는 시간이나 프로그램을 선택하여 볼 수 있게 된 것을 가리킨다. 이러한 특징을 바탕으로 다양한 유형의 매체로 정보를 생산하고 소비하는 뉴 미디어 시대가 도래하였다.

출처 : 정탁준 외, 고등학교 생활과 윤리

<SNS를 통한 용인특례시의 시민 의견 수렴>

출처 : 용인특례시 Facebook, 2023. 2. 24.

<정치 참여 활동에 SNS를 활용하는 비율>

(단위 : %)

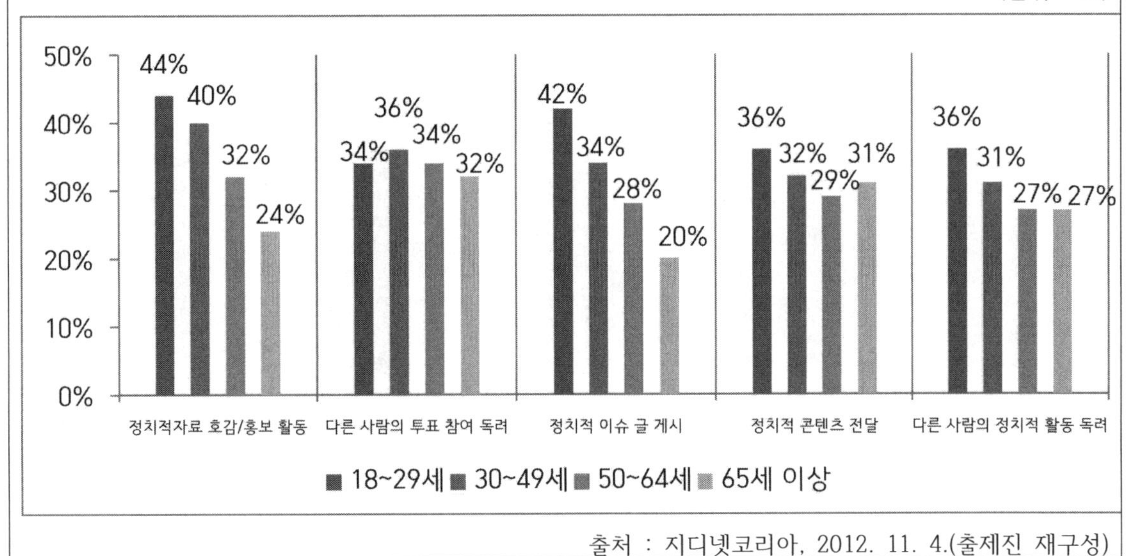

출처 : 지디넷코리아, 2012. 11. 4.(출제진 재구성)

(다)

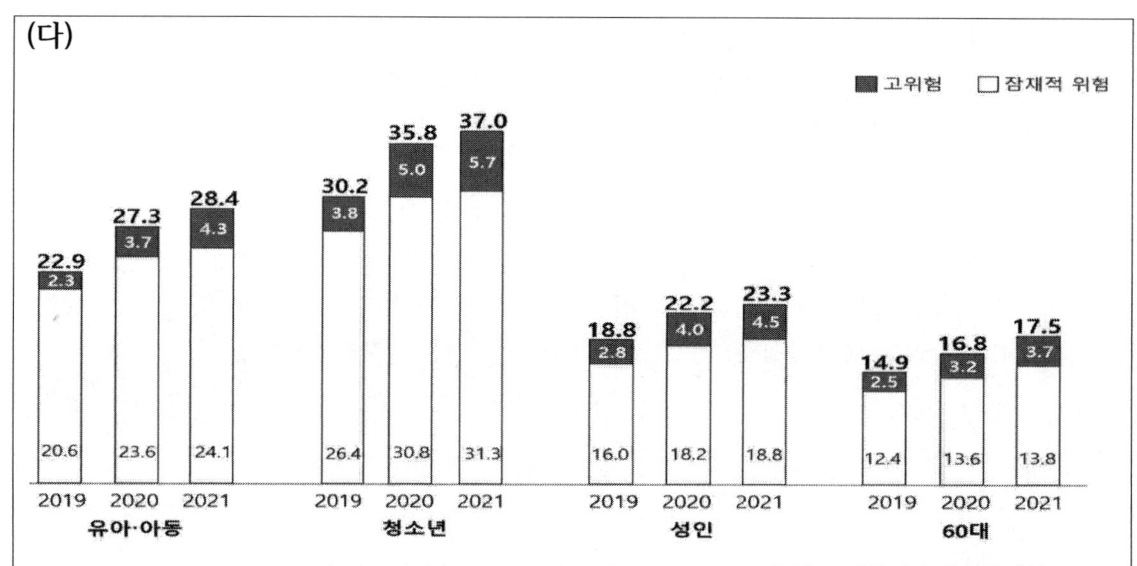

출처 : 과학기술정보통신부, 2021

직장인 전모(31) 씨는 한 달 전 가입했던 SNS에서 모두 탈퇴했다. 하루에도 몇 건씩 게시물을 올릴 정도로 열심히 관리했지만 갈수록 자존감이 떨어지는 느낌을 받아서였다. 전 씨는 “언젠가부터 남들이 올리는 휴가, 맛집 탐방 등의 사진을 보면 ‘내 삶은 왜 저렇게 행복하지 못한가.’라는 생각에 우울감이 들고 스트레스만 받았다.”고 설명했다. 그는 “막상 SNS를 접고 나니 홀가분하다.”며 “왜 ‘SNS는 인생의 낭비’라고 하는지 실감이 난다.”고 말했다. 최근 들어 SNS를 떠나는 사용자들이 늘고 있다. 다른 사람의 자기과시성 게시물에 상대적 박탈감을 느끼거나 범람하는 광고, 가짜 뉴스 등에 지쳐 버린 탓이다.

출처 : 세계일보, 2018. 8. 17.

<모임 형태별 외로움 체감도 비교>

(단위 : %)

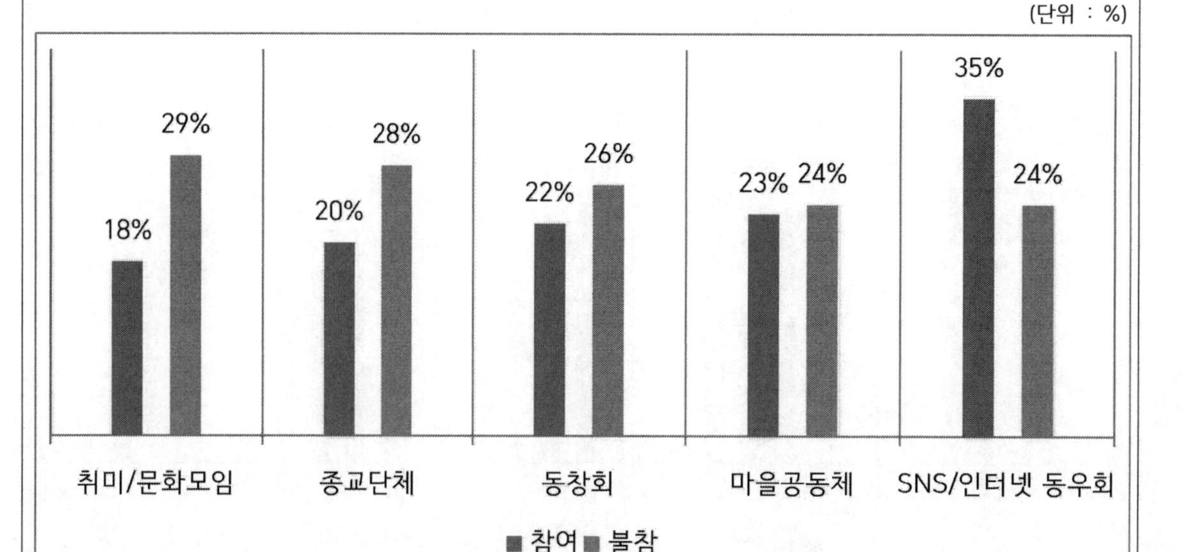

한국리서치, 2018

<가짜 뉴스의 주요 출처 조사>

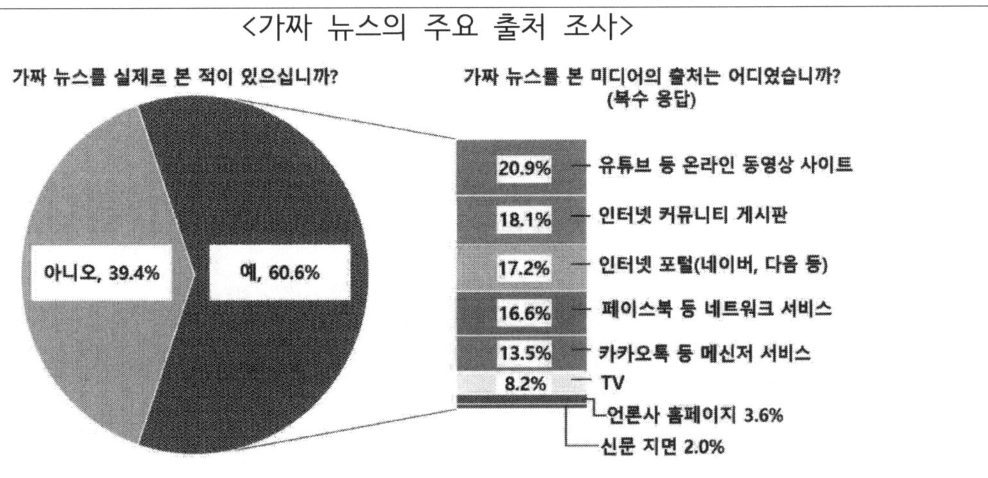

출처 : 경향신문, 2018. 11. 23.

<얼마나 자주 외로운가에 대한 국내 조사 결과>

(단위 : %)

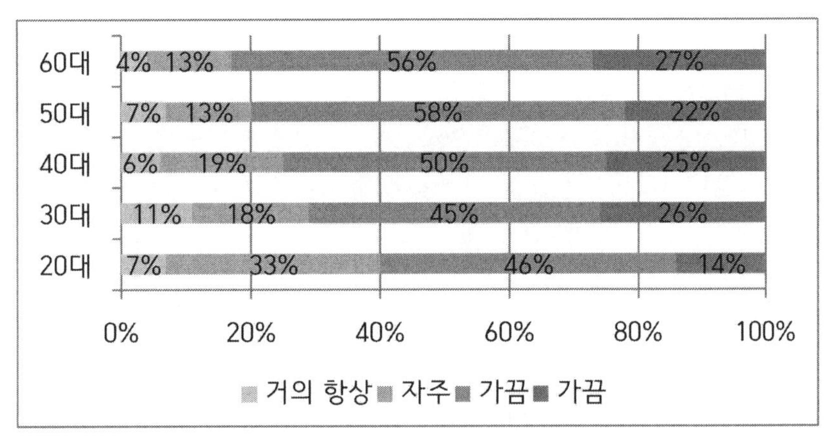

출처 : 한국일보, 2018. 5. 12.

<최근 3년간 청소년 사이버 범죄 검거 인원>

(단위 : 명)

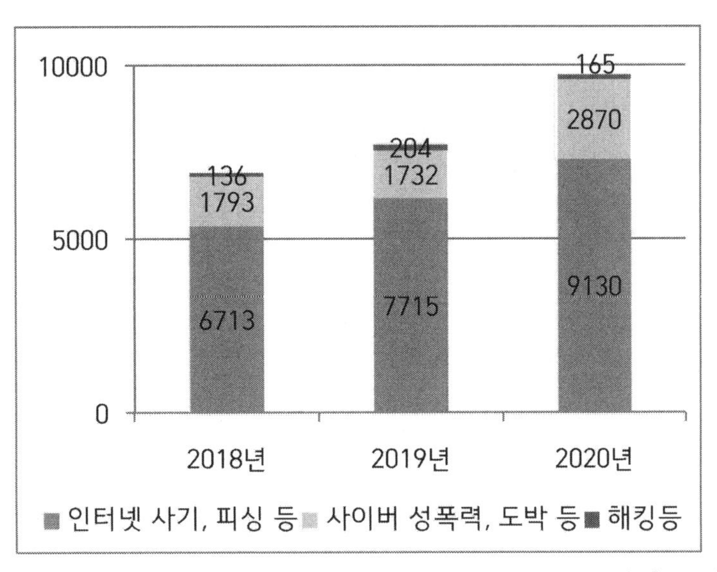

출처 : 동아일보, 2021. 7. 30.

[라]

<스마트폰·인터넷 사용과 미국 청소년 삶의 만족도>

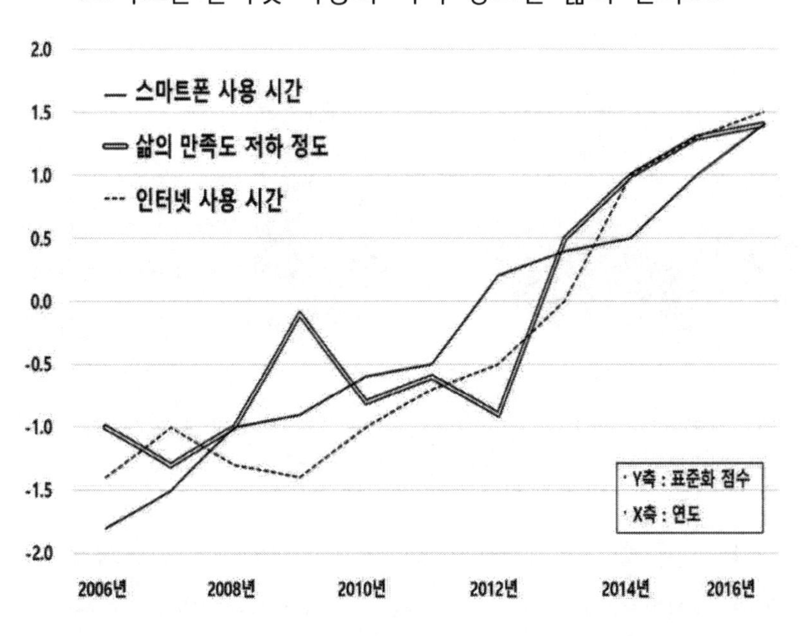

출처 : 아시아경제, 2019. 7. 17.

<OECD 주요국의 디지털 정보 파악능력>

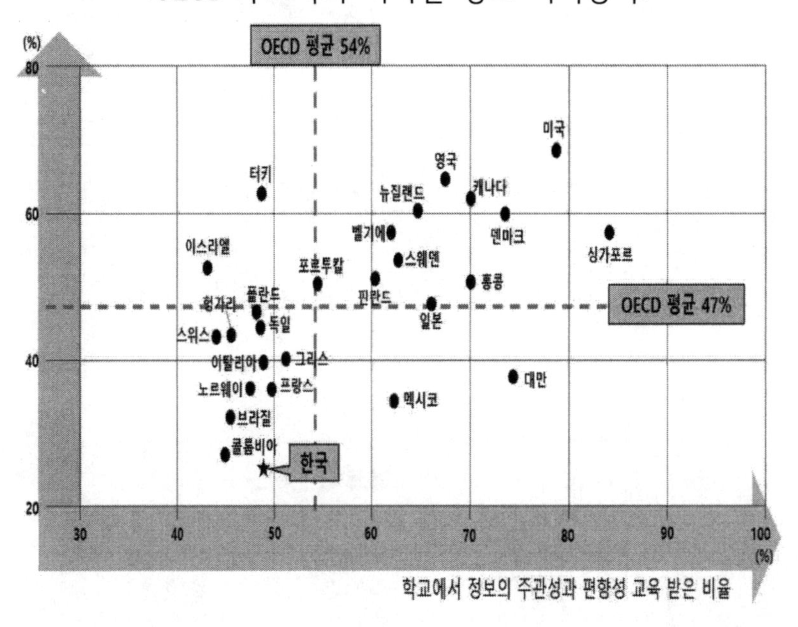

출처 : 한겨레, 2021. 5. 16.

영국 전체 인구의 14%인 900만 명이 '외롭다.' 이들 중 3분의 2 가량은 자신의 외로움을 말할곳조차 없다. 2017년 영국 고독 문제 대책 위원회가 내놓은 보고서의 내용은 영국 사회에 큰 반향을 일으켰다. 이 조사는 2016년 극우파 테러로 사망한 조 콕스 영국 노동당 하원의원의 유지를 받든 것이다. 영국 정부는 생전 자신의 지역구에 '외로움 협회'를 만들 정도로 유권자들의 고독·고립 문제에 집중했던 그의 이름을 딴 범정부 위원회를 설립해 13개 시민 단체와 함께 영국의 고독 및 사회적 고립 문제에 대한 조사에 나섰다. 영국은 이어서 2018년 1월 고독 문제를 전담하는 '외로움부(Ministry of Loneliness)'를 만들어 고독 문제 대응에 적극적으로 나서고 있다. 영국이 외로움부 주도하에 고독에 대한 사회적 처방을 내리고자 책정한 예산은 2,000만 파운드(약 325억 원)에 달한다.

출처 : 세계일보, 2023. 5. 15.

정보 윤리란 정보 사회의 구성원으로서 지켜야 할 올바른 가치관과 행동 양식으로, 자신과 타인에 대한 '존중', 자신의 행동에 대한 '책임', 타인의 권리를 침해하지 않고 정보의 진실성과 공정성을 추구하는 '정의', 타인에 대한 '해악 금지'를 기본 원칙으로 한다.

출처 : 구정화 외, 고등학교 통합사회

'잊힐 권리(Right to be forgotten)'는 인터넷 사이트나 SNS에 올라 있는 자신과 관련된 각종 정보의 삭제를 요구할 권리를 뜻한다. 2014년 5월 유럽사법재판소(ECJ)가 스페인의 한 변호사가 낸 신문에 실린 자신의 흑역사를 구글 검색에서 삭제하고 검색되지 않도록 해 달라는 소송에 대해 "구글 검색 결과에 링크된 정보가 합법적인 경우에도 링크를 삭제할 의무가 있다."며 잊힐 권리를 인정하는 판결을 내렸다. 이후 전 세계적으로 잊힐 권리 도입을 위한 논의가 활발해졌고 국내에서도 이를 법제화해야 한다는 여론이 형성됐다. 이미 한국인터넷진흥원의 설문에서도 인터넷 이용자의 63.7%가 '잊힐 권리가 필요하다.'고 응답했으며, 57.7%는 '잊힐 권리의 법제화가 필요하다.'고 생각하는 것으로 조사됐다.

출처 : 조선일보, 2016. 9. 28.

모집단위

성 명

논술답안지

※감독자 확인란

수험번호									

생년월일 (예 : 050512)					

【유의사항】
1. 답안 작성 시 문제번호와 답안번호가 일치하도록 알맞은 칸에 작성하여야 한다.
2. 답안 작성 시 필요한 경우에 수식 및 그림을 사용할 수 있다.
3. 필기구는 반드시 검은색 필기구만을 사용하여야 한다. (검은색 이외의 필기구로 작성한 답안은 모두 최하점으로 처리함)
4. 문제와 관계없는 불필요한 내용이나, 자신의 신분을 드러내는 내용이 있는 답안 및 낙서 또는 표식이 있는 답안은 모두 최하점으로 처리한다.
5. 답안은 반드시 정해진 답안작성란 안에만 작성하여야 한다. (답안작성란 밖에 작성된 내용은 채점 대상에서 제외함)

1번 (1) 답안 **(반드시 해당 문제와 일치 하여야 함)**

40

80

120

160

200

240

이 줄 아래에 답안을 작성하거나 낙서할 경우 판독이 불가능하여 채점 불가

1번 (2) 답안 (반드시 해당 문제와 일치 하여야 함)

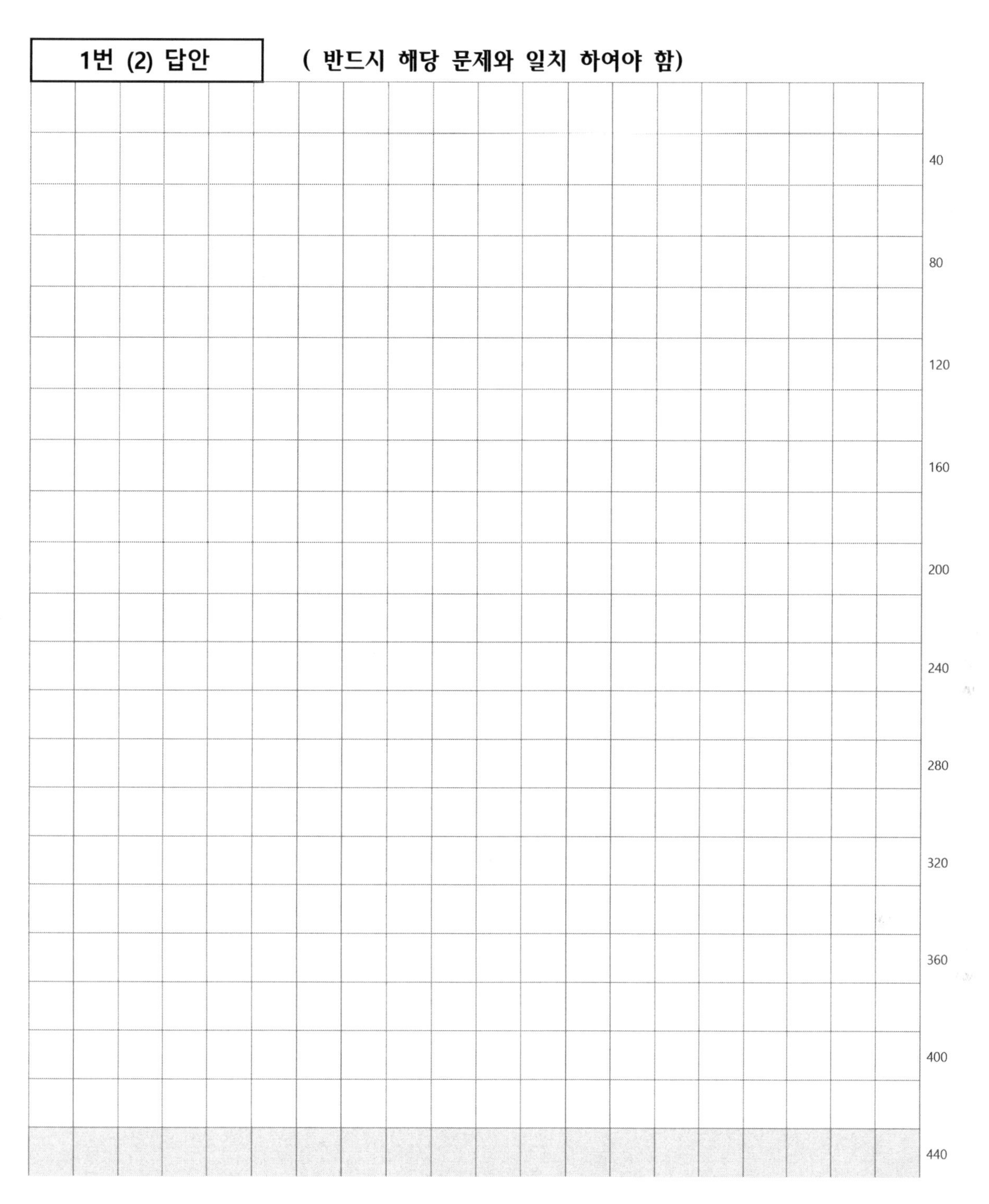

이 줄 아래에 답안을 작성하거나 낙서할 경우 판독이 불가능하여 채점 불가

2번 답안 (반드시 해당 문제와 일치 하여야 함)

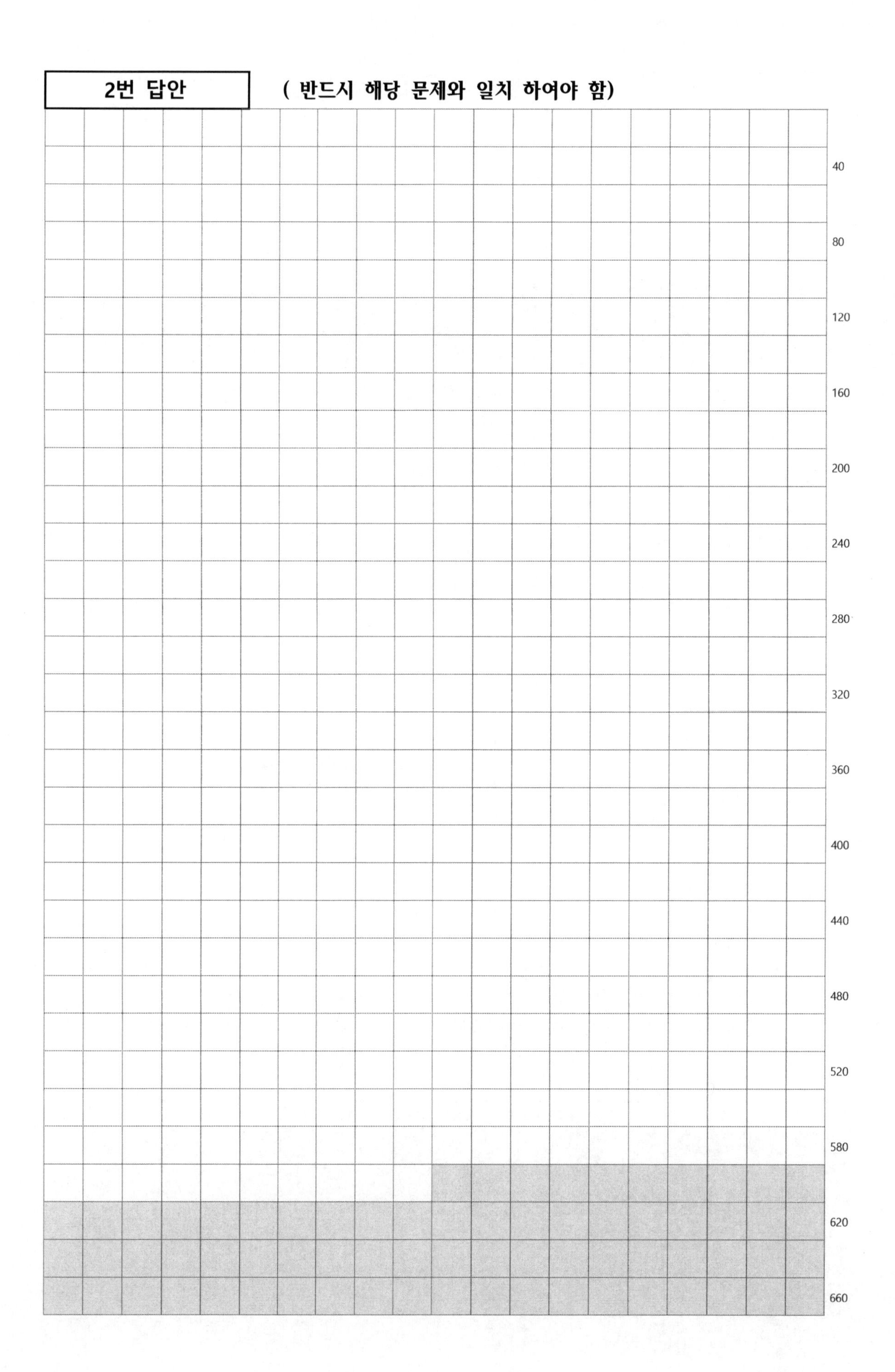

3번 답안 **(반드시 해당 문제와 일치 하여야 함)**

40
80
120
160
200
240
280
320
360
400
440
480
520
580
620
660

3. 2024학년도 단국대 모의 논술

[문제 1] 다음의 제시문을 읽고 주어진 물음에 답하시오. (30점)

1) [가]에서 주제를 나타내는 단어 하나를 찾고, 그 단어를 이용하여 [가]의 내용을 요약하시오. (200자 내외) (10점)

2) [가]에서 찾은 단어를 이용하여 [나]를 요약하고 [다]를 설명하시오. (400자 내외) (20점)

[가] 1970년대 중반 이후 컴퓨터 데이터베이스, 폐회로 텔레비전(CCTV), 신용카드와 같은 전자 결제나 인터넷을 통한 소비자 정보의 수집이 널리 이루어졌고, 사람들은 정부나 기업이 개인의 신상 정보를 수집하고 사생활을 침해하는 것에 대해 민감해졌다. "잠자고 있건 깨어 있건, 일하건 쉬건, 욕실에 있건 침대에 있건" 감시를 당한다는 조지 오웰의 암울한 『1984』*에 등장하는 '빅 브라더'*의 이미지는 바로 정보 사회가 가져온 '전자 패놉티콘*'과 똑같은 것으로 간주되었다.

서구 사회의 역사를 보면 19세기 초엽부터 정부가 주체가 되어 국민에 대한 대대적인 조사 활동을 벌이는데, 이는 그 이전에는 보기 힘들었던 현상이다. 나이, 가족 수, 가구, 인구는 물론이고 수입, 주거 환경, 범죄 기록, 작업 환경, 질병 등에 대해 광범위한 조사가 이루어지면서, 숫자로 치환된 이 결과를 분석하고 그 의미를 이해하기 위해 통계학이 발달했다. 인간 세상의 모든 것은 측정되고 숫자로 표시되었으며, 이렇게 모아진 숫자는 통계학을 통해 분석되어 새로운 정책과 법률을 위한 기초 자료로 활용되었다. 근대 관료제와 복지 국가는 숫자와 통계 없이는 불가능했다. 이는 또 정보 기술의 발달과도 밀접하게 연결되어 있다. 찰스 배비지*는 이미 19세기 초엽에 통계 처리를 위해서 계산기를 설계했고, 지금 컴퓨터 산업에서 선두를 달리는 한 회사도 1890년 시카고 인구 총조사를 처리하기 위한 연산 기계를 만들면서 출범했다.

정보 기술은 정보의 처리뿐만 아니라 그 수집과 저장도 용이하게 했다. 미국의 경우 1971년에 미국 연방 수사국(FBI)의 국가 범죄 정보 센터가 250만 명의 범죄자에 대한 신상 정보를 만들면서 출범했는데 지금은 수천만 명에 대한 신상 정보를 축적하고 있다. 이 데이터베이스의 초기 목적은 보석*과 같은 사법적인 절차를 용이하게 하는 것이었지만, 지금은 사람을 고용하거나 자격증을 줄 때 그 사람의 과거를 조회하는 용도로 더 많이 쓰이고 있다. 또 인터넷은 정보를 찾는 것을 도와주는 한편, 쿠키* 등을 통해 아이피(IP) 주소나 전자 우편과 같은 사용자 신상 정보를 기업에 제공함으로써 기업이 소비자 정보를 얻는 것을 가능케 한다. 직장에서의 컴퓨터는 정보 처리를 통해 업무를 도와주지만 동시에 작업자의 업무 시간과 작업의 진행 과정, 심지어는 그의 행동까지 낱낱이 기록해서 상관에게 전달하기도 한다. 컴퓨터 데이터베이스는 '데이터 감시'라는 새로운 모습을 낳았다. 1995년부터 한국에서 추진되었다가 여론의 반대에 부딪혀 무산된 전자 주민 카드에는 원래 주민 등록증, 주민 등록 등본과 초본, 인감, 지문, 운전면허증, 의료 보험증, 국민연금 등 7개 증명 41개 항목이 통합되어 포함될 예정이었다.

* 『1984년』 : 영국의 작가 조지 오웰이 1949년에 발표한 소설로 1984년의 미래 사회를 그린 작품. 첨단 기술을 통해 개인의 행동을 통제하는 국가 '오세아니아'를 배경으로 전체주의적 절대 권력 앞에 무력한 개인의 모습을 묘사함.
* 빅 브라더 : 조지 오웰의 『1984년』에 등장하는 독재자로, 대중을 지배하기 위한 목적으로 만들어진 허구의 존재.
* 패놉티콘 : 영국의 철학자 제레미 벤담이 설계한 원형 교도소 이름. 그 형태는 가운데가 비어 있는 동심원 모양을 하고 있으며, 바깥쪽의 둥그런 건물에는 죄수를 가두는 방이 들어서 있고 중앙에는 죄수를 감독하기 위한 공간이 있음.
* 찰스 배비지 : 영국의 수학자로 계산기의 원리를 고안함.
* 보석 : 보증금을 받거나 보증인을 세우고 형사 피고인을 구류에서 풀어 주는 일.
* 쿠키 : 특정 웹 사이트를 방문했을 때 만들어지는 정보를 담는 파일.

출처 : 서혁 외, 고등학교 독서 (출제진 재구성)

[나] 이 통제 체제는 노동의 전 과정을 따라다니지만, 생산을 목표로 하는 것이 아니라 사람들의 활동·능력·행동 방식·신속성·열성·품행을 모두 고려하는 것이다. 그러나 그러면서도 직공의 옆에서 이루어지는 장인의 가내공업적인 통제와는 다르다. 왜냐하면 이 체제가 사무원·감시인·감독관 등에 의해 실시되기 때문이다. 생산 장치의 규모가 커지고 복잡하게 됨에 따라, 또 직공의 수가 증가하고 분업이 발달함에 따라, 통제의 업무는 더 필요하고 더 어려워진다. 그래서 이 체제는 분명한 기능을 갖고 생산과정과 완전히 통합해 있어야 하고 생산과정을 처음부터 끝까지 따라다닐 수 있어야 한다. 그렇기 때문에 직공들과 구별되면서 항상 자리를 지키는 전문가가 필요해지는 것이다. 예를 들면 큰 공장에서 모든 일은 종소리에 따라 이루어지며, 직공들은 통제되고 거칠게 취급된다. 집단을 상대할 경우에 사무원들은 우월적이고 명령조의 태도에 익숙해져서, 직공들을 거칠게 다루거나 멸시하듯이 다룬다. 그 결과 직공들은 한층 더 높은 임금을 받거나 아니면 보다 소규모의 공장으로 옮겨 가는 경우가 있다. 그러나 직공들이 아무리 이 체제보다 수공업 조합적인 형태의 작업 환경을 선호한다고 하더라도, 기업주는 이 체제를 공업 생산 조직이나 사유재산, 그리고 이윤 등과 분리할 수 없는 요소로 인식한다. 공장이나 철공소, 광산 등과 같이 큰 규모의 생산 조직에서도 소모품이 극히 다양하므로 소모품들을 조금이라도 부주의하게 취급하는 경우, 전체 수입에 막대한 손실이 생기게 되어 이익이 줄어들 뿐만 아니라 자본을 잠식해 갈 우려가 있는 것이다. 눈에 띄지는 않으면서 매일 되풀이되는 별것 아닌 미숙한 행동이 단시일 내에 기업을 파멸시킬 정도로 치명적일 수 있다. 따라서 기업주의 직속으로 직공의 감독을 전담하는 사람이 있으면 한 푼이라도 헛되게 낭비하는 일이 생기지 않도록, 또한 한순간의 노동시간도 헛되게 보내지 않도록 감독할 수 있을 것이다. 그들의 역할은 직공들을 감시하고 모든 작업 현장을 점검하며 모든 사건을 위원회에 보고하는 것이다. 직공의 감독은 생산도구 안에 내재해 있는 생산의 부품인 동시에, 규율과 징계의 권력 안에서 작동하는 특정한 톱니바퀴라는 점에서 경제의 결정적인 작용 요소가 된다.

출처 : 미셸 푸코, 「규율」(출제진 재구성)

[다] 교장 선생님께

안녕하세요. 저는 1학년 3반 김시우입니다.

최근 우리 학교 매점에서 파는 식품을 사 먹은 몇 명의 학생들이 배탈이 난 일이 있었습니다. 저도 간식을 먹기 위해 매점을 자주 이용하는데, 매점에서 판매하는 식품의 안전이 염려되어 한 가지 건의를 드리려고 합니다.

'교내 식품 안전 지킴이' 제도를 도입하여 우리 학교 매점에서 유해·불량 식품을 판매하지 않도록 해 주세요. 어린이 식생활 안전 관리 특별법에 의하면 초·중·고교 매점은 학생들에게 안전하고 영양가 있는 식품을 공급하도록 노력해야 합니다. 하지만 우리 학교 매점에서는 버젓이 유해·불량 식품을 판매하고 있습니다.

학생들은 하루 중 대부분의 시간을 학교에서 보냅니다. 제2의 가정인 학교에서 학생들의 건강을 책임지는 것은 당연하다고 생각합니다. 학생들이 고열량·저영양의 식품을 섭취하여 영양 불균형 상태에 놓이는 것을 방지하고, 안전한 먹거리를 섭취하여 바람직한 식습관을 가질 수 있도록 제 건의를 받아들여 주시기 바랍니다.

학부모와 학생으로 구성된 '교내 식품 안전 지킴이'가 매점에서 판매하는 유해·불량 식품을 감독하고, 전교생을 대상으로 식품 안전 기초 교육을 하면 학생 스스로 안전한 식품을 섭취하고자 할 것입니다.

다시 한번 '교내 식품 안전 지킴이' 제도를 도입해 주시기를 당부드립니다. 감사합니다.

20○○년 ○월 ○일

1학년 3반 김시우 올림.

출처 : 최원식 외, 고등학교 국어

[문제 2] [가]와 [나] 각각의 관점에서, [다]에 나오는 과학 기술자의 책임에 대해 설명하고 [라]를 평가하시오. (600자 내외) (30점)

[가] 근대 과학은 그 출발에서부터, 진리의 객관성을 유지하기 위하여 가치의 문제를 포함한 일체의 주관적 요소를 배제해 왔다. 그리하여 과학에서는 가치 중립이 불가피하고, 그 결과에 대해 도덕적 책임을 물을 수 없다는 주장이 나오기도 한다. 일부 과학자들은 과학 기술이 가치의 문제와 무관한 사실의 영역이라고 강조한다. 즉 과학 기술은 가치 중립적이기 때문에 사회적·윤리적 책임으로부터 자유롭다는 것이다.

출처 : 차우규 외, 『고등학교 생활과 윤리』

[나] 과학 기술의 가치 중립성을 부정하는 입장에서는 과학 기술도 가치 판단에서 자유로울 수 없으므로 윤리적 검토나 통제가 필요하다고 본다. 이 입장은 과학 기술이 그 자체로서 발전하는 것이 아니라 정치, 경제 등 사회적인 요인들과 결합하여 발전하고 내용적 제약을 받는다는 점을 강조한다.

또한 과학 기술을 연구하거나 발견 또는 발명하는 주체도, 활용하는 주체도 인간이므로 과학 기술과 도덕적 가치를 분리하여 생각할 수 없다고 본다. 더 나아가 과학 기술이 사회에 영향을 끼친다고 주장한다. 무엇보다 인간에 대한 이해와 가치관조차 과학 체계와 지식 및 기술에 따라 형성되고 변화된다는 것이다. 즉 과학 기술은 인간의 삶과 불가분의 관계에 있으므로 과학 기술을 연구하고 활용하는 전 과정을 독립적인 영역으로 여겨서는 안 된다고 주장한다.

출처 : 변순용 외, 고등학교 생활과 윤리

[다] 오늘날 인간은 과학 기술의 혜택을 누리며, 편리하고 풍요로운 삶을 살아가고 있다. 동시에, 과학 기술로 인해 발생한 다양한 문제로 삶에 심각한 위협을 받고 있다. 따라서, 과학 기술의 개발 초기부터 과학 기술의 사회적 영향과 그 결과를 예측하여 올바르게 평가해야 한다. 이를 위해 필요한 태도와 인식을 살펴보자.

먼저, 과학 기술자는 연구 윤리를 준수하고 엄격한 자기 검열의 자세를 갖는 등 내적 책임을 져야 한다. 과학 기술자는 과학적·윤리적 절차와 방법에 따라 학문적 지식을 추구하고 발견해야 한다. 따라서, 위조·변조·표절·부당한 저자 표기 등과 같은 연구 부정행위를 절대로 해서는 안 된다.

또한, 과학 기술자는 자신의 연구나 개발 활동이 사회에 미칠 영향력을 인식하여 연구와 개발, 그 활용에 관하여 사회적 책임을 다하는 등 외적 책임을 져야 한다. 특히 과학 기술자의 외적 책임, 즉 사회적 책임과 관련하여 책임 윤리에 주목할 필요가 있다.

책임 윤리에 따르면, 윤리적 책임의 범위를 확대하여 인간뿐만 아니라, 자연, 미래 세대에 대한 책임까지 고려해야 한다. 이는 과학 기술의 발전이 미래에 끼치게 될 결과를 예견하여 윤리적 책임을 져야 함을 강조하는 것이다.

출처 : 정탁준 외, 『고등학교 생활과 윤리』

[라] 최근 미국 비영리단체 '삶의 미래 연구소'가 유명 인사 1,280명의 서명을 받아 최첨단 인공지능 시스템 개발을 일시 중단해야 한다고 주장했다. 서명에는 ChatGPT 및 GPT-4를 개발한 연구소 OpenAI를 공동 설립한 일론 머스크, 이미지 생성 인공지능인 스테이블디퓨전 개발사인 스테빌리티 AI를 설립한 에마드 모스타크 CEO, 애플의 공동 창업자인 스티브 워즈니악과 아마존, 구글, 메타 및 마이크로소프트의 엔지니어 등이 포함되어 있다. 세계적 베스트셀러 작가인 유발 하라리도 서명자 명단에 포함되어 있고 인공지능 권위자인 스튜어트 러셀 UC버클리 컴퓨터과학과 교수, 인공지능 기업 딥마인드의 연구진 등도 서명자 리스트에 올라와 있다.

서명자들은 GPT-4와 같은 인공지능의 위험 가능성을 적절하게 연구하고 보완할 수 있도록 최소 6개월 동안 거대 인공지능 개발을 즉시 중단하라고 요구하고 있다. 청원서에 의하면 강력한 인공지능 시스템은 그 효과가 긍정적이고 위험을 관리할 수 있다는 확신이 있을 때만 개발되어야 하는데, 최근 몇 달 동안 인공지능 연구실은 통제 불능의 경쟁 상태에 갇혀 있다고 보고 있다. 개발자조차도 인공지능에 대해 충분히 이해하거나 예측하지 못한 상태에서 제어하기 훨씬 더 힘든 강력한 인공지능을 개발하고 배포하려는 욕구가 연구실 분위기를 지배하고 있다고 밝히고 있다. 서명자들은 '효과는 긍정적이고 위험은 관리할 수 있을 것'이라고 확신할 수 있을 때까지 개발을 연기할 것을 촉구하고 있다.

서명인들의 우려는 계속되고 있다. 만약 지금과 같은 속도로 인공지능이 개발된다면 인간과 경쟁할 정도의 능력이 있는 지능을 가진 인공지능 시스템이 등장할 수 있고 결국 인류에 심각한 위험을 초래할 수 있다고 주장하고 있다. 결론적으로 인간보다 더 영리하며, 인간을 구식으로 만들어 버리고, 최종적으로 인간을 대체하게 될 비인간 지성 때문에 인류 문명의 통제권을 잃을지도 모르는 위험을 예방하기 위하여 모든 인공지능 연구소가 GPT-4보다 강력한 인공지능 시스템의 개발을 최소 6개월 동안 즉시 중단할 것을 요청한다고 밝히고 있다. 만약 인공지능 개발사들이 자율적으로 중단을 선언하지 않을 경우, 정부가 개입해야 한다고 주장한다.

이번 서명 프로젝트는 인류의 미래에 대해 늘 걱정이 많은 '삶의 미래 연구소'가 제안한 일종의 이벤트이지만 이런 주장이 나온 배경은 충분히 이해할 수 있다. ChatGPT의 확산 속도가 너무 빠른 상태에서 ChatGPT에 대한 기대와 찬사가 도처에 넘쳐 나는 상황이 심히 우려되기 때문이다. 새로운 기술이 도입되고 사회적으로 확산되기 위해서는 일정 정도의 시간이 필요하다. 기술과 그 결과물들이 사회화되는 과정에서 기획자 또는 개발자 머릿속에는 없던 부작용과 문제점들이 노출되고 그 갈등들이 해결 또는 순치되면서 새로운 기술은 자연스럽게 사회에 동화된다. 사회화 과정이 성숙해지면 법과 제도가 새로운 기술을 인정하게 되고 사회적 도구로 활용된다.

1,280명의 서명인들이 우려하는 지점이 여기에 있다. 아직 우리가 ChatGPT로 대변되는 생성형 인공지능에 대해서 잘 모르고 있는 상황에서 GPT-4 또는 그 이상의 거대 인공지능이 등장하면 미처 사회적으로 준비할 시간도 없이 거대 인공지능에 종속될 수도 있다는 것이다. 시간을 갖고 인공지능의 윤리를 포함한 개인 정보 보호 문제, 저작권과 특허권, 인공지능 무기화 등과 같은 문제를 공개적으로 논의해 보자는 것이다. 서명인들의 주장대로 인공지능 기술이 인간의 복지와 안전에 부정적인 영향을 미치는 것을 방지하기 위해 인공지능 개발과 사용에 대한 적극적인 규제와 투명성 강화를 위한 방안을 모색할 필요는 있다.

출처 :『미디어스』, 2023. 4. 12.

[문제 3] [가]의 관점에서 [나]와 [다]를 연결 지어 설명하고, [라]를 활용하여 [마]를 해결하기 위한 방안을 서술하시오. (600자 내외) (40점)

[가] 빈곤이란 다양한 이유로 인간의 기본적 욕구가 충족되지 않은 상태를 의미한다. 개인의 빈곤이 계속되면 당사자는 육체적, 정신적으로 고통을 받는다. 빈곤은 주로 저임금의 단순 노동과 같은 불안정한 일자리와 함께 나타나기 때문에 삶 자체를 불안정하게 하고, 주거 환경도 열악하게 만들어 질병에 걸릴 확률도 높게 한다. 또한 빈곤은 대물림되는 경우가 많아 한 사회의 빈부 격차에 영향을 미치고 계층 간 갈등을 유발해 사회 통합을 저해하는 문제를 야기하기도 한다. 이처럼 빈곤은 개인적, 사회적 차원에서 다양한 문제를 발생시키기 때문에 지속적인 관심을 가지고 함께 해결하려는 노력이 필요하다.

출처 : 김영순 외, 『고등학교 사회·문화』

절대적 빈곤은 인간이 육체적인 건강을 유지하기 위한 기본적인 조건도 갖추지 못한 상태를 가리킨다. 즉 인간이 최소한의 생활을 유지하는 데 필요한 자원이나 소득이 절대적으로 부족한 상태를 말한다. 상대적 빈곤은 사회 구성원 대부분이 누리는 생활 수준을 영위하지 못하는 상태를 말한다. 상대적 빈곤을 판단하는 소득 수준은 전체 소득 분포상에서의 상대적 위치에 따라 결정되므로 특정 사회의 생활 수준이 전반적으로 높아질수록 상향 조정된다. 국민 소득이 낮은 국가에서는 생존에 필요한 자원이 부족할 가능성이 크므로 절대적 빈곤의 해결을 강조하는 반면, 경제 성장이 지속해서 이루어진 국가에서는 사회 구성원의 전반적인 생활 수준이 높아셨기 때문에 상대적 빈곤의 문제가 커질 수 있다. 반면 절대적 빈곤이나 상대적 빈곤의 기준에 따르면 빈곤하지 않은 사람도 자신의 욕구 수준보다 충분한 경제적 능력을 갖추고 있지 못하다고 느낄 수 있다. 이를 주관적 빈곤이라고 하며, 주관적 빈곤은 상대적 박탈감의 원인이 될 수 있다.

출처 : 손영찬 외, 『고등학교 사회·문화』

[나]

<국내 가구 소득수준별 1인당 월평균 사교육비 및 사교육 참여율>

소득수준	사교육비('21) (만원)	사교육비('22) (만원)	참여율('22) (%)
300만원 미만	15.8	17.8	57.2
300~400만원 미만	25.3	27.2	70.4
400~500만원 미만	33.2	35.1	78.7
500~600만원 미만	38.1	39.9	81.2
600~700만원 미만	44.4	46.9	84.8
700~800만원 미만	48.6	51.8	86.6
800만원 이상	59.3	64.8	88.1

출처 : 통계청, 2023

<연령 집단별 비정규직 근로자 비율*>

(단위 : %)

		2014	2015	2016	2017	2018	2019	2020	2021
전체		32.2	32.4	32.8	32.9	33.0	36.4	36.3	38.4
연령집단	15-19세	70.0	74.3	75.2	73.4	74.0	77.8	84.1	85.1
	20-29세	32.0	32.1	32.2	33.1	32.3	38.3	37.7	40.0
	30-39세	21.8	21.2	21.1	20.6	21.0	23.7	22.8	23.0
	40-49세	26.6	26.0	26.1	26.0	25.3	27.0	26.7	28.6
	50-59세	34.6	34.6	34.2	33.9	34.0	35.5	34.3	35.9
	60세이상	68.5	67.2	67.9	67.3	67.9	71.6	71.0	73.7

* 비정규직 근로자 비율 = (비정규직 근로자 수 ÷ 전체 임금 근로자 수) × 100
  비정규직 근로자는 한시적 근로자, 시간제 근로자, 비전형 근로자 등을 포함

출처 : 통계청, 2022

<고용 형태별 평균 임금*>

(단위 : 원)

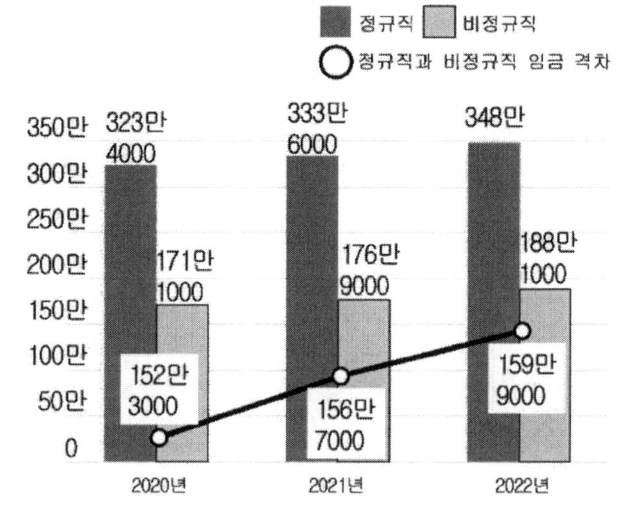

* 3개월(6~8월) 월평균 임금

출처 : 『중앙일보』, 2022. 10. 25.

<국내 고령인구 비중 전망>

(단위 : %)

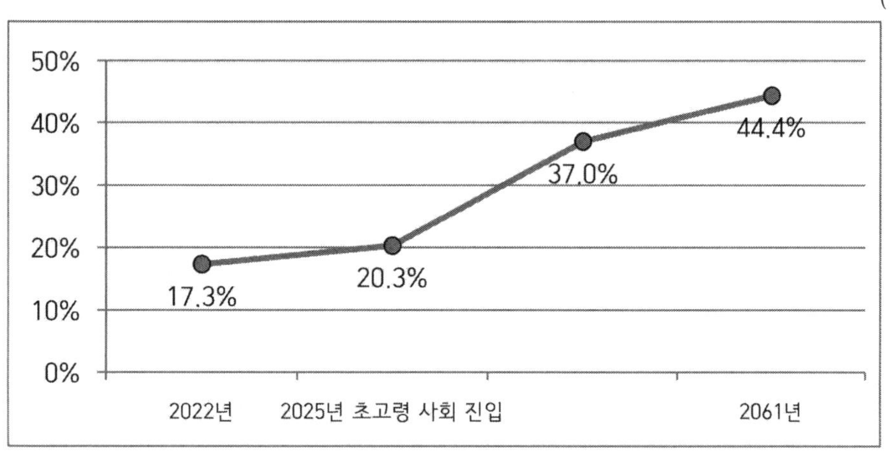

출처 : 『연합뉴스』, 2022. 1. 13.

<국내 국민연금 기금 전망>

(단위 : 조 원)

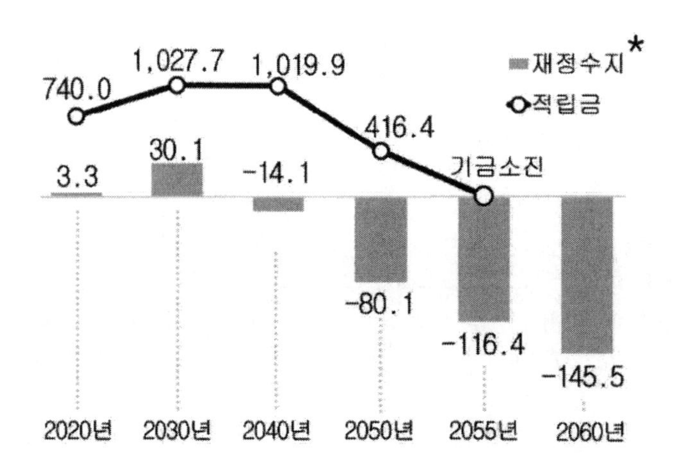

* 재정수입에서 재정지출을 뺀 금액

출처 : 『연합뉴스』, 2022. 1. 13.

[다]

<국내 가계 소득 증가율*>

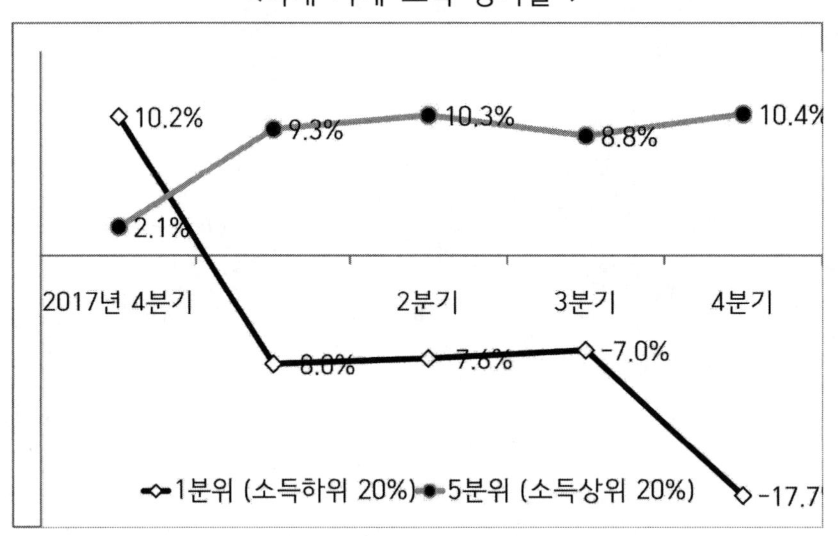

* 전년 동기 대비 증가율

출처 : 통계청, 2019

<국내 기초 생활 보장 수급 현황>

(단위 : %)

	2014	2015	2016	2017	2018	2019	2020	2021
수급자수 (천명)	1,329	1,646	1,630	1,582	1,744	1,881	2,134	2,360
수급률* (%)	2.6	3.2	3.2	3.1	3.4	3.6	4.1	4.6

* 수급률 : 총 인구 대비 기초 생활 보장 급여 수급자 비율

출처 : 국가통계포털, 2022

<OECD 주요국 상대적 빈곤율*, 2018~2019년 기준> (단위 : %)

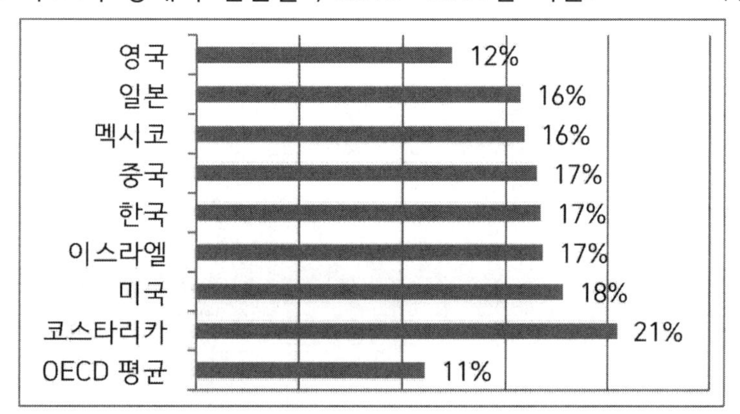

* 상대적 빈곤율 : 중위 소득의 50% 미만 비율

출처 : 『경향신문』, 2021. 10. 25.

<OECD 주요국 66세 이상 상대적 빈곤 위험도*> (단위 : %)

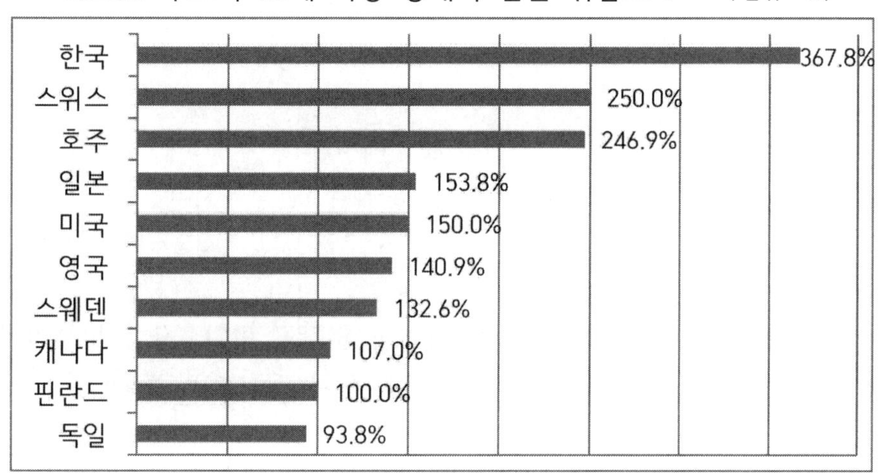

* 상대적 빈곤 위험도 : 18~65세 빈곤율 대비 비율, 2018년 기준

출처 : 『중앙일보』, 2022. 4. 6.

[라]

<인생을 바꾸는 습관의 차이> (단위 : %)

	부자*	가난한 사람*
하루 30분 이상 책을 읽는다	88	2
평생 교육을 통한 자기 계발의 힘을 믿는다	86	5
책 읽는 것을 좋아한다	86	26
매일 할 일을 적어둔다	81	9
구체적인 목표 달성에 집중한다	80	12
일주일에 4번 이상 운동한다	76	23
자녀에게 매일의 성공하는 습관을 가르친다	74	1
자녀에 한 달에 10시간 이상 봉사활동을 시킨다	70	3
목표를 기록해 둔다	67	17
자동차 안에서 오디오북을 듣는다	63	5
출근하기 3시간 이상 전에 일어난다	44	3

* 부자 : 연소득 16만달러, 순자산 320만달러 이상
* 가난한 사람 : 연소득 3만달러, 순자산 5,000달러 이하

출처 : 『머니투데이』, 2015. 3. 14

<OECD 주요국 사회복지지출* 규모와 상대적 빈곤율, 2019>

(단위 : %)

국가	GDP 대비 사회복지지출 규모	상대적 빈곤율
독일	25.6	10.9
벨기에	28.2	10.9
스웨덴	25.1	9.1
영국	19.5	12.4
캐나다	18.8	11.5
코스타리카	12.3	19.9
프랑스	30.7	8.4
한국	12.3	16.3
OECD 평균	20.1	11.1

* 사회복지지출 : 사람은 누구나 생애과정에서 노령, 장애, 실업, 그리고 질병 등의 사회적 위험에 노출되어 있으며 국가는 이를 예방하고 지원하기 위해 사회복지제도를 마련하게 되었으며 이러한 제도를 유지•발전시키기 위해 지출된 재원

출처 : OECD, 2021

[마]

<사례 1>

한국의 가난한 노인은 폐지를 줍는다. 동네에서 작은 카트나 리어카에 폐지를 쌓아 담고 끄는 노인들의 모습을 흔히 볼 수 있다. 한국에서 폐지를 줍고 고물상에 내다 팔아 먹고사는 노인들이 눈에 띄기 시작한 것은 1990년대 중반부터다. 학자들은 '폐지 줍는 노인'을 한국만의 현상으로 바라본다. 세계 어디에도 이렇게 많은 노인들이 폐지를 주우러 다니는 나라는 없다고 한다. 고령화 사회에 진입했는데 노인복지 정책은 미흡하고 노인들의 일자리도 턱없이 부족한 상황 등이 맞물리며 빚어진 현상이라는 것이다.

문제는 폐지 줍는 노인이 20년 넘게 이어졌는데도 복지 대책은 커녕 실태 파악조차 제대로 안 됐다는 점이다. 명절 때 선물로 주고받은 과일 상자가 누군가에게는 두꺼워서 값나가는 소중한 물건이자 경쟁 거리가 된다는 정도, 아니면 캄캄한 밤에 리어카를 끌다 교통사고를 당한 안타까운 사연들을 피상적으로 알 뿐이었다. 정작 이 노인들은 누구이고 얼마나 많은지, 왜 폐지를 줍고 얼마나 힘든 노동을 하는지는 잘 몰랐다. 폐지 줍는 노인들은 사회의 무관심 속에서 열악하고 위험한 노동 환경에 방치돼 온 것이다. 하루 평균 이동 거리 12.3km에 노동 시간은 11시간 20분. 이렇게 일해서 버는 일당이 1만 428원. 시급으로 환산하면 948원으로 올해 최저임금 9,160원의 10% 수준이다. 이처럼 고된 일상을 버티며 생계를 위한 유일한 활동으로 폐지를 줍는 노인이 전국에 최소 1만 4,800명, 최대 1만 5,181명에 달하는 것으로 조사됐다. 한국노인인력개발원이 5일 공개한 '폐지 수집 노인 현황과 실태 연구보고서'를 통해 밝힌 내용이다. 폐지 줍는 노인의 규모와 생활 실태를 파악한 것은 처음이다.

출처 : 『경향신문』, 2022. 10. 5.

<사례 2>

"제가 정말 힘들게 살았거든요. 아이를 낳으면 저희 아이도 그럴 것 같아요." 결혼 3년 차인 김석진(가명)씨 부부는 아이가 없다. 넉넉하지 않은 가정 환경에서 자란 김씨는 현재 먹고사는 데 큰 지장이 없음에도 아이를 낳는 게 망설여진다고 했다. 상대적 박탈감을 대물림해주고 싶지 않아서다. 그는 "대학에 다닐 때 학자금 대출을 받고 내내 아르바이트를 하면서 생활했는데, 잘사는 집 친구들은 어학연수를 다녀오고 취업 준비에 더 많은 시간을 투자하더라."며 "'금수저'가 아니면 살기 힘든 사회라 생각한다. 굳이 아이를 낳아서 힘든 삶을 물려주고 싶지 않다."고 말했다. 정미서(가명)씨가 남편과 상의해 둘째를 낳지 않기로 결정한 이유도 김씨와 비슷하다. 정씨는 결혼 전만 해도 아이를 두세 명 낳을 생각이었지만, 첫 아이를 키우면서 생각이 바뀌었다. 정씨는 "공부만 잘하면 성공할 수 있다는 말도 옛말이지만 요즘은 부모 지원이 없으면 공부를 잘하는 것조차 힘든 사회"라며 "둘을 지원하기는 힘들 것 같아 한 명만 기르기로 했다."고 말했다. 아이를 낳지 않거나 한 명만 낳는 부부가 늘고 있다. 아이를 낳지 않는 이유에는 여러 가지가 있지만, 사회적 환경도 많은 영향을 미친다. 특히 더 이상 '개천에서 용 나는' 사례는 탄생하기 어려운 사회 분위기도 한몫한다.

출처 : 『세계일보』, 2020. 10. 17.

논술답안지

※감독자 확인란

모집단위

성 명

수 험 번 호									
0	0	0	0	0	0	0	0	0	0
1	1	1	1	1	1	1	1	1	1
2	2	2	2	2	2	2	2	2	2
3	3	3	3	3	3	3	3	3	3
4	4	4	4	4	4	4	4	4	4
5	5	5	5	5	5	5	5	5	5
6	6	6	6	6	6	6	6	6	6
7	7	7	7	7	7	7	7	7	7
8	8	8	8	8	8	8	8	8	8
9	9	9	9	9	9	9	9	9	9

생년월일 (예 : 050512)					
0	0	0	0	0	0
1	1	1	1	1	1
2	2	2	2	2	2
3	3	3	3	3	3
4	4	4	4	4	4
5	5	5	5	5	5
6	6	6	6	6	6
7	7	7	7	7	7
8	8	8	8	8	8
9	9	9	9	9	9

【유의사항】

1. 답안 작성 시 문제번호와 답안번호가 일치하도록 알맞은 칸에 작성하여야 한다.
2. 답안 작성 시 필요한 경우에 수식 및 그림을 사용할 수 있다.
3. 필기구는 반드시 검은색 필기구만을 사용하여야 한다. (검은색 이외의 필기구로 작성한 답안은 모두 최하점으로 처리함)
4. 문제와 관계없는 불필요한 내용이나, 자신의 신분을 드러내는 내용이 있는 답안 및 낙서 또는 표식이 있는 답안은 모두 최하점으로 처리한다.
5. 답안은 반드시 정해진 답안작성란 안에만 작성하여야 한다. (답안작성란 밖에 작성된 내용은 채점 대상에서 제외함)

1번 (1) 답안 **(반드시 해당 문제와 일치 하여야 함)**

40

80

120

160

200

240

이 줄 아래에 답안을 작성하거나 낙서할 경우 판독이 불가능하여 채점 불가

1번 (2) 답안 **(반드시 해당 문제와 일치 하여야 함)**

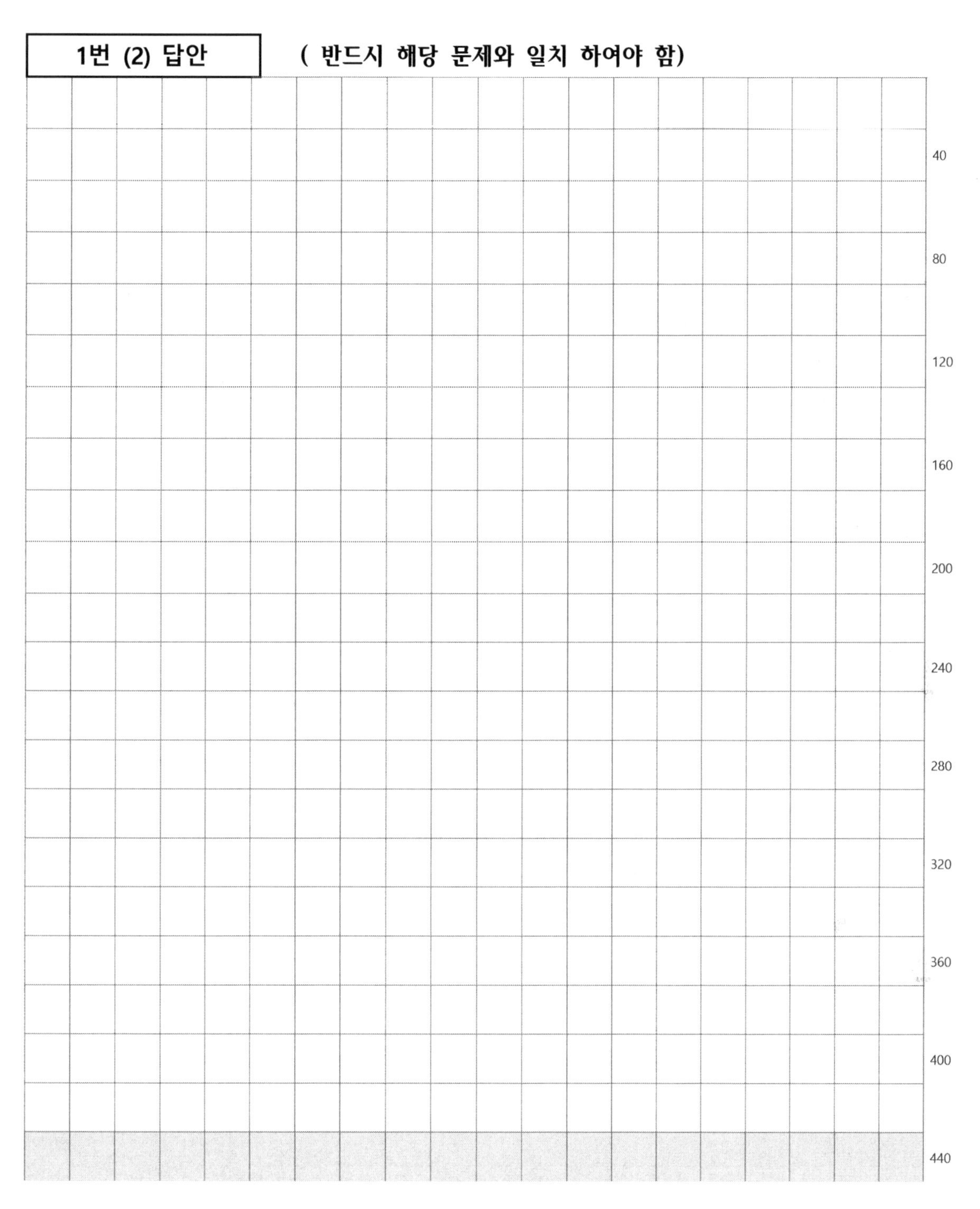

이 줄 아래에 답안을 작성하거나 낙서할 경우 판독이 불가능하여 채점 불가

2번 답안 **(반드시 해당 문제와 일치 하여야 함)**

40
80
120
160
200
240
280
320
360
400
440
480
520
580
620
660

3번 답안 (반드시 해당 문제와 일치 하여야 함)

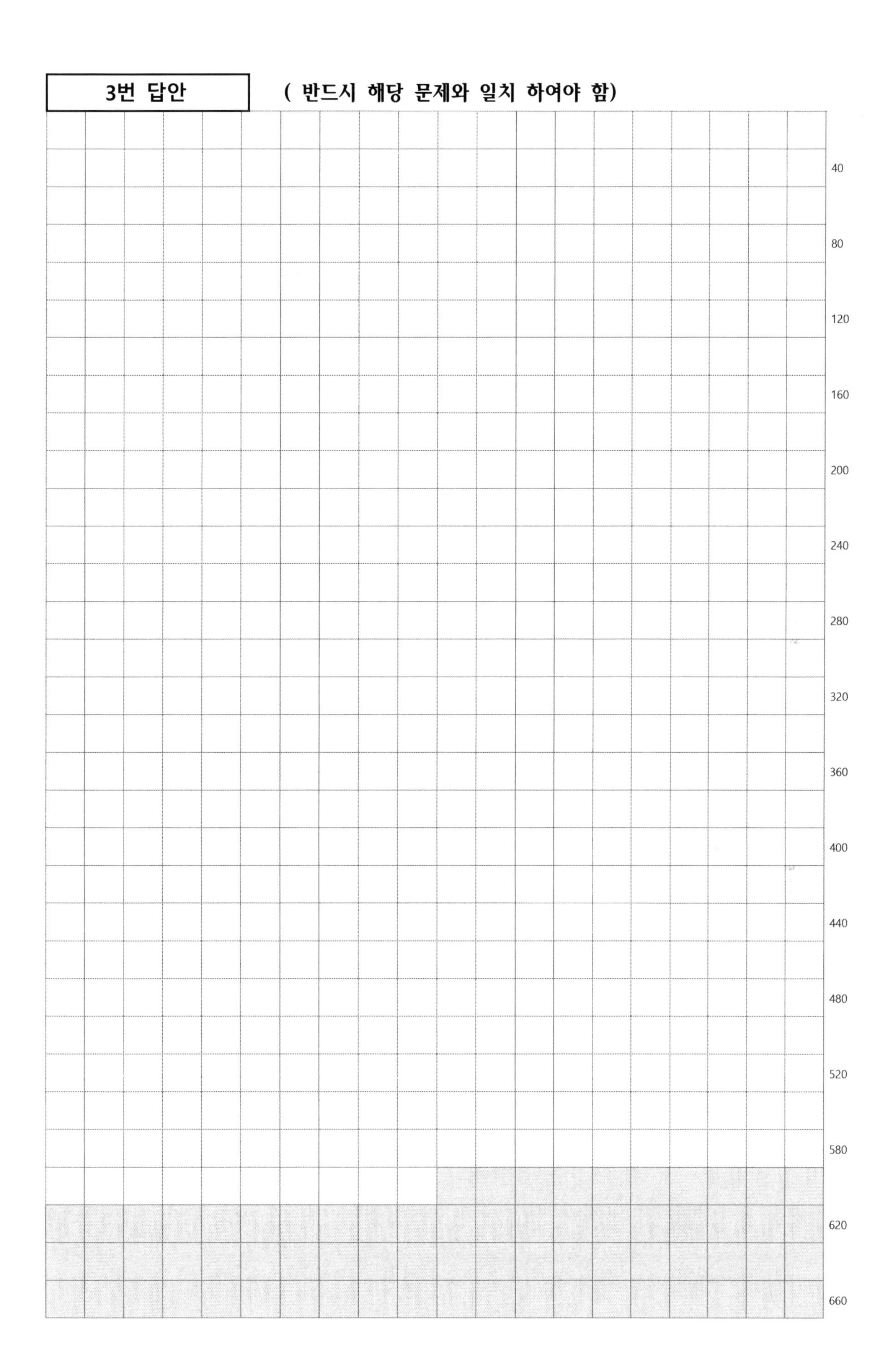

4. 2023학년도 단국대 수시 논술 (오전)

[문제 1] 다음 제시문을 읽고 주어진 물음에 답하시오. (30점)

1) [가]에서 주제를 나타내는 단어 하나를 찾고, 그 단어를 이용하여 [가]의 내용을 요약하시오. (200자 내외) (10점)

2) [가]에서 찾은 단어를 이용하여 [나]를 요약하고 [다]를 설명하시오. (400자 내외) (20점)

[가] 저는 가능한 한 소설을 많이 읽으려고 노력합니다. 아직 어려서 경험하지 못한 것들이 많기 때문이지요. 소설을 통한 공감은 연주에도 좋은 영감을 줍니다. 절 가르쳐 주셨던 로스트로포비치 선생님으로부터 도스토옙스키의 소설 「백치」를 선물 받은 적이 있었지요. 제가 열두 살 때의 일이었어요. 로스트로포비치 선생님은 그 책을 제게 주시면서 "좋은 소설을 읽으면 마음이 열린다."라고 말씀하셨습니다. 그때는 꼬마여서 뜻을 몰랐지만 지금은 알 듯합니다.

얼마 전 한국 공연을 앞두고 톨스토이의 소설 「안나 카레니나」를 다시 읽었습니다. 세상에서 제가 제일 좋아하는 이야기입니다. 열세 살 생일 선물로 받은 책인데 이번에 세 번째로 읽었습니다. 다시 봐도 새로운 느낌이 들었습니다. 같은 악보도 연주할 때마다 다른 곡이 되는 것처럼요.

가장 인상 깊었던 곳은 안나의 심리가 어떻게 변하는지 설명하는 부분이었습니다. 정숙한 부인인 안나가 청년 장교 브론스키를 만나 그를 사랑하게 되고, 금지된 사랑 때문에 비극을 맞게 됩니다. 이 소설에는 그 감정의 변화가 너무도 생생하게 묘사되어 있어서 마치 톨스토이가 저를 안나의 머릿속으로 밀어 넣은 것 같았습니다. 그래서 순수한 사랑이 자신을 죽이는 독약이 돼 버린 결말이 너무 가슴이 아팠습니다.

저는 소설 「제인 에어」도 좋아하지만 「안나 카레니나」가 훨씬 뛰어난 작품이라고 생각합니다. 「제인 에어」에는 제인만 있지만 「안나 카레니나」에는 안나만 있지 않기 때문입니다. 브론스키를 사랑했던 왕녀 키티, 안나의 남편인 카레닌 등 여러 인물들이 서로 사랑하고 미워하고, 만나고 헤어집니다. 이 작품은 사람은 독립적인 인격으로 사는 것이 아니라 서로 부딪치며 살아간다는 점을 제게 깨닫게 해 줍니다.

제가 두 번째로 이 소설을 읽은 때는 1996년 1월 슈만 첼로 협주곡 연주를 준비할 때였습니다. 곡 해석을 하면서 안나의 심리 상태를 떠올리며 많은 도움을 받았습니다. 특히 아름다운 멜로디를 가진 2악장을 연주할 때 저는 만날 수 없는 아들에 대한 안나의 모정을 떠올렸습니다.

「안나 카레니나」는 톨스토이가 자식을 둔 여인이 기차에 뛰어들어 자살했다는 소식을 듣고 그 충격을 알리기 위해 썼다고 합니다. 저는 「안나 카레니나」를 통해 톨스토이를 알게 됐고 톨스토이의 『예술론』에 깊이 빠져들게 됐습니다. 톨스토이의 『예술론』에는 이런 말이 나옵니다. "예술이란 예술가가 경험으로 느낀 것을 다른 사람도 느낄 수 있도록 표현한 것이다."라고요.

저는 쇼스타코비치 협주곡을 연주하기 위해 23일 독일에 도착했습니다. 독일 연주회에서는 제가 쇼스타코비치 음악을 통해 느낀 감동을 다른 사람들에게 나눠 주고 싶습니다.

출처 : 김창원 외, 『고등학교 문학』(출제진 재구성)

[나] 나는 사실만을 가지런하게 챙기는 문장이 마음에 듭니다. 나는 이런 문장을 이순신 장군의 『난중일기』에서 읽었습니다. 거기 보면 사실에 정확하게 입각한 군인의 언어를 느낄 수 있습니다. 그것은 무인이 아니면 쓸 수가 없는 문장입니다. 군더더기가 없고, 무인들이 큰 칼을 한 번 휘둘러서 사태를 정리해 버리듯이 한 번으로 끝내 버리는 문장을 이순신은 쓰고 있더군요. 그것이 나한테는 참으로 놀라웠습니다. 그것은 아무런 재미가 없는 문장입니다. 아무런 수사적 장치가 없는 문장. 그러나 나한테 그것은 놀라운 문장이었습니다. 암담한 패전 소식이 육지로부터 전해 오는 날, 이순신은 “나는 밤새 혼자 앉아 있었다.”라고 씁니다. 아, 좋죠. “나는 밤새 혼자 앉아 있었다.” 이것은 죽이는 문장입니다. 슬프고 비통하고 곡을 하며 땅을 치고 울고불고하는 것이 아니고 나는 밤새 혼자 앉아 있었다. 비록 육지의 패전 소식이 전해 왔지만 또 패전할 수 없기에 애통한 마음을 억누르고 혼자 앉아 있었다는 그 물리적 사실을 객관적으로 진술한 것이죠. 거기에 무슨 형용사와 수사학을 동원해서 수다를 떨어 본들, “나는 밤새 혼자 앉아 있었다.”를 당할 도리가 없습니다. 이것은 전혀 수사학의 세계가 아닙니다. 그것은 아주 강력한 주어와 동사의 세계죠. 내가 사랑하는 주어와 동사의 세계는 바로 이런 것입니다. 그분은 사실에 입각해 있습니다.

……(중략)……

이순신은 또 일기에다, “오늘 어떤 녀석이 군율을 어겼기로 베었다.”라고 썼습니다. 기막히지요. 군율을 어겼기로 베었다. 그게 목을 베었다는 거지요. 그것이 그가 글을 쓰는 방식입니다. 그렇게 완강한 사실에 입각하는 것이죠. 군율을 어겼기로 베었다. 그 머리를 베어서 장대에 끼워서 성 앞에 걸었다. 그래 놓고 그다음 문장을 계속 써요. “저녁때 바람이 불었다.” 해군들은 바람 부는 게 가장 큰 문제죠. 배들을 바닷가에 나란히 자동차 세우듯이 대 놓고 있는데 바람이 불면 배들이 서로 흔들려서 배들끼리 부닥칩니다. 바람이 불면 해군은 배를 끌어서 물 위로 올려놔야 배가 부서지지 않죠. “저녁때 바람이 불었다. 자는 병사들을 깨워서 물가로 내려보내서 배를 끌어 올리라고 지시했다.”라고 씁니다. 전쟁에서는 군율과 날씨가 무엇보다도 중요합니다. 그렇기에 군율을 어긴 부하 놈 하나를 죽였다는 것 그거 뭐 별거 아니라는 듯이 써 버리고 바로 바람이 불었다는 사실만을 진술합니다. 수사, 형용사, 부사가 하나도 안 나오고 밋밋하고 재미가 없지만, 부하를 죽였다는 문장과 바람이 불었다는 문장 사이에서 그의 문장은 삼엄한 긴장에 도달합니다. 그것은 아주 전압이 높은 문장입니다. 볼트가 높은 고압 전류가 흐르는 문장입니다. 만지면 전기가 올 것처럼 찌르찌르 하는 문장이죠. 문과 대학에서는 그런 문장을 안 가르치더군요. 문과 대학에서는 셰익스피어, 밀턴, 워즈워스를 배웠습니다. 그것도 훌륭한 문장이었지만 내가 읽은 『난중일기』에는 그보다 더 좋은 문장이 있었습니다. 저는 장군님께 많은 신세를 졌습니다.

출처 : 이성영 외, 『고등학교 국어』 (출제진 재구성)

[다] 사람의 삶을 보여주는 사진은 언제 보아도 강한 여운을 준다. 투박하고 거칠어도 좋다. 조금 모자라도 괜찮다. 자신이 바라본 순간의 감흥을 스쳐버리지 않는 태도가 필요하다.

이 사진에는 노점상 할머니를 향한 관심과 애정의 흔적이 가득하다. 사진을 찍기 위해 몇 번이나 수고를 들였을까. 이렇게 사진 속 주인공을 이해하게 된다. 주인공을 더 깊게 이해하는 순간, 사진의 내용이 겉돌지 않게 된다. 바라만 보았던 미소의 의미가 분명해지고 사진 속 할머니의 심성을 연상하게 된다. 출발이 좋아야 결과도 좋다. 인간을 이해하려는 진심의 애정이 사진으로 나타나야 감동도 생긴다. 멋진 사진만 얻을 요량으로 사람을 피사체로만 생각하면 곤란하다. 사진 속 인물을 알아가는 과정이 아름답다.

어디 시장의 할머니뿐일까. 사진의 대상이 되는 모든 인간에게 적용되어야 할 대목이다. 할머니를 시작으로 다른 사람까지 관심과 애정이 이어지리라 믿는다. 이렇게 찍은 사진이야말로 힘있는 사진이 된다.

출처 : 윤광준, 『내가 찍고 싶은 사진』

[문제 2] [가]의 공리주의 입장에서 [나]와 [다]를 모두 비판하고, [라]의 강 노인이 땅을 대하는 태도에서 [나]와 [다] 각각의 관점이 드러난 부분을 찾아 그 이유를 논술하시오. (600자 내외) (30점)

[가] 대표적인 공리주의자인 벤담은 쾌락을 추구하고 고통을 피하고자 하는 인간의 자연적 감정을 바탕으로 윤리를 새롭게 정립하고자 하였다. 이 점에서 공리주의는 감정 중심 윤리이다.

"인간은 본성상 고통과 쾌락이라는 두 가지 최고의 주인의 지배를 받고 있다. 우리가 어떤 행동을 할 것인가를 결정하는 것뿐만 아니라 우리가 무엇을 해야 하는가를 알려 주는 것 역시 오직 고통과 쾌락일 뿐이다. 한편으로는 옳음과 그름의 기준과 다른 한편으로는 원인과 결과의 사슬이 이 두 주인의 지배를 받고 있는 것이다. 고통과 쾌락은 우리가 행하고 말하고 생각하는 모든 것을 지배한다."

……(중략)……

"공동체의 이익이란 도덕 용어에서 나올 수 있는 가장 일반적인 표현에 속한다. ……(중략)…… 공동체란 그 구성원으로 간주되는 개인들의 집합에 불과한 가공일 뿐이다. …… (중략)…… 그렇다면 공동체의 이익이란 무엇인가? 공동체 구성원들의 이익의 총합일 뿐이다."

- 벤담, 『도덕과 입법의 원리 서설』

이처럼 벤담의 공리주의는 철저하게 개인주의를 바탕으로 한다. 이때 각각의 구성원은 오로지 한 사람으로만 간주되며, 그 누구도 한 사람 이상으로 혹은 한 사람 이하로 계산되지 않는다. 물론 모든 쾌락은 질적으로 동일하며, 다만 그 양에서 차이가 있을 뿐이다. 이러한 차이는 쾌락 계산법에 의해 측정 가능하다. 벤담의 이러한 양적 쾌락주의는 곧 평등주의의 다른 표현이다.

이처럼 벤담은 '공리'라는 원칙을 바탕으로 도덕의 목적이란 행복의 증진에 있음을 분명히 하면서 노예 제도, 여성의 종속, 복수법*, 동물 학대 등과 같이 당시 사람들이 당연하게 여기던 관행들을 개혁하고자 하였다. 그러나 벤담의 이러한 급진적 개혁주의는 수많은 비판에 부딪혔다. 인간이 추구하는 행복이 단순히 욕구의 만족인 쾌락으로 간주될 수는 없기 때문이다. 특히 동물적·관능적 쾌락과 인간적·지적 쾌락을 구분하지 않고 오로지 그 양의 차이만을 강조함으로써 인간의 고유한 삶의 양식을 간과하였다는 것이다.

* 복수법 : '눈에는 눈', '이에는 이', '생명에는 생명'으로와 같이 가해자에게 동일한 복수를 허용하는 법을 말한다.

출처 : 박찬구 외, 『고등학교 윤리와 사상』

[나] 인간 중심주의는 인간을 가장 가치 있는 존재로 여기고, 인간과 자연의 관계에서 인간의 이익이나 행복을 먼저 고려하는 관점이다.

인간 중심주의는 다음과 같은 특징을 가진다. 우선 인간과 자연을 분리하여 바라보는 이분법적 관점을 취한다. 이분법적 관점에 따르면 인간은 자연의 한 부분이 아니라 자연으로부터 독립된 존재, 자연보다 우월한 존재이다.

또한 인간 중심주의는 자연의 도구적 가치를 강조한다. 동식물을 포함한 자연의 모든 구성 요소는 그 자체로 가치 있는 것이 아니라 인간의 풍요로운 삶을 위한 도구에 불과하다는 것이다. 따라서 인간은 자연을 이용할 권리를 지니며, 자연에 대한 행위의 옳고 그름은 그것이 인간의 필요와 이익에 얼마나 도움이 되는가에 달려 있다.

출처 : 정창우 외, 『고등학교 통합사회』

[다] 대지 윤리는 단순히 공동체의 범위를 토양, 물, 식물과 동물, 곧 포괄하여 대지를 포함하도록 확장하는 것이다.

이것은 손쉬운 일처럼 들린다. 우리는 이미 자유로운 자들의 땅과 용감한 자들의 고향에 대한 우리의 사랑과 의무를 노래하지 않는가? 그렇다. 그러나 우리는 정확히 무엇을, 그리고 누구를 사랑하는가? 분명히 흙은 아니다. 우리는 어쩰 줄 모르고 흙을 하류로 흘려보내고 있다. 분명히 물은 아니다. 우리는 물은 터빈을 돌리고, 배를 띄우고, 오물을 실어가는 것 외에는 아무것도 하지 않는다고 생각한다. 분명 식물은 아니다. 우리는 눈 한번 깜박하지 않고 전체 군집을 절멸시킨다. 분명 동물도 아니다. 우리는 이미 가장 몸집이 크고 가장 아름다운 많은 종의 동물을 몰살시켜왔다. 물론 대지 윤리가 이들 '자원'의 변경과 관리 및 사용을 막을 수는 없다. 그러나 대지 윤리는 그들도 존속할 권리가 있음을, 그리고 좁은 구역이나마 자연 상태로 존속할 권리가 있음을 천명한다.

간단히 말해서 대지 윤리는 인류의 역할을 대지 공동체의 정복자에서 그것의 평범한 구성원이자 시민으로 변화시킨다. 대지 윤리는 인류의 동료 구성원에 대한 존중, 그리고 공동체 자체에 대한 존중을 필연적으로 수반한다.

……(중략)……

윤리가 진화할 수 있도록 풀어 주어야 할 빗장은 바로 이것이다. 바람직한 대지 이용을 오직 경제적 문제로만 생각하지 말라. 낱낱의 물음을 경제적으로 무엇이 유리한가 하는 관점뿐만 아니라 윤리적, 심미적으로 무엇이 옳은가의 관점에서도 검토하라. 생명 공동체의 통합성과 안정성 그리고 아름다움의 보전에 이바지한다면, 그것은 옳다. 그렇지 않다면 그르다.

출처 : 레오폴드, 『모래 군의 열두 달』(출제진 재구성)

[라] 강 노인이 이제는 재밖에는 안 남은 쓰레기 태운 자리를 찾아오는 것도 바로 그 밭 때문이었다. 밭에 거름이 될 만하다 싶으면 그는 어떤 것이라도 낡고 더러운 망태기에 쓸어 담는 사람이었다. 결혼해서 따로 사는 아들이 둘이나 되지만 어느 놈 하나 생활비 보태 줄 자식은 없어서, 건재상과 이 층에 세 사는 이가 다달이 내미는 월세만 가지고 사는 형편이니만큼 강 노인 땅이 시가 몇억짜리 덩치라 한들 그 땅에 고추 농사나 지어서는 수지가 안 맞는 지주였다. 문제는 그 비싼

땅에다가 강 노인은 한사코 푸성귀 따위나 가꾸겠다고 고집을 부리는 데 있었다. 지난 몇 년간 여러 차례 임자가 나섰건만 이제는 절대 땅을 팔지 않겠다는 강 노인 고집에 막혀, 시청으로 통하는 2차선 도로의 양편으로는 여전히 밭농사가 계속되는 중이었다. 올해도 봄은 왔고 그래서 강 노인은 어김없이 허름한 옷차림으로, 맨발 위에 신은 검정 고무신을 끌고 자신의 밭에 모습을 나타내었다.

……(중략)……

집주인들이 더 극성을 부리는 데에도 까닭은 있었다. 강 노인네 땅덩이들이 팔려서 거기에 번듯한 건물들이 들어서야 이 거리가 완벽하게 채워지기 때문이었다. 게다가 그 땅들이 모두 도로변에 있고 보면, 아니 도로변의 땅에다가 인분 뿌리며 푸성귀나 갈아먹는대서야 동네 모양새가 영 말이 아닌 것이다. 동네 신수가 훤해야 집값도 오를 터인데 모름지기 강 노인 밭이 저러고 있어서야 제값대로 보지 않는다는 불만들이 클 것임은 자명했다.

……(중략)……

"땅은 안 돼. 안 팔아!"

"고집 좀 그만 부리고 우선 집 앞에 거라도 떼어 팔아 발등의 불이라도 꺼 봅시다. 다 자식 잘되라고 하는 짓인데 왜 그러우?"

"자식 놈들 뒷바라지에 땅 다 날려 보낸 걸 몰라!"

입씨름에 지친 마누라가 눈물 바람을 하다가 용문이 방으로 건너가 버린 뒤, 강 노인은 그 밤 오래도록 잠을 이루지 못하고 뒤척여야만 했다. 자식 농사는 포기한 지 오래지만 해마다 씨를 뿌리고 수확을 거두는 재미만큼은 쉽게 포기할 수 없는 그였다. 서울에서 밀려 나온 서울 것들 때문에 여기까지 땅값이 들먹거리는 북새통을 치렀고 그 와중에서 자식들이 모두 저 푼수로 커 버렸다는 원망도 많은 게 강 노인이었다. 씨 뿌린 땅에서 거두어들이는 수확이 아닌 담에야 어찌 땅을 팔아서 그 돈으로 쌀 사고 채소 사며 살 수 있을 것인가. 농사꾼 주제로는 평생 만져 볼 엄두도 못 내는 큰돈이 굴러 들어왔어도 쉽게 생긴 내력만큼 씀씀이도 허망하기 짝이 없었다. 그나마 이만큼이라도 마지막 땅 조각을 붙들고 있다는 위안이 강 노인에게는 큰 힘이 되었다. 이 고장에 서울 바람이 몰아닥쳐 요 모양으로 설익은 도시가 되지 않았더라면 아직껏 넓디넓은 땅을 가지고 있을 것이 틀림없는 스스로를 생각해 보면 더욱 울화가 치밀었는데 다 부질없는 노릇이었다.

……(중략)……

다음 날 아침, 강 노인은 느지막이 집을 나섰다. 마누라한테는 아무런 내색도 하지 않았다. 그러나 발길은 여전히 밭을 향했다. 밭고랑 사이로 밀고 올라오는 잡초를 뽑아내면서 문득 뒤돌아보니 원미산 장대봉이 그새 많이 푸르러져서 제법 운치가 있었다. 멀리서 보아야 아름답다 하여 '멀뫼'라 불리던 산이었다. 젊었을 적 나무하러 숱하게 오르내려서 능선마다 그의 땀방울이 묻어 있기도 한 산이다. 그때가 언제인데, 참 질기게도 오래 산다는 생각이 들었다. 땅에서 뽑혀 나와 잠

깐 만에 이파리들이 축 늘어져 버린 잡초를 새삼스레 들여다보다가 강 노인은 시름없이 밭을 둘러보았다.
그러고 보니 어제오늘 고추 모종에 물을 주지 못한 게 생각났다. 아욱이야 그런대로 잘 자랐지만 마누라가 덤덤해하니 억센 겉잎이 밀고 올라오기 시작했다. 꽂아 놓은 개나리 가지에 움터 오던 노란 잎도 가뭄에 시달려 밥티처럼 오그라 붙었다. 햇살은 푸지게 내리쬐고, 아이들은 지물포 옆에 옹기종기 모여서 땅따먹기 놀이를 하고 있었다. 강 노인은 큼큼 헛기침을 해 가며 강남 부동산으로 걸어갔다. 그러다 이내 되돌아서서 집을 향해 바쁜 걸음을 옮긴다. 암만해도 물 한 통쯤은 져 날라서 우선 이것들 목이나 축여 줘야겠다는 생각이었다.

출처 : 박영민 외, 『고등학교 국어』

[문제 3] [가]의 관점에서 [나]의 내용을 서로 연관 지어 설명한 후, 우리나라 전기차 산업이 직면한 [다]의 각 상황을 해결하기 위한 방안을 [라]의 자료 하나씩을 활용하여 서술하시오. (단, [다]의 각 상황에 대응하는 [라]의 자료는 서로 달라야 함.) (600자 내외) (40점)

[가] 세계화에 앞장섰던 미국 등 선진국이 이제는 거꾸로 무역의 빗장을 걸어 잠그고 있다. 자국 산업 보호가 명분이다. 과거에는 세계화에 반대하던 개발 도상국에서 보호 무역주의가 만연했지만, 지금은 정반대이다. 통상 당국 고위 관계자는 "신(新) 보호 무역주의라는 거대한 태풍이 몰려오고 있다."라고 우려했다. 산업 통상 자원부와 세계 무역 기구(WTO)에 따르면 주요 20개국(G20)이 지난해 10월부터 올해 5월까지 쏟아 낸 무역 제한 조치는 월평균 21건에 달했다. 지난해 가장 많은 무역 제한 조치를 한 나라는 미국으로 90건의 무역 규제를 내놨다.

출처 : 정창우 외, 『고등학교 통합사회』

[나]

<글로벌 전기차 판매량>

(단위 : 만대, 2030년은 전망치)

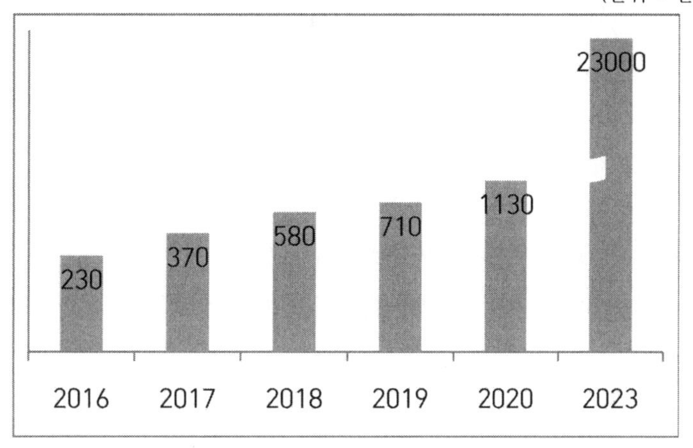

출처 : 『서울경제』, 2021. 4. 30.

<글로벌 전기차 배터리 수요 및 공급 전망>

(단위 : GWh)

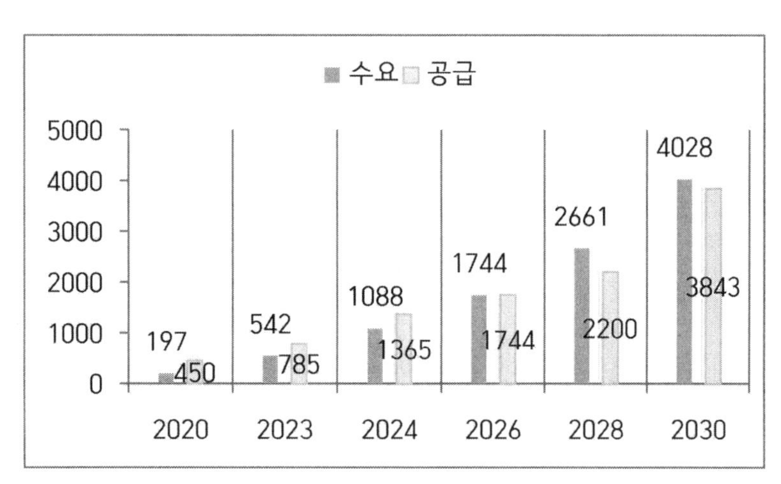

출처 : 『머니투데이』, 2021. 10. 13.

<전기차 배터리 핵심 광물 제련* 국가 비중>

(단위 : %)

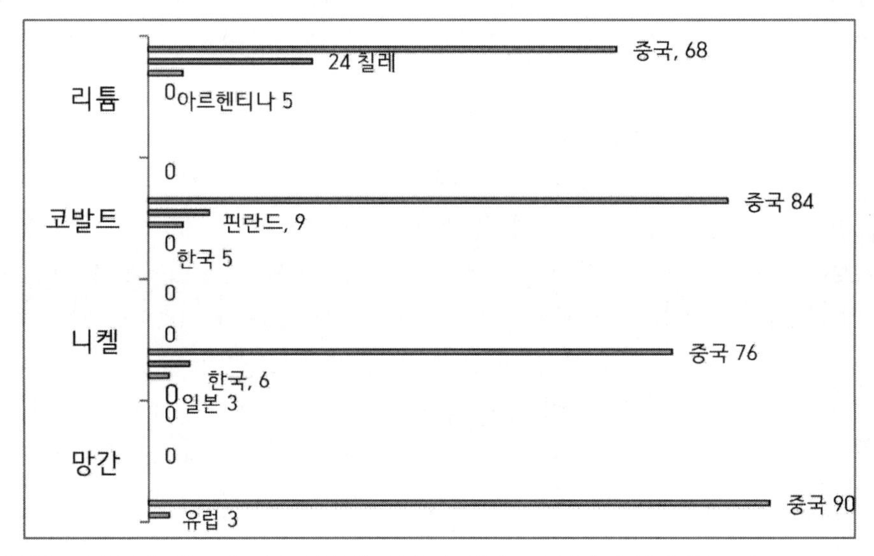

* 제련 : 광석을 용광로에 넣고 녹여서 함유한 금속을 분리·추출하여 정제하는 일.

출처 : 『한겨레』, 2022. 10. 11.

<미국 인플레이션 감축법(IRA)* 내용 일부>

- 2030년까지 온실가스 40% 감축
- 친환경 에너지 발전에 600억 달러 세금 공제
- 풍력, 태양광에 300억 달러 지원
- 전기차 구매시 신차는 최대 7,500달러, 중고차는 최대 4,000달러 세금 공제
- 북미에서 최종 조립된 전기차에만 보조금 제공
- 중국 등 일부 국가에서 배터리 부품, 광물이 일정 비율 이상 조달될 경우 보조금 혜택 제외

* 인플레이션 감축법 : 기후변화 대응, 의료비 지원, 법인세 인상 등을 골자로 한 미국의 법으로, 급등한 인플레이션 완화를 위해 2022년 8월 16일 발효.

출처 : 『연합뉴스』, 2022. 8. 9.(출제진 재구성)

[다] <상황 1>

<한국의 미국, 중국 수출액 비중 추이>

(단위 : 백만 달러, %)

연도	수출액			비중	
	전체	중국	미국	중국	미국
2022년 상반기	350,455	81,401	54,943	23.2	15.7
2021년 상반기	303,135	76,122	46,502	25.1	15.3
2021년	644,400	162,913	95,902	25.3	14.9
2020년	512,498	132,565	74,116	25.9	14.5
2019년	542,233	136,203	73,344	25.1	13.5
2018년	604,860	162,125	72,720	26.8	12.0

출처 : 『연합뉴스』, 2022. 7. 25.

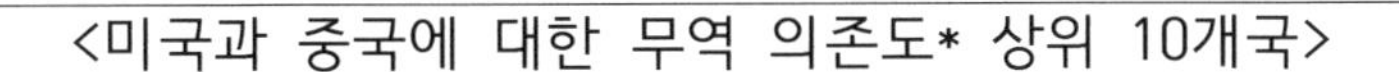
<미국과 중국에 대한 무역 의존도* 상위 10개국>

(단위 : %)

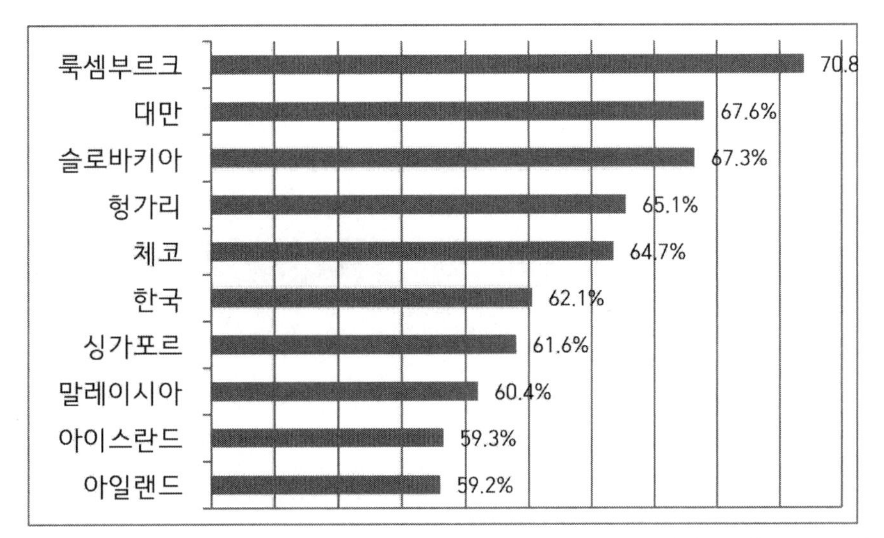

* 무역 의존도 : 한 나라의 국민 경제에서 무역이 차지 하는 비중을 표시하는 지표로, 국민 소득 또는 국민 총 생산에 대한 수출입액의 비율.

출처 : 『연합뉴스』, 2018. 7. 6.

<상황 2>

<미국의 인플레이션 감축법(IRA)으로 세금 공제 받는 전기차 모델>

업체	소속 국가	모델명
테슬라	미국	모델 Y, 모델 3 일부
포드	미국	이스케이프 PHEV, F시리즈, 무스탕마흐 E, 트렌시트밴
링컨	미국	에비에이터 PHEV, 코르세이르 플러그인
지프	미국	체로키 PHEV, 랭글러 PHEV
크라이슬러	미국	퍼시피카 PHEV
리비안	미국	EDV, R1S, R1T
루시드	미국	에어
메르세데츠-벤츠	독일	EQS SUV
BMW	독일	X5, 330e(2022년형), 330e(2023년형)
아우디	독일	Q5
볼보	스웨덴	S60
닛산	일본	리프 2022년형, 리프 2023년형

출처 : 『중앙일보』, 2022. 8. 25.(출제진 재구성)

<2022년 상반기 미국 전기차 시장 점유율>

(단위 : %)

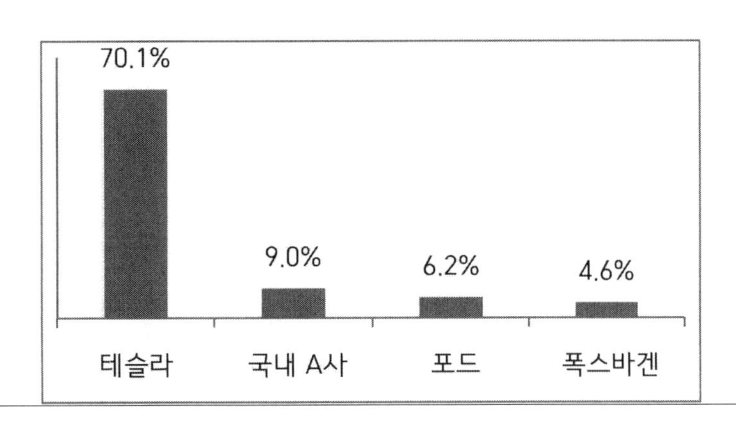

<2022년 국내 A사의 미국 내 전기차 판매 대수>

(단위 : 대)

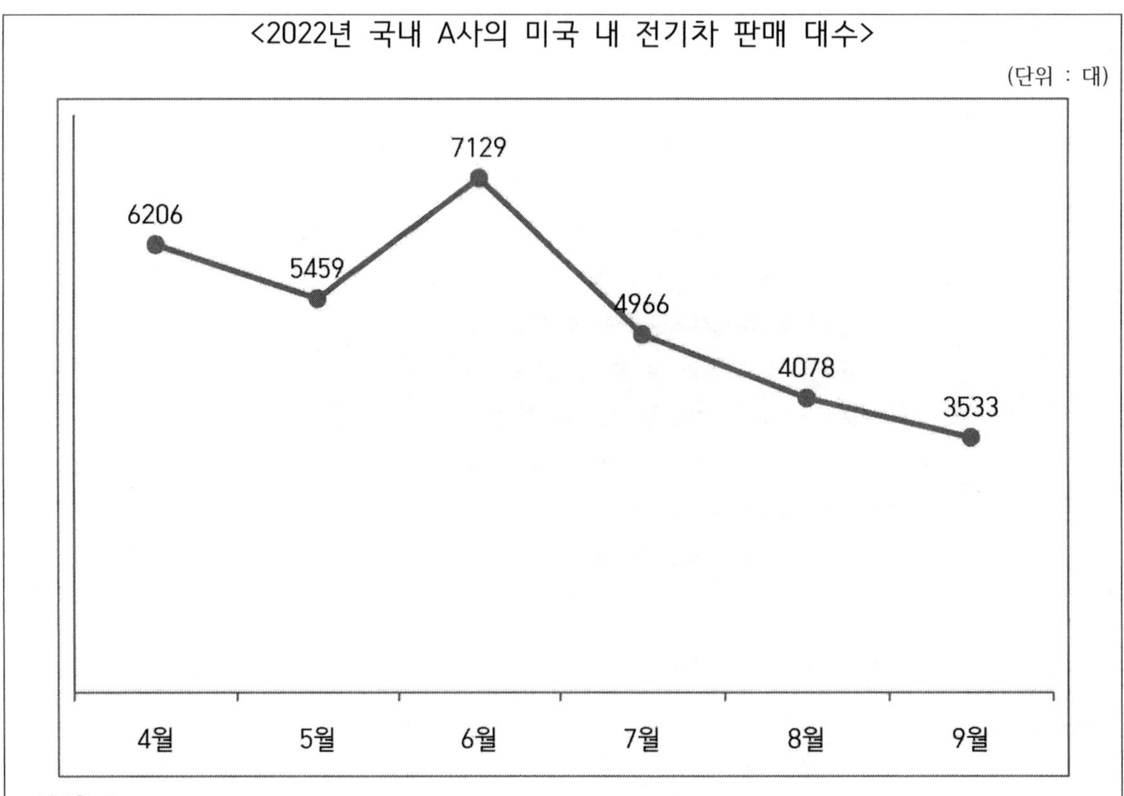

<상황 3>

<광물종합지수* 추이>

(2016년 1월 = 1,000 기준)

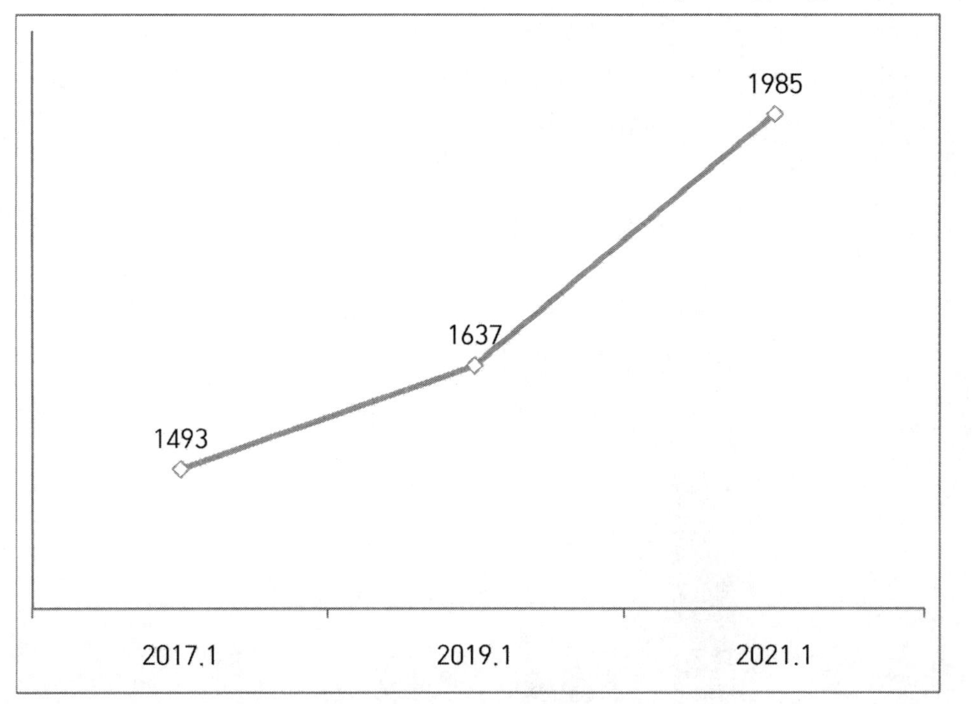

*광물종합지수 : 주식시장의 종합주가지수처럼 산업적으로 중요하고 수입 의존도가 높은 광물 15종의 가격 수준을 종합해 보여 주는 지수.

출처 : 한국광해공업공단, 『광물종합지수』

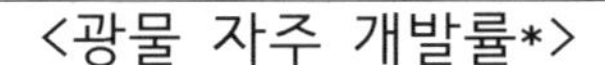

<광물 자주 개발률*>

(단위 : %, 2018년 기준)

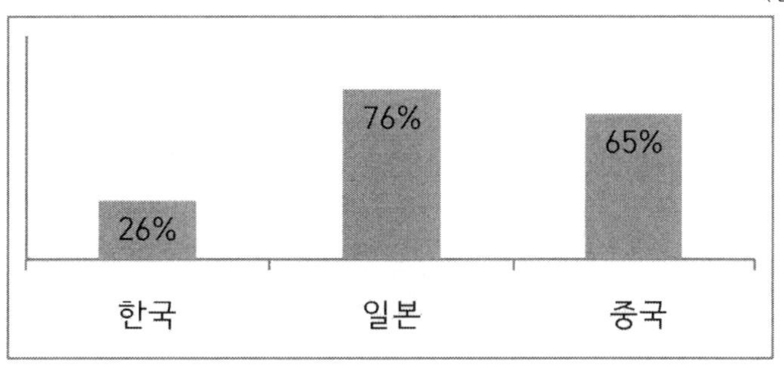

* 광물 자주 개발률 : 국내로 수입되는 전체 광물 자원 수입량 대비 해외자원개발을 통해 확보한 광물 자원의 양.

출처 : 『서울경제』, 2022. 3. 24.

<우리나라의 해외자원개발 사업 건수>

(단위 : 건)

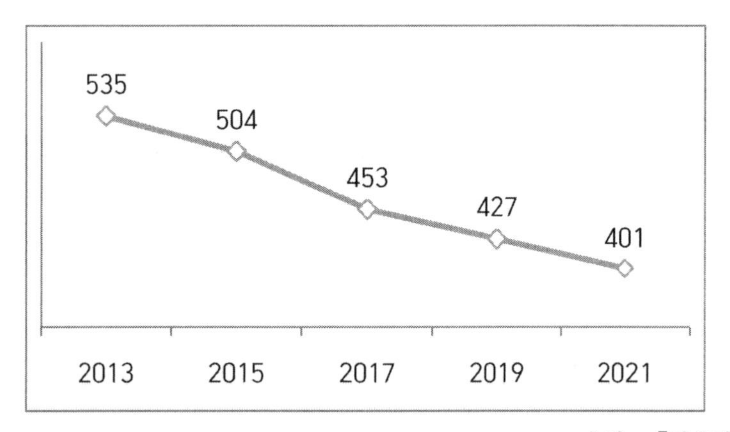

출처 : 『서울경제』, 2022. 9. 4.

<우리나라의 해외자원개발 투자금>

(단위 : 억 달러)

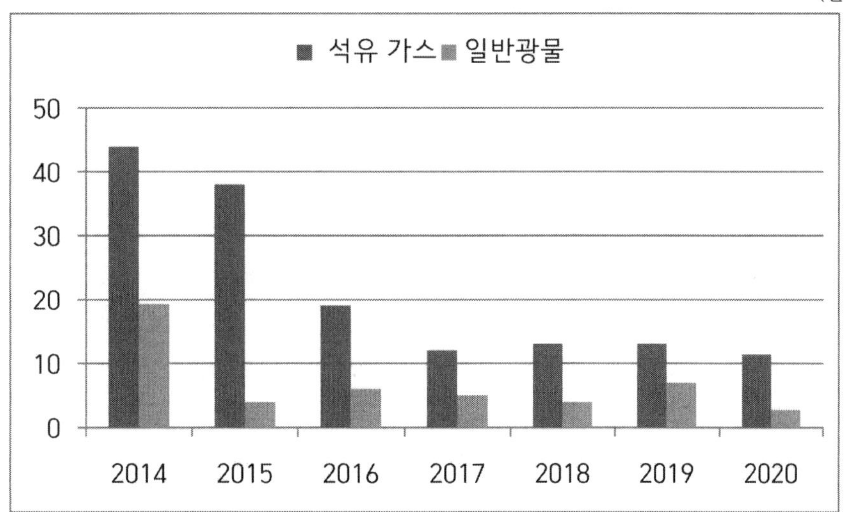

출처 : 『중앙선데이』, 2022. 3. 26.

[라] <자료 1>

<기업 혁신의 종류>

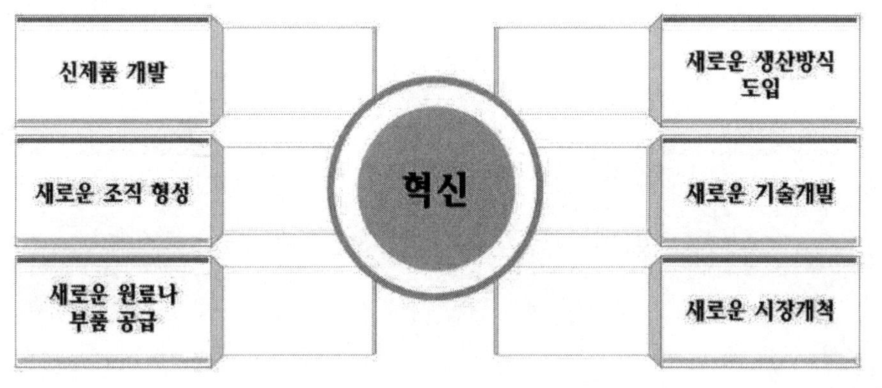

출처 : 정창우 외, 고등학교 『통합사회』

<애플의 신제품 출시와 시가총액 변화>

(단위 : 십억 달러)

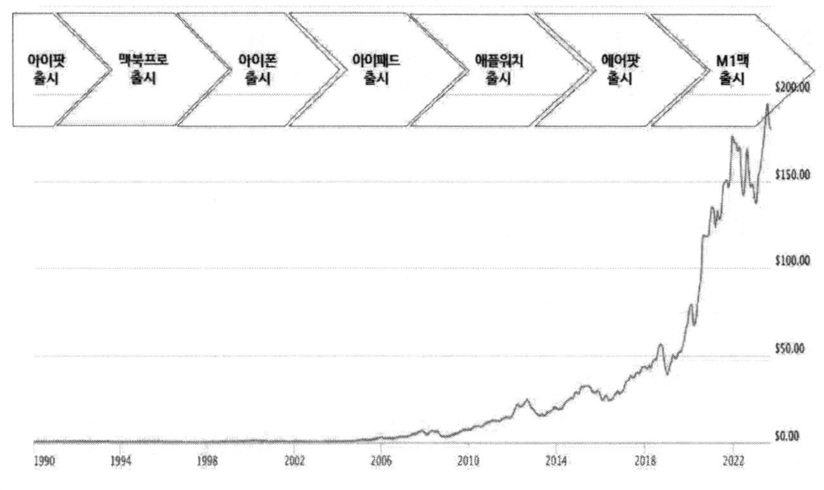

출처 : 『한국일보』, 2022. 1. 4.(출제진 재구성)

<자료 2>

임진왜란이 끝나고 왕위에 오른 광해군은 경제력 회복을 위해 농지 개간을 장려하고 양안과 호적을 작성하였으며 대동법을 시행하였다. 이 무렵 세력을 확장하는 후금과 대치하던 명이 조선에 지원군을 요청하였다. 광해군은 명의 요구를 받아들여 파병하였으나, 당시 강성해진 후금과의 관계 악화를 우려하여 강홍립에게 상황에 따라 대처하도록 지시하였다.

출처 : 이익주 외, 『고등학교 한국사』

고종은 을사늑약으로 외교권이 박탈된 상황에서도 친서 전달, 특사 파견, 비공식 접촉, 국제기구 가입, 망명 정부 구상 등 다양한 외교적 수단과 방법을 동원하여 국권을 회복하고자 노력하였다. 고종은 1904년 1월 16일 전시(戰時) 국외 중립

선언이 담긴 친서를 이탈리아 국왕 등에게 전달하였고, 1905년 칙령을 발표하여 대한 적십자사를 출범시키며 국제기구에도 가입하였다. 또한 을사늑약의 부당함을 알리고자 네덜란드 헤이그에서 열린 만국 평화 회의에 특사를 파견하기도 하였다.

출처 : 김왕근 외, 『고등학교 정치와 법』

<자료 3>

<중국과 일본의 아프리카 투자 및 진출 전략>

구분	중국	일본
투자 기간	2016~2018년	2017~2019년
규모	600억 달러	300억 달러
내용	인프라 정비, 자원개발	인프라 정비, 인재 육성
진출 전략	중국과 유럽, 아프리카를 잇는 21세기형 실크로드 '일대일로' 완성	동、남중국해 등 중국과의 영토분쟁 대비해 우군 확보, 일본 기업의 차세대 먹거리 발굴
주도해 온 회의체	2000년 '중국、아프리카 협력 포럼' 기구 조성	1993년 아프리카개발회의(TICAD) 구상、개최

출처 : 『국민일보』, 2016. 8. 29.

<미국과 중국의 아프리카 누적 투자액>

(단위 : 억 달러)

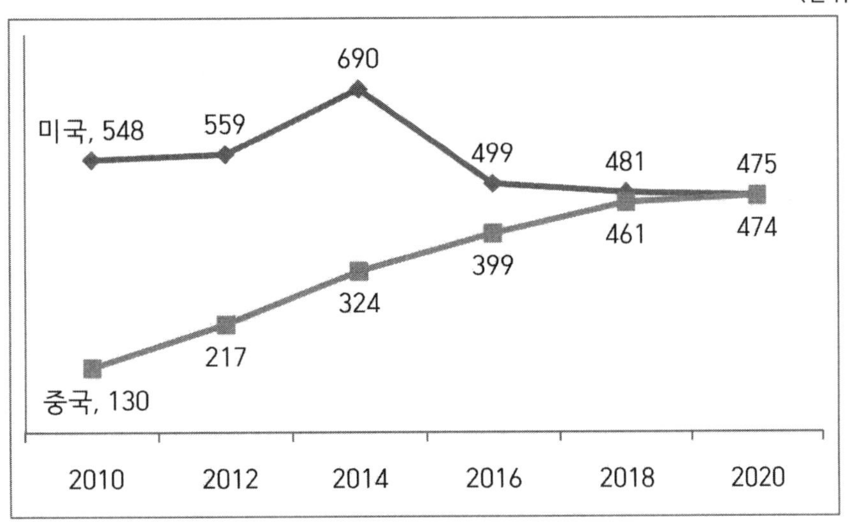

출처 : 『서울경제』, 2021. 11. 29.

<매년 1월 중국 외교부장의 아프리카 방문국>

2022년 (예정)	에리트레아, 케냐, 코모로
2021년	나이지리아, 탄자니아, 콩코민주공화국, 보츠와나, 셰이셀
2020년	이집트, 지부티, 에리트리아, 브룬디, 짐바브웨
2019년	에티오피아 부르키나파소, 잠비아, 세네갈
2018년	앙골라, 가봉, 르완다, 상투메프린시페

출처 : 『조선일보』, 2022. 1. 3.

<중국과 아프리카의 무역액>

(단위 : 억 달러)

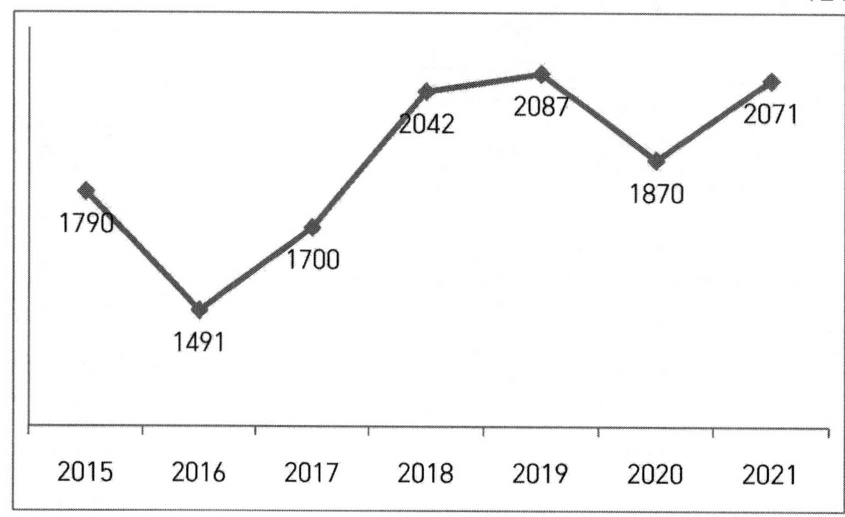

출처 : 조선일보 , 2022. 1. 3.

사하라 이남 아프리카의 대표적인 자원은 석유, 석탄, 금, 다이아몬드, 구리, 코발트 등이며, 에너지 자원보다 광물 자원이 풍부한 편이다. 기니만 연안의 나이지리아는 세계적인 산유국으로 수출의 90% 이상을 석유가 차지할 정도로 생산량이 많다. 아프리카에서 경제 규모가 가장 큰 남아프리카 공화국은 석탄 생산량이 가장 많으며 금, 다이아몬드, 망간, 크롬 등의 자원도 풍부하다. 구리와 코발트는 아프리카 중·남부 지역에 집중적으로 분포하는데 잠비아에서 콩고 민주공화국으로 이어지는 지역은 구리와 코발트가 풍부하여 '코퍼 벨트'라 불린다. 최근 중국을 비롯한 일본, 러시아, 미국, 인도 등이 막대한 자금력을 동원하여 사하라 이남 아프리카의 자원을 확보하기 위해 경쟁을 벌이고 있다. 이들 국가들은 산업 인프라를 제공하고 각종 개발 기금을 지원하면서 해당 국가에서 자원 채굴권을 확보하고 있다.

출처 : 박철웅 외, 『고등학교 세계지리』

모집단위	수험번호	생년월일 (예 : 090512)

논술답안지

※감독자 확인란

성명

【유의사항】
1. 답안 작성 시 문제번호와 답안번호가 일치하도록 알맞은 칸에 작성하여야 한다.
2. 답안 작성 시 필요한 경우에 수식 및 그림을 사용할 수 있다.
3. 필기구는 반드시 검은색 필기구만을 사용하여야 한다. (검은색 이외의 필기구로 작성한 답안은 모두 최하점으로 처리함)
4. 문제와 관계없는 불필요한 내용이나, 자신의 신분을 드러내는 내용이 있는 답안 및 낙서 또는 표식이 있는 답안은 모두 최하점으로 처리한다.
5. 답안은 반드시 정해진 답안작성란 안에만 작성하여야 한다. (답안작성란 밖에 작성된 내용은 채점 대상에서 제외함)

1번 (1) 답안 (반드시 해당 문제와 일치 하여야 함)

40

80

120

160

200

240

이 줄 아래에 답안을 작성하거나 낙서할 경우 판독이 불가능하여 채점 불가

1번 (2) 답안 **(반드시 해당 문제와 일치 하여야 함)**

이 줄 아래에 답안을 작성하거나 낙서할 경우 판독이 불가능하여 채점 불가

2번 답안 (반드시 해당 문제와 일치 하여야 함)

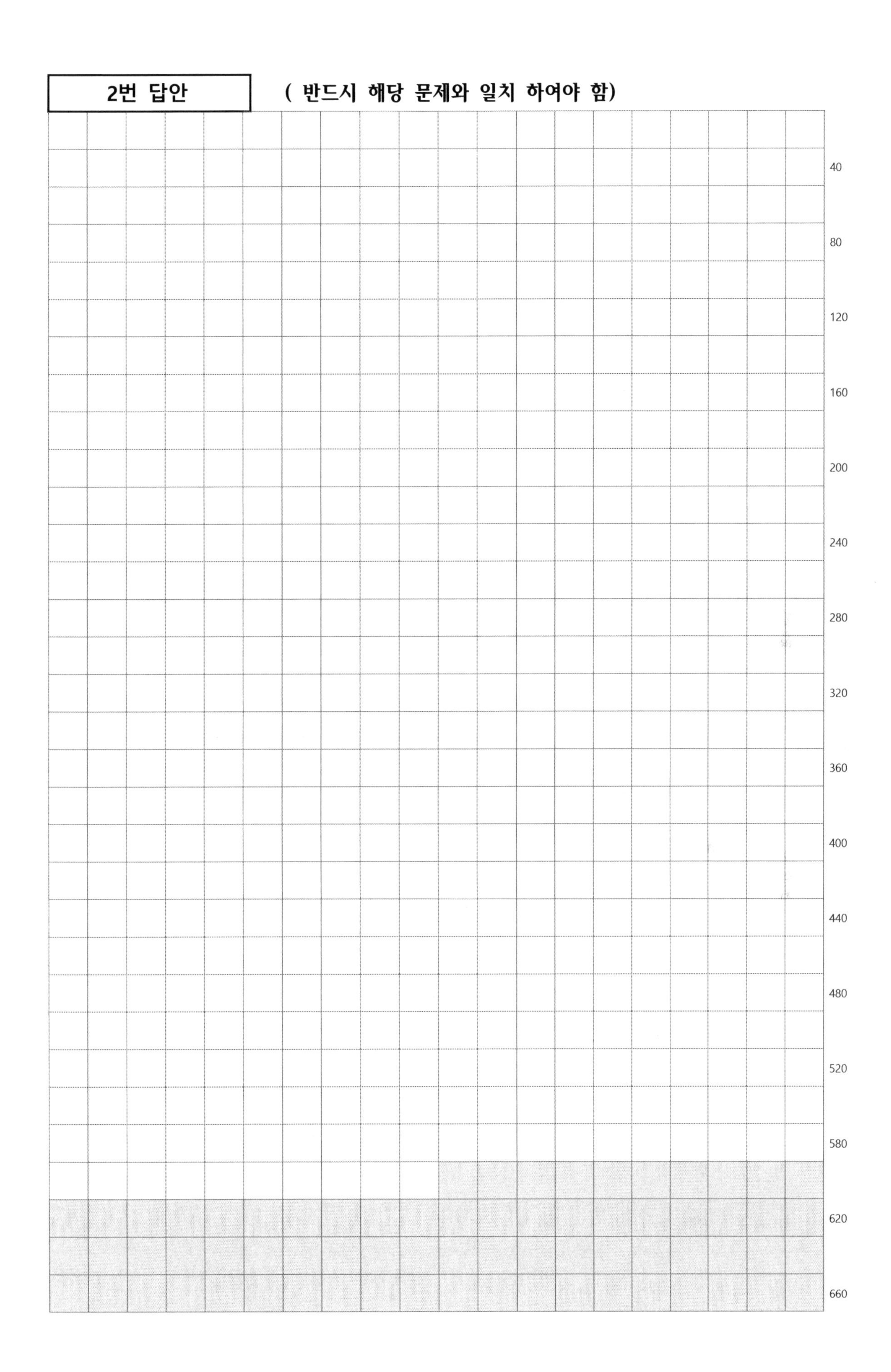

3번 답안 **(반드시 해당 문제와 일치 하여야 함)**

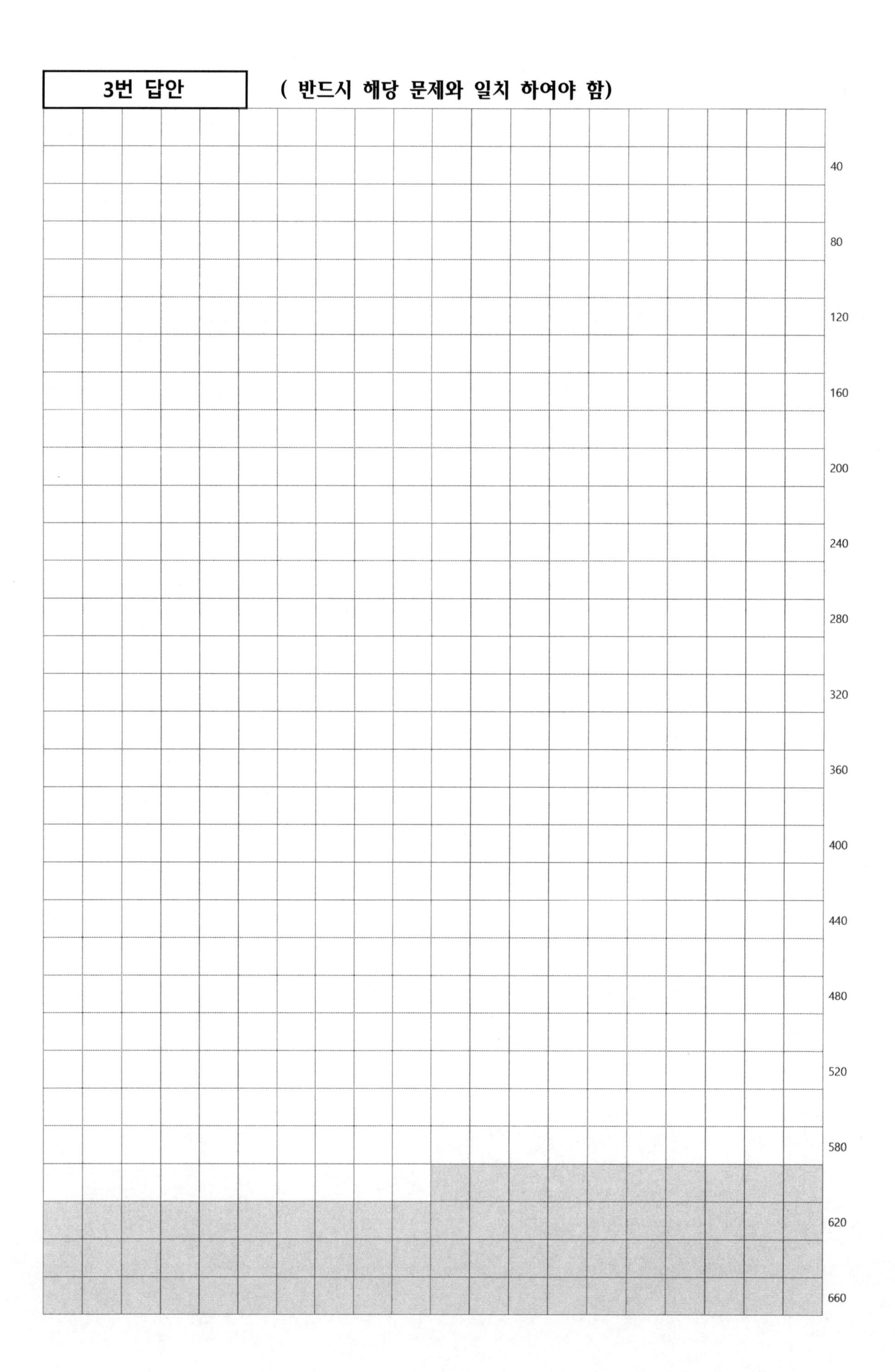

5. 2023학년도 단국대 수시 논술 (오후)

[문제 1] 다음 제시문을 읽고 주어진 물음에 답하시오. (30점)

1) [가]에서 주제를 나타내는 단어 하나를 찾고, 그 단어를 이용하여 [가]의 내용을 요약하시오. (200자 내외) (10점)

2) [가]에서 찾은 단어를 이용하여 [나]를 요약하고 [다]를 설명하시오. (400자 내외) (20점)

[가] 오랜 기간 세상을 적대적으로 보는 사람에게 세상이 지옥과도 같이 보일 수 있는 것처럼, 수십 년 그와 같은 사람들의 말을 듣고 글을 읽는 판사 역시 인간과 세계를 그와 같이 보게 되고 그와 같은 잣대로 평가하게 될 수 있다. 인간의 말과 글을 의심의 눈으로 바라보게 된다는 것이다.

판사가 된 후 대학 때 은사이신 선생님을 찾아뵈었을 때, 선생님께서 "세상은 원래 탁한 연못과 같은 것이고 탁한 것이 꼭 나쁜 것이라고만 볼 수는 없다. 하지만 탁한 것만 고이면 썩게 되므로 그 속에 끊임없이 맑은 물을 흘려보내는 작은 옹달샘들이 있어야 한다."라고 말씀하셨던 기억이 난다. 아마도 선생님께서는 제자인 내가 그런 작은 옹달샘의 역할을 해야 한다고 말씀하시고 싶었던 것 같다. 말씀을 듣고 난 후 나는 내 머릿속에 20여 년간 쌓인 탁한 말과 글을 정화해 줄 옹달샘이 필요하겠다는 생각을 했다. 그리고 그때부터 도서관에 가서 법서가 아닌 수필, 소설, 시집을 손에서 떼지 않으려고 애를 써 왔다.

내 머리, 마음속에서 증오와 비난, 탐욕으로 물든 말과 글을 비워 내고 아름다움, 감동과 진실의 말과 글을 조금씩이라도 꾸준히 채울 수 있다면, 당사자들의 말과 글에서 놓치지 말아야 할 것들을 조금 더 보게 될 수 있지 않을까 싶다. 그렇다면 그들에 대한 공감의 폭은 더 넓어질 것이고, 약간의 운이 더해진다면 그 속에서 분쟁 해결의 실마리를 찾을 수도 있지 않을까 싶다.

얼마 전 재판에서 당사자가 제발 자신의 말을 두 시간만 들어 달라고 했던 기억이 난다. 시간 관계상 내가 속한 재판부는 30분간 발언할 기회를 주기로 하였다. 과연 두 시간 동안 할 말이 있을지, 재판부가 꼭 들어야 할 내용인지는 현재로는 알 수 없고, 시간이 연장될 수도 있다. 하지만 만약 두 시간 발언을 신청했다가 30분으로 시간이 제한된 당사자가 소송에서 패소하게 된다면, 그는 원인이 재판부가 자신의 이야기를 충분히 경청하지 않아서라고 생각할지도 모른다.

조금 더 여유 있게 당사자의 말과 글을 차분하고 꼼꼼하게 듣고 읽을 수 있다면, 더 좋은 결론이 나올 수 있고, 법원에 대한 당사자의 신뢰도 더 쌓이지 않을까.

출처 : 민형식 외, 『고등학교 언어와 매체』 (출제진 재구성)

[나] "너는 할아버지와 나와의 관계에 대해, 특히 내가 취하고 있는 입장에 대단히 불만이지?"

"그럴 것도 없습니다. 아버지의 할아버지에 대한 처지를 이해하면서도 그 논리를 그대로 저와 연결시키고 싶지도 않고, 그럴 필요도 없다고 생각하는 편이에요."

“기특하구나. 그러니까 너만이라도 할아버지에게 화해의 제스처를 보이겠다는 거냐 뭐냐. 지금까지의 네 행동을 보면 그런 추측을 가능케 하더라만.”

“그것도 맞지 않는 말이에요. 도대체 할아버지와 저와는 갈등이 있었어야 말이죠. 처음부터 갈등이 없었는데 화해의 제스처를 보이고 말고가 어디 있습니까. 할아버지와의 갈등이 있었다면, 그건 아버지의 몫이지 저와는 상관이 없는 겁니다. 오히려 전 세대끼리의 갈등이 다음 세대에서 쾌적한 만남으로 이어진다면, 그건 환영할 만한 일이고, 그게 또 역사의 의미 아니겠습니까?”

“뭐야. 이놈의 자식. 네가 나를 훈계하는 거얏!”

말이 떨어지기 무섭게, 아버지의 손바닥이 성규의 볼때기를 후려쳤다. 옆에 있던 어머니의 쇳소리가 그의 뺨에 달라붙었다.

“또박또박 말대답하는 것 좀 봐.”

“아버지의 마음을 모르는 게 아니에요. 그렇다고 아버지의 생각 속으로만 저를 챙겨 넣으려고 하지 마세요.”

성규는 얻어맞은 자리를 어루만지지도 않고, 되레 풀죽은 목소리가 되었다.

“네가 알긴 뭘 알아. 네가 내 속을 어떻게 알아.”

“그런 말씀은 이제 그만 좀 하셨으면 해요. 안팎에서 듣는 그 말에 물릴 지경이거든요. 너는 아직 모른다. 너도 내 나이가 되어 봐라……. 고깝게 듣지 마세요. 그때 가서 그 뜻을 알지언정, 지금부터 제 사고와 행동을 포기하고 싶지는 않습니다. 그런 뜻에서 제가 할아버지를 우리 모임에 초청한 사실을 후회하지 않을뿐더러, 옳았다고 생각합니다. 아버지가 할아버지를 심리적으로 격리시키려고 하고, 또 한편으로는 이해하려는 모순을 저도 이해합니다. 노상 이기적인 현실에의 집착이 그걸 누르는 데 대한, 어쩔 수 없는 생활인의 감각까지도 저는 알고 있습니다. 그러나 역설적이고 건방지게 들릴지 모르지만, 제 나이는 또 할아버지의 생애를 이해합니다. 북으로 상징되는 할아버지의 삶을 놓고, 아버지와 제가 감정적으로 갈라서는 걸 비극의 차원에서 파악할 것도 아니라고 봅니다. 할아버지가 자신의 광대 기질에 철저하여 가족을 버린 건 비난받아야 할 일이나, 예술의 이름으로는 용서받을 수 있습니다.”

“그래서? 할아버지가 나름대로의 예술을 완성했니?”

아버지의 입가에 냉소가 머물렀다.

“그건 인식하기 나름입니다. 다만 할아버지에게서 북을 뺏는 건 할아버지의 한(恨)을 배가시키고, 생의 마지막 의지를 짓밟는 것에 다름 아니라는 생각만은 갖고 있습니다.”

출처 : 한철우 외, 『고등학교 문학』

[다] 어른은 숫자를 좋아한다. 새로 사귄 친구 이야기를 할 때면 그들은 가장 긴요한 것은 물어보는 법이 없다.

“목소리는 어떠니? 좋아하는 놀이는 뭐니? 나비를 수집하니?”라는 말을 그들은 절대로 하지 않는다.
"나이는 몇이지? 형제는 몇이고? 체중은? 아버지 수입은 얼마니?"라고 묻는다. 그제야 친구가 어떤 사람인지 알게 된 줄로 생각할 것이다. 어른들에게 "창턱에는 제라늄 화분이 있고 지붕에는 비둘기가 있는 분홍빛의 벽돌집을 보았어요."라고 말하면 어떤 집인지 상상하지 못한다는 이야기다.
그들에게는 "10만 프랑짜리 집을 보았어요."라고 말해야만 한다. 그래야 "아, 참 좋은 집이구나!"하고 소리칠 것이다.
그래서 당신이 말하기를, "어린 왕자가 멋지고, 웃음기가 있고, 양을 가지고 싶어 했다는 사실이 그가 이 세상에 존재했다는 증거야. 어떤 이가 양을 갖고 싶어 한다면 그 역시 세상에 존재하고 있다는 증거지."라고 말하면 그들은 어깨를 으쓱하며 여러분을 어린아이로 취급할 것이다.

……(중략)……

그들을 탓해서는 안 된다. 어린이는 어른을 항상 너그럽게 대해야 하니까. 인생을 이해하는 사람은 숫자 따위에 아랑곳하지 않는다! 이 이야기를 동화처럼 시작하고 싶었다. 그래서 이렇게 말하고 싶었다.
"옛날에 저보다 좀 더 클까 말까 한 별에 사는 어린 왕자가 있었는데 그는 친구를 사귀고 싶었어요……."
인생을 이해하는 사람에겐 진정성이 훨씬 더 느껴질 것이다.
사람들이 이 책을 건성으로 읽는 것을 바라지 않기 때문이다. 추억을 꺼낼라치면 깊은 슬픔에 잠기곤 한다. 친구가 양과 함께 떠나가 버린 지도 어언 여섯 해가 지났다. 여기서 그를 묘사해보려고 애쓰는 이유는 그를 잊지 않기 위해서다. 친구를 잊는다는 것은 슬픈 일이니까. 누구나 친구를 사귈 수 있는 것은 아니다. 그를 잊으면 나 역시 숫자밖에는 흥미가 없는 어른과 같은 사람이 될지도 모른다.

출처 : 생텍쥐페리, 『어린 왕자』

[문제 2] [가]와 [나]를 활용하여 [다]를 설명하고, [가]와 [나] 각각의 관점에서 [라]에 대한 평가를 논술하시오. (600자 내외) (30점)

[가] 스토아학파는 소크라테스나 플라톤, 아리스토텔레스처럼 삶의 목적은 행복에 있고, 행복한 삶은 이성을 따르는 덕 있는 삶이라고 보았다. 하지만 이와 동시에 자연에 따르는 삶이 행복한 삶이라고 주장하였다.

스토아학파에 따르면, 이 세계는 질서 있는 하나의 전체이고, 신적인 이성(理性, logos)은 이 세계 안에서 일어나는 모든 일을 지배한다. 그래서 신, 우주, 자연, 인간과 같은 세계 안의 모든 것은 이성으로 연결되어 있고, 이성의 법칙을 통해 구체화된다. 또 세계 안의 모든 일은 이성의 인과 법칙에 따라 필연적으로 일어나며, 그것은 우리에게 운명으로 다가온다. 그 운명은 신적인 것이자 이성적인 것이며, 자연적이고 필연적인 것이다. 스토아학파는 신적인 이성의 법칙, 필연적인 자연의 법칙*에 따르는 삶을 행복한 삶이라고 보았다.

……(중략)……

스토아학파에 따르면, 우리를 둘러싼 외적인 것들은 이미 이성의 법칙에 따라 결정되어 있으므로, 우리의 의지대로 바꿀 수 없다. 그리고 쾌락, 아름다움, 부, 명예나 이와 반대되는 고통, 추함, 가난, 나쁜 평판 등은 모두 우리의 행복과 무관한 것이므로, 그것들에 우리의 마음이 좌우되지 말아야 한다고 보았다.

……(중략)……

스토아학파에 따르면, 행복은 오직 덕 있는 삶을 통해서만 누릴 수 있다. 그들은 지혜, 절제, 용기, 정의와 같은 덕이 유일한 선이요, 행복을 위한 필요충분조건이라고 보았다. 그러나 사람들은 선이나 덕, 행복과 무관한 것들에 마음을 빼앗겨 동요하게 되는데, 이는 정념이 이성을 가리기 때문이라고 하였다.

* 자연의 법칙(자연법) : 인간 본성에 기초하여 우주·자연이나 인간·사회를 지배하는 보편적이고 영구적인 정의(正義)의 법을 말한다. 실정법이나 역사적 제도를 비판하는 원리, 기준이 되는 경우가 많지만, 그 정당성을 제공하는 역할을 하기도 한다.

출처 : 류지한 외, 『고등학교 윤리와 사상』

스토아학파에 따르면, 인간은 모두 하나의 이성 법칙 아래 있으며 하나의 이성적 체제와 법률에 귀속된다. 이성은 신과 우주의 본성이자 인간의 본성이기 때문에 인간은 모두 평등하며 서로가 형제자매이다. 따라서 그들은 자기애를 넘어 가족, 친구, 동료 시민, 나아가 인류 전체를 포용하고 사랑하라고 명령한다. 그리고 자연법이 인간의 윤리적 삶의 근거가 되는 모든 세계, 모든 국가의 실정법의 근거가 되어야 한다.

출처 : 황인표 외, 『고등학교 윤리와 사상』

[나] 실용주의는 경험적이고 과학적인 방법을 바탕으로 문제 해결을 위한 유용한 지식을 강조하였다. 또한 인간이 살아가는 환경이 변화하면 지식과 도덕도 새롭게 정의되고 발전해야 한다고 주장하였다.

……(중략)……

듀이는 실용주의를 사회적·정치적·도덕적 영역에까지 확장하였다. 그에 따르면 인간은 환경과 상호작용 하는 과정에서 끊임없이 문제 상황에 직면한다. 이때 문제 상황을 해결하는 과정에서 습득한 경험이 축적되어 이론, 학문 등의 지식이 형성된다. 그는 진화론적 관점에서 이 지식을 인간이 환경에 적응하기 위한 수단, 즉 도구라고 보았다. 그리고 이러한 지식의 사상을 도구주의라고 불렀다.

도구주의 입장에서 듀이는 문제 상황에 대한 답을 얻기 위해서는 지성을 통한 탐구가 이루어져야 한다고 보았다. 여기서 말하는 지성은 근대 과학이 보여 준 실험적이며 실천적인 지적 태도를 일컫는다. 듀이는 지성적인 탐구를 통해 현재 상황에서 구체적으로 존재하는 문제가 무엇인지 밝히고 그것을 교정하려는 노력을 할 때, 문제 상황을 개선하고 사회의 성장과 진보를 가져올 수 있다고 보았다. 그리하여 그는 지성적인 방식의 문제 해결을 보장하는 정치 제도로서 민주주의를 강조하였으며, 창조적 지성을 갖춘 민주적 시민을 양성하는 것이 교육의 역할이라고 보았다.

또한 듀이는 도구주의적 관점에서 도덕이나 윤리도 고정된 것이 아니라 성장하고 변화하는 것이며, 인간도 같은 맥락에서 바라보아야 한다고 주장하였다.

……(중략)……

듀이에 따르면 어떠한 도덕적 가치나 지식은 유용한 결과가 예상되는 일종의 가설이므로 언제든지 수정되고 재구성될 수 있다. 따라서 불변하는 고정적 진리나 지식은 존재하지 않는다. 이런 맥락에서 그는 도덕적 인간도 고정 불변하는 최고선을 지닌 사람이 아니라, 도덕적으로 성장하는 과정에 있는 사람이며 도덕적 문제 상황에서 지성을 발휘하여 옳은 선택을 하려고 노력하는 사람이라고 보았다.

출처 : 정창우 외, 『고등학교 윤리와 사상』

[다] 신성불가침의 주권을 존중하고 개입하면 안 되는 것일까? 인권을 지키는 것은 국제 사회의 책임이니 강제로라도 개입해야 옳을까? 주권 보장과 개입의 문제는 해묵은 딜레마다. 무엇보다 국제 사회의 개입을 1648년 베스트팔렌조약 이후 확립된 국제 질서의 핵심, 곧 주권에 대한 침해로 여기는 거부감이 크다. 식민 지배를 당한 아프리카나 아시아 국가들의 거부감이 큰 것은 당연하다. 제2차 세계대전 뒤 평화와 안보를 위해 설립된 유엔도 주권을 강조한다. 유엔 헌장 제2조 제7항은 "본질적으로 개별 국가의 국내 사법권에 포함되는 문제에 유엔이 개입하도록 허용하지 않는다."고 밝히고 있다.

하지만 인권 유린, 기아, 내전 등으로 개입이 거론되는 상당수 국가는 정권 그 자체가 원인이다. 이 때문에 인권을 신성불가침한 주권에서 분리하고, 주권보다 우위에 두어야 한다는 주장이 커지고 있다. 2005년 9월에는 유엔에서 만장일치로 '보호책임(responsibility to protect)' 원칙이 채택되었다. "집단 학살, 전쟁범죄, 인종청소, 비인도적 범죄를 해당 국가가 명백히 보호하지 않을 경우" 국제 사회가 보호할 공동 책임을 명시하고 있다. 주권을 침해하는 '개입'이 아니라 인권을 지키는 국제 사회의 '책임'을 강조하고 있다.

출처 : 『한겨레』, 2008. 7. 2.

유엔 평화유지군은 냉전이 끝나면서 유엔의 핵심 기능으로 자리 잡았다. 1948년 이스라엘 건국을 둘러싼 중동 분쟁을 감시하는 임시 군사감시단으로 시작된 평화유지군은, 유엔 안전보장이사회가 동서 양 진영으로 분열돼 대립하던 냉전 시대에는 정전과 철군 감시 등 제한된 기능만 맡았다.
1990년대 냉전이 사라지자 평화유지활동에 봇물이 터졌다. 소수민족의 독립 움직임과 내전이 곳곳에서 벌어졌고, 대량 학살과 인종청소 등 비극을 막아내기 위해서 유엔은 적극적으로 개입했다. 활동 분야도 군사 부문을 넘어 인도주의 구호활동, 경제 개발, 정치·사법 영역까지 확대됐다. 사실상 유엔의 모든 활동은 평화유지활동과 직간접적으로 연결되어 있다.
캄보디아, 모잠비크, 시에라리온, 라이베리아, 콩고, 엘살바도르, 동티모르 등은 유엔이 평화를 유지하는 데 성과를 거둔 나라들이다. 동티모르에서는 독립 정부 수립을 지원했고, 모잠비크에서는 9만 명을 무장 해제시켰으며, 라이베리아에서는 내전과 군사독재 이후 자유 선거를 치를 환경을 만들어 주었다.

출처 : 『한겨레』, 2007. 1. 2.

[라] 1961년 5월 16일 박정희를 중심으로 한 일부 군인이 사회 혼란을 빌미로 군사 쿠데타를 일으켜 정권을 장악하였다. 이들은 국가 재건 최고 회의를 설치하여 군정을 실시하였다. 군사 정부는 정치 활동을 금지하고 비판적인 언론을 탄압하였으며 대통령 중심제로 헌법을 개정하여, 박정희가 제5대 대통령에 당선되었다. 제6대 대통령에 당선된 이후 박정희는 장기 집권을 위해 대통령의 3선을 허용하도록 헌법을 고치고 제7대 대통령이 되었다.
박정희 정부는 1972년 전국에 비상계엄을 선포하여, 국회를 해산하고 모든 정치 활동을 금지하였다. 그리고 유신 헌법을 제정하였는데, 이 헌법에서는 대통령 임기를 6년으로 하고, 횟수에 제한 없이 대통령이 될 수 있도록 규정하였다. 또한 대통령에게 국회 해산권, 국회의원 3분의 1 추천권, 긴급 조치권을 부여하였다.
긴급 조치권은 대통령의 행정 명령만으로 국민의 자유와 권리를 무제한 제약할 수 있는 초헌법적인 권한이다. 박정희 정부는 아홉 차례에 걸쳐 긴급 조치를 발동하였다. 특히 긴급 조치 제9호가 1975년부터 1979년까지 계속되면서 수많은 사람이 고문을 당하고 연인원 800여 명에 이르는 학생과 지식인이 구속되었다.
박정희 정부는 장면 정부의 경제 개발 계획을 수정하여 1962년부터 경제 개발 5개년 계획을 추진하였다. 제1차 경제 개발 5개년 계획은 공업화와 자립 경제를 구축하는 기초를 다지기 위해 수출 산업을 육성하고, 기간 산업과 사회 간접 자본을 확충하는 데 중점을 두었다. 제2차 경제 개발 5개년 계획은 산업 구조를 근대화하고 자립 경제를 확립하고자 경공업을 중심으로 수출 주도형 공업화 정책을 추진하였다. 또한 기초 산업의 개발과 철강·화학·기계 공업의 육성에도 관심을 기울이기 시작하였다.

1960년대에는 한·일 기본 조약을 체결하고 베트남에 군대를 파병함에 따라 인력 및 상품의 수출과 기업의 해외 진출이 더욱 활발해졌다. 같은 기간 수출이 늘면서 경제도 빠르게 성장하였다.

제3·4차 경제 개발 5개년 계획은 중화학 공업을 육성하고, 자력으로 성장할 산업 구조를 확립하는 데 목표를 두었다. 박정희 정부는 철강·금속·조선·기계·전자·화학 공업을 전략 업종으로 선정하고 집중적으로 지원하였다. 이에 따라 수출을 주도하는 품목이 경공업·가공 무역 제품에서 중화학 공업 제품으로 바뀌었다.

1973년 제1차 석유파동*이 일어났지만, 한국은 중동 건설에 적극적으로 참여하여 위기를 극복하였다. 그 결과 1977년 100억 달러 수출을 달성하였고, 중화학 공업의 비중이 공업 생산의 55%를 넘어섰다. 이로써 가난을 상징하는 보릿고개*가 사라지고 '한강의 기적'이라 일컫는 경제 발전을 이루어 냈다.

* 석유파동 : 1973~1974년, 1978~1979년 두 차례에 걸친 석유 공급 부족으로 석유 가격이 폭등하여 세계 경제가 큰 혼란과 어려움을 겪은 사건.
* 보릿고개 : 식량이 떨어져 햇보리가 나올 때까지 생활이 몹시 힘든 기간.

출처 : 신주백 외, 『고등학교 한국사』 (출제진 재구성)

[문제 3] [가]를 활용하여, [나]와 [다]를 연관 지어 설명하고 [라]를 해결하기 위한 방안을 서술하시오. (600자 내외) (40점)

[가] 누구나 갈등이 없는 평화로운 삶을 살아가기를 꿈꿀 것이다. 하지만 다른 사람들과 함께 살아가야 하는 인간의 삶에서 갈등은 불가피한 것이다. 작게는 개인과 개인 간 갈등에서부터, 크게는 국제적인 갈등에 이르기까지 다양한 갈등이 우리의 삶 속에 존재한다.

그렇다면 갈등은 왜 발생하는 것일까? 대개의 경우 무한한 인간의 욕망에 비해 이를 충족시켜 줄 수 있는 자원이나 기회가 제한되어, 서로 다른 이해관계가 충돌하기 때문이다. 그 외에도 추구하는 가치관이나 신념의 차이 등으로 인해 현대 사회에서 갈등의 양상이 개인적 차원을 넘어 사회 갈등으로 심화되고 있다.

사회 갈등이 빈발하는 것은 정치적, 사회·경제적, 문화적 변화와 밀접한 관련이 있다. 정치적으로는 권위주의 체제가 종식되었고, 시민 사회의 자율성이 확대되면서 집단적으로 다양한 이익이 표출되기 때문이다. 또한 경제적으로는 자본주의적 생산 양식과 생활 방식 속에서 양극화와 경쟁의 심화가 갈등의 원인이 되기도 한다.

현대 사회에 당면한 사회 갈등을 어떻게 해결해야 할까? 갈등의 근본적 원인이 서로 다른 이해관계의 충돌에 있으므로 다양한 법적, 정치적, 경제적 해결책을 통해 이를 평화적으로 조정해야 할 것이다. 그러나 더 근본적인 해결을 위해서는 윤리적 노력이 선행되어야 한다. 즉 개인적 측면에서는 다원주의 사회에서 다양성의 가치를 이해하고 대화하려는 태도를 가져야 한다. 다음 사회적 측면에서는 다양한 이해 집단 간 대화와 타협, 협상과 합의를 통해 문제를 해결할 수 있는 합리적인 절차를 마련하고, 이를 공정하게 운영하여야 한다.

사회 갈등이 해결되고 사회 통합으로 나아가면 어떤 긍정적인 결과를 얻을 수 있을까? 갈등으로 인한 사회적 비용은 절감되며, 서로 신뢰하고 상생하는 사회적 자본이 형성될 수 있다. 이러한 사회적 자본의 형성은 사회 구성원 간의 신뢰와 소통에 기반을 둔 시민 의식의 발달을 통해 공동체 의식을 함양하는 데 기여할 것이다.

출처 : 차우규 외, 『고등학교 생활과 윤리』 (출제진 재구성)

[나]

◆ 세대 구분 및 연대별 주요 사건

구분	전통 세대	베이비붐 세대	X세대	밀레니얼 세대	Z세대
출생 연도	1940~1954년	1955~1964년	1965~1979년	1980~2000년	2001~2010년

세대	시기	삶에 영향을 미친 주요 사건
전통 세대	~1959년	- 1945년 해방, 미 군정 실시 - 1950년 한국전쟁
전통 세대 / 베이비붐 세대	1960년대	- 1960년 3、15 부정선거, 4、19 혁명, 5、16 군사 정변 - 1962~1969년 경제개발계획
베이비붐 세대	1970년대	- 1970년 새마을운동 - 1972년 유신 체제

X세대	1980년대	- 1980년 5、18 민주화운동, 전두환 정권 출범 - 1989년 해외여행 자유화(1/1), 베를린 장벽 붕괴
	1990년대	- 1991년 소련 붕괴(냉전 종식, 12/25) - 1994년 인터넷 도입(6/2), 김일성 사망(7/8), 성수대교 붕괴(10/21) - 1995년 삼풍백화점 붕괴(6/9), 1997년 외환 위기, 1999년 제1연평해전 (6/16)
밀레니얼 세대 / Z세대	2000년~	- 2002년 한일 월드컵, 제2연평해전(6/29), 2007년 아이폰 출시(6/29) - 2008년 금융 위기(저성장 국면 시작), 2009년 스마트폰 도입(11/28) - 2010년 천안함 침몰/연평도 포격, 2014년 세월호 침몰 사건(4/16) - 2020년 코로나19 팬데믹

◆ 과학기술 발전

세대	시기	성과	특징
전통 세대	~1959년	공병우 타자기 개발	기계화 (1차 산업혁명)
베이비붐 세대	1960년대	배추 품종 개발, 나일론 생산기술, 화학비료 생산기술 개발	대량생산 (2차 산업혁명)
	1970년대	국산차 포니, 통일벼 개발	
X세대	1980년대	전자식 전화교환기 TDX-1 상용화, 한탄바이러스 백신, DRAM 메모리 반도체 개발	지식정보 (3차 산업혁명)
	1990년대	우리별 인공위성 제작, 코드분할다중접속(CDMA) 기술 상용화, 한국형 표준 원전 설계기술 확보	
밀레니얼 세대 / Z세대	2000년~	글로벌 신약 팩티브, 인간형 휴머노이드(휴보), 초음속 고등훈련기(T-50) 개발	4차 산업혁명*

* 4차 산업혁명 : 인공지능, 빅테이터 등 디지털 기술로 촉발되는 초연결 기반의 지능화 혁명.

출처 : 허두영, 『세대 분석 사전』(출제진 재구성)

기존의 사회가 2차 산업 중심의 산업 사회였다면, 정보 사회에서는 서비스업, 첨단 산업 등의 3차 산업이 크게 성장하게 된다. 따라서 부가 가치의 원천 역시 산업 사회의 자본에서 지식 및 정보로 이동하게 되며 지식과 정보를 다루는 직업의 중요성이 증대된다.

또한 정보 사회의 변동 속도가 빠른 만큼 외부의 환경 변화에 유연하게 적응하기 위해 기존의 관료제 조직에서는 탈관료제화 현상이 나타나게 되고, 생산 방식 역시 소품종 대량 생산 방식에서 벗어나 다품종 소량 생산 방식을 추구하게 된다. 이는 과거에 비해 개성을 중시하는 사회 구성원들의 욕구 충족에 기여한다.

한편 텔레비전이나 신문과 같은 일방향적 매체에서 벗어나 인터넷과 같은 쌍방향적 매체가 발달하게 되고, 이를 통해 사회 구성원들은 더욱 긴밀하게 의사소통을 할 수 있게 되었다. 인터넷의 발달은 재택근무처럼 시공간의 제약으로부터 벗어날 수 있게 해 줌으로써 우리 삶을 크게 바꾸어 놓기도 한다.

출처 : 김영순 외, 『고등학교 사회·문화』

◆ 연령에 따른 디지털 역량의 차이

(단위: 점, %)

구분		점수(100점 환산)		고령층
		전체(a)	고령층(b)	수준*(b/a*100)
디지털 기술 사용 능력	기기 이용	64	43	67
	서비스 이용	65	45	69
디지털 정보 이해도	비판적 정보 이해	60	48	80
	미디어 이해	67	58	87

* 고령층 수준 : 전체 시민의 수준을 100으로 할 때, 전체 시민 대비 고령층(65세 이상)의 역량 수준.

출처 : 『경향신문』, 2022. 5. 16.

◆ 세대원수별 세대수

(단위: 천 세대)

연도	2012	2013	2014	2015	2016	2017	2018	2019	2020	2021
1인세대	6,737	6,878	7,050	7,243	7,447	7,725	8,086	8,489	9,063	9,462
2인세대	4,022	4,158	4,298	4,434	4,569	4,735	4,929	5,129	5,404	5,614
3인세대	3,749	3,795	3,840	3,886	3,927	3,959	3,984	4,006	4,012	3,999
4인세대 이상	5,704	5,625	5,537	5,448	5,351	5,213	5,044	4,858	4,614	4,399

출처 : 행정안전부, 『행정안전통계연보』(출제진 재구성)

[다]

◆ 세대별 주관적 정치 성향 인식

(단위: %)

정치 성향	40년대생	50년대생	60년대생	70년대생	80년대생	90년대생	전체평균
진보*	16	15	25	34	33	23	25
중도*	35	45	43	40	38	42	41
보수*	49	40	32	26	30	35	34

* 진보 : 전통적인 것에 안주하거나 만족하지 않고 좀 더 나은 미래를 위해 사회적·정치적 변화나 발전을 추구하는 성향.
* 중도 : 진보와 보수의 중간 정도의 성향.
* 보수 : 새로운 것이나 변화를 적극적으로 수용하기보다는 재래의 풍습이나 전통적인 것을 선호하며 지키려고 하는 성향.

출처 : 배진석, 『EAI 대선 패널 조사』

◆ 연령에 따른 결혼에 대한 견해 차이

(단위: %)

구분	10대	20대	30대	40대	50대	60대 이상
반드시 해야 한다	3.5	9.4	10.5	11.0	15.4	34.4
하는 것이 좋다	26.7	29.2	30.0	36.2	40.4	38.3
해도 좋고, 하지 않아도 좋다	56.6	48.2	50.3	46.6	39.2	22.3
하지 않는 것이 좋다	3.6	5.3	3.9	3.2	1.6	2.6
하지 말아야 한다	1.0	1.2	1.4	0.6	0.5	0.2
잘 모르겠다	8.6	6.7	3.8	2.5	2.9	2.3

출처 : 『충남일보』, 2022. 9. 28.

◆ 세대 간 소통 인식

(단위: %)

구분		전혀 이루어지지 않고 있다	별로 이루어지지 않고 있다	이루어지고 있다		
				약간	매우 잘	소계
전체		10	46	38	6	44
성별	남성	12	52	33	3	37
	여성	10	50	34	4	39
연령별	30대 미만	15	52	30	2	33
	30대	11	52	32	4	36
	40대	9	48	38	5	43
	50대	10	52	33	4	37
	60대	9	52	34	5	39

출처 : 한국갤럽조사연구소, 『2017 사회통합실태조사』

[라] 40대 초반 직장맘 최승희(가명, 이하 모두 가명) 씨는 60대 초반 엄마와 이틀에 한 번꼴로 모녀 전쟁을 한다. 레퍼토리는 엇비슷하다. 최 씨는 "이젠 제발 내 맘대로 하게 내버려 두세요."라고 호소하고, 엄마는 "내가 널 어떻게 키웠는데, 넌 엄마 말만 들으면 돼."라고 응수한다. 바쁜 딸을 대신해 엄마는 모든 집안일과 초등학생 두 손주의 숙제는 물론 방과후 학원까지 챙긴다. 사사건건 엄마의 간섭을 받는 최 씨의 스트레스는 몸의 징후로도 나타났다. 만성두통과 소화불량을 안고 산다.

중2 김민준 군은 하교 전 아빠의 퇴근 시간을 체크한다. 어쩌다 아빠가 일찍 퇴근한 날이면 아빠를 피해 집이 아닌 독서실로 하교한다. 이런 날은 엄마가 독서실로 아들의 저녁 도시락을 배달한다. 아빠와 아들이 부딪치지 않기 위한 고육지책이다. 둘은 한 공간에만 있으면 어김없이 싸운다. 김 군은 "내 인생은 내 것이니 자유를 달라."고 울부짖고, 틀이 강한 아빠는 "내가 너보다 인생을 많이 살았으니 내가 시키는 대로만 하면 실패 안 해."라며 호통친다. 김 군은 "왜 이런 집에 태어났는지 원망스럽다."며 "죽고 싶다."는 말을 입에 달고 산다.

80대 후반 시아버지와 50대 중반 며느리 한지영 씨는 한 지붕 아래에서 눈도 안 마주치고 지낸다. 유교적 가풍을 중시하고 법도를 따지는 시아버지는 한 씨의 행동 하나하나가 맘에 들지 않는다. 밥상에서 자신이 먼저 일어나기 전에는 아무도 일어나서도 안 되고, 며칠 나갔다 오면 큰절로 맞이하는 것이 예의라고 생각하건만 며느리는 따르지 않는다. "요즘 세상에 누가 그러고 사나요?"라며 따박따박 따지던 며느리는 침묵을 택했다. 둘 사이의 대화가 단절된 지는 오래다. 꼭 필요한 말이 있으면 한 씨의 남편인 아들이 전달자 역할을 한다.

출처 : 『주간조선』, 2018. 4. 6.

지난 12월 18대 대선을 계기로 세대 갈등이 첨예하게 부각됐다. 세대 간 지지 후보가 크게 달라지면서, 세대 간에 정치적 견해 차이가 단순한 차이를 넘어선 갈등으로 부각된 것이다. 더구나 인터넷에서 공공 교통 노인 무료 승차 제도에 대한 반대 여론이 일어, 노인 세대에 대한 젊은 세대의 반감은 공공연한 현실이 됐다. 장유유서라는 유교적 사회윤리는 더 이상 찾아보기 힘들고, 세대 간 반목과 갈등은 눈앞에 보이는 사회갈등의 한 축으로 자리잡게 됐다.

출처 : 『나라경제』, 2013. 2.

정년이 60세로 연장되면 청년 일자리는 더 부족해질 게 분명하다. 이대로 가면 노사 간, 계층 간 갈등을 넘어 세대 간 투쟁으로 비화될 가능성이 크다. "내는 그리 생각한다. 힘든 세월에 태어나가 이 힘든 세상 풍파를 우리 자식이 아니라 우리가 겪은 기 참 다행이라꼬." 많은 젊은이가 영화 「국제시장」 주인공 덕수의 독백에 눈시울이 뜨거워졌을 것이다. 하지만 "회사가 전쟁터면 밖은 지옥이다."는 드라마 「미생(未生)」의 대사에 더 공감을 나타낸다. 젊은이들에겐 할아버지 세대의 노고에 대한 감상보다는 여전히 풍파 속에 있는 현실이 훨씬 더 절박하기 때문이다. 청년들은 미생이라도 취업하고 싶고, 완생(完生)을 꿈꾸기보다 직장에서 잘려 '사석(死石)'이 되지 않기만을 바랄 뿐이다.

출처 : 『중앙일보』, 2015. 1. 5.

다음은 김 부장(50세)과 신입 사원인 박 사원(25세)이 점심시간에 나눈 대화다.

김 부장 : 우리 박 사원은 주말에 뭘 했나?
박 사원 : 집에서 쉬었습니다.
김 부장 : 날씨 좋던데……. 집에만 있었어? 남자 친구랑 싸웠나?
박 사원 : 남자 친구 없는데요…….
김 부장 : 뭐야, 나이가 몇인데 남자 친구가 없어?
박 사원 : 네?
김 부장 : 뭐 문제 있는거 아냐?
박 사원 : 네에?!

젊은 세대들 사이에서는 '알잘딱깔센'이라는 말이 유행하고 있다. 이는 '알아서, 잘, 딱, 깔끔하고, 센스 있게'의 줄임말이다. 인간 관계에서 거리를 지키고 싶은 젊은 세대들은 서로의 생활이나 업무에 방해되지 않도록 적당한 선을 지키자는 의미에서 이 말을 자주 사용한다. 일과 사생활을 엄연히 분리하고 싶은 생각에서다. 선배 직장인이 자신의 사생활에 대해 간섭한다고 느끼면 불쾌감을 드러내는 것을 서슴지 않는다. 박 사원이 화를 낸 이유는 김 부장이 자신의 사생활에 지나치게 간섭했기 때문이다.

소통이 어려운 건 사실 선배 직장인들도 마찬가지다. '원 팀' 또는 '가족같은' 분위기에 적응했던 윗세대들에게 Z세대 신입 사원의 등장은 위협적이다. 근무 시간이 끝나면 주저 없이 퇴근하는 Z세대의 모습은 지나치게 개인적으로 느껴지기도 한다. 김 부장이 원했던 것은 박 사원과 친해질 수 있는 대화였다. 어색한 분위기를 풀고 싶었던 김 부장은 자신도 모르게 선을 넘었다.

이러한 경험을 한 사람들이 우리 주변에 꽤 많다.

출처 : 『독서신문』, 2021. 10. 29.

논술답안지

※감독자 확인란

모집단위

성 명

수 험 번 호

생년월일 (예 : 050512)

【유의사항】
1. 답안 작성 시 문제번호와 답안번호가 일치하도록 알맞은 칸에 작성하여야 한다.
2. 답안 작성 시 필요한 경우에 수식 및 그림을 사용할 수 있다.
3. 필기구는 반드시 검은색 필기구만을 사용하여야 한다. (검은색 이외의 필기구로 작성한 답안은 모두 최하점으로 처리함)
4. 문제와 관계없는 불필요한 내용이나, 자신의 신분을 드러내는 내용이 있는 답안 및 낙서 또는 표식이 있는 답안은 모두 최하점으로 처리한다.
5. 답안은 반드시 정해진 답안작성란 안에만 작성하여야 한다. (답안작성란 밖에 작성된 내용은 채점 대상에서 제외함)

1번 (1) 답안 **(반드시 해당 문제와 일치 하여야 함)**

40

80

120

160

200

240

이 줄 아래에 답안을 작성하거나 낙서할 경우 판독이 불가능하여 채점 불가

1번 (2) 답안 **(반드시 해당 문제와 일치 하여야 함)**

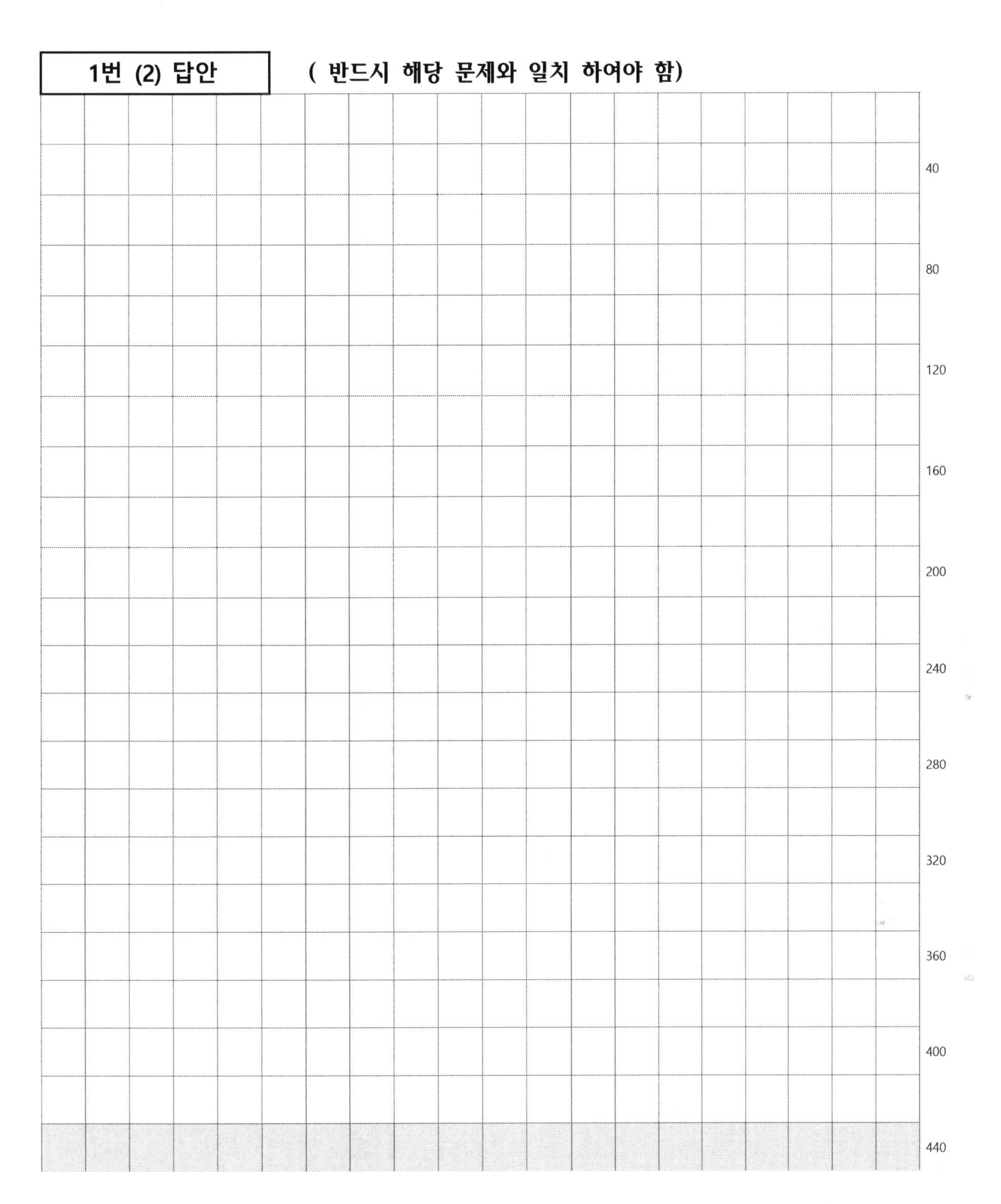

이 줄 아래에 답안을 작성하거나 낙서할 경우 판독이 불가능하여 채점 불가

2번 답안 **(반드시 해당 문제와 일치 하여야 함)**

40
80
120
160
200
240
280
320
360
400
440
480
520
580
620
660

3번 답안 (반드시 해당 문제와 일치 하여야 함)

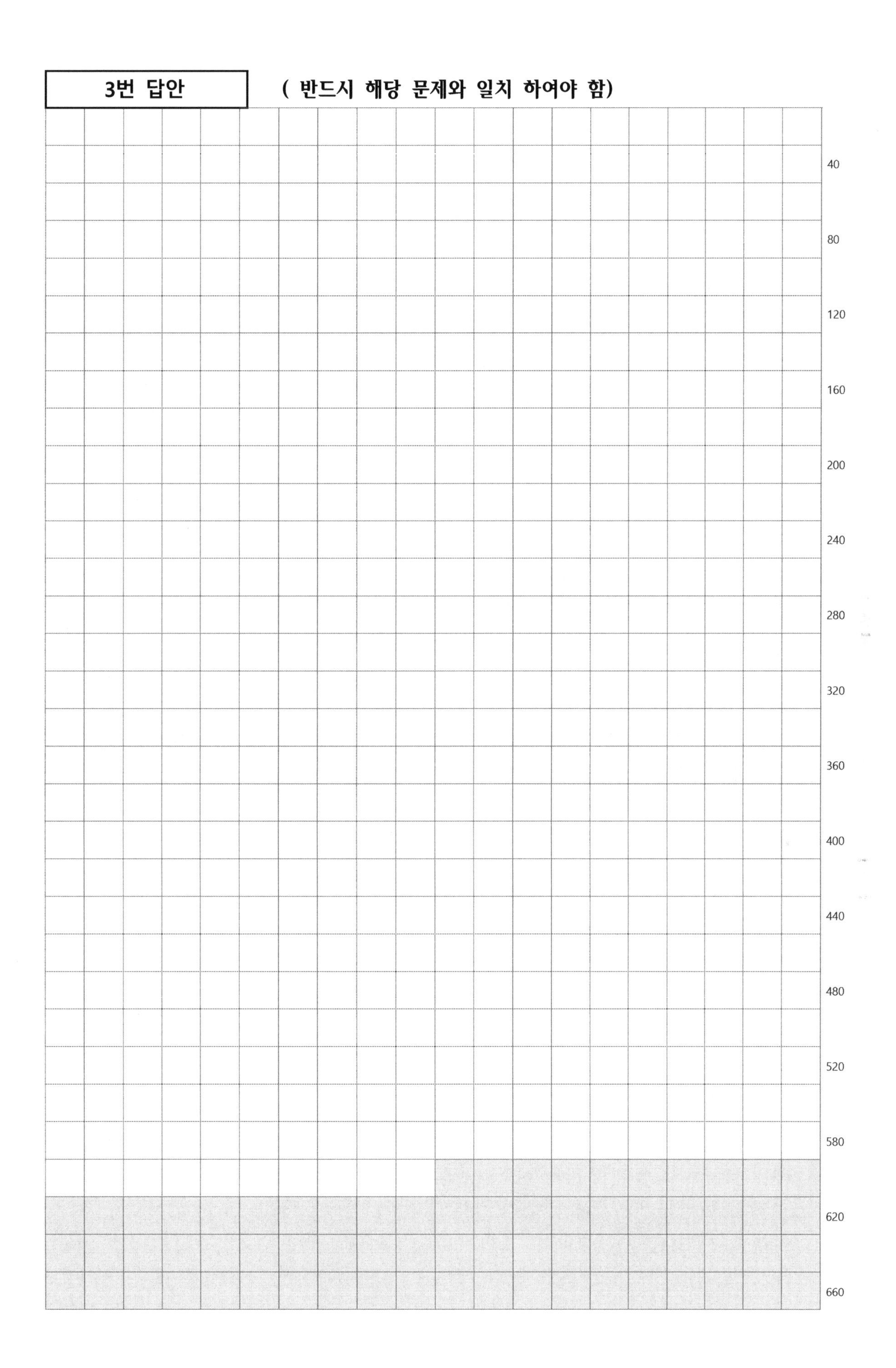

6. 2023학년도 단국대 모의 논술

[문제 1] 다음 제시문을 읽고 주어진 물음에 답하시오. (30점)

1) [가]에서 주제를 나타내는 단어 하나를 찾고, 그 단어를 이용하여 [가]의 내용을 요약하시오. (200자 내외) (10점)

2) [가]에서 찾은 단어를 이용하여 [나]를 요약하고 [다]를 설명하시오. (400자 내외) (20점)

[가] 배턴을 든 오케스트라의 지휘자는 찬란한 존재다. 그러나 토스카니니 같은 지휘자 밑에서 플루트를 분다는 것은 또 얼마나 영광스러운 일인가. 다 지휘자가 될 수는 없는 것이다. 다 콘서트 마스터가 될 수도 없는 것이다. 오케스트라와 같이 조화를 목적으로 하는 조직체에서 각자의 맡은 바 기능이 전체 효과에 종합적으로 나타난다는 것은 의의 깊은 일이다. 서로 없어서는 안 된다는 신뢰감이 거기에 있고, 칭찬이거나 혹평이거나 내가 아니요 우리가 받는다는 것은 마음 든든한 일이다.

자기의 악기가 연주하는 부분이 얼마 아니 된다 하더라도, 그리고 독주하는 부분이 없다 하더라도 그리 서운할 것은 없다. 남의 파트가 연주되는 동안 기다리고 있는 것도 무음(無音)의 연주를 하고 있는 것이다.

베이스볼 팀의 외야수(外野手)*와 같이 무대 뒤에 서 있는 콘트라베이스를 나는 좋아한다. 베토벤 교향곡 제5번 '스케르초(scherzo)'*의 악장 속에 있는 트리오 섹션에는 둔한 콘트라베이스를 쩔쩔매게 하는 빠른 대목이 있다. 나는 이런 유머를 즐길 수 있는 베이스 연주자를 부러워한다.

「전원 교향악」 제3악장에는 농부의 춤과 아마추어 오케스트라가 나오는 장면이 묘사되어 있다. 서투른 바순이 제때 나오지 못하고 뒤늦게야 따라 나오는 대목이 몇 번 있다. 이 우스운 음절을 연주할 때의 바순 연주자의 마음을 나는 안다. 팀파니스트가 되는 것도 좋다. 하이든 교향곡 94번의 서두가 연주되는 동안은 카운터 뒤에 있는 약방 주인같이 서 있다가, 청중이 경악(驚愕)하도록 갑자기 북을 두들기는 순간이 오면 그 얼마나 신이 나겠는가?

* 외야수(外野手) : 야구에서 외야를 지키는 우익수·좌익수·중견수를 통틀어 이르는 말.
* 스케르초(scherzo) : 베토벤이 미뉴에트 대신 소나타, 교향곡 등의 제3악장에 채용한 3박자의 쾌활한 곡.

출처 : 이삼형 외, 『고등학교 국어』 (출제진 재구성)

[나] 파리 리옹역 동북쪽 바스티유 광장에서 동쪽으로 이어지는 도메닐 거리에 '예술의 다리'라 불리는 비아뒤크 데 자르가 있다. 고급 상가들이 들어선 멋진 예술의 거리로 유명한 이곳도 원래는 고가 철도의 폐선 부지였다. 1970년대에 철도 운행이 중단되어 폐허처럼 남겨진 이곳에 대해 개발 논의가 시작된 것은 1980년대부터였다. 파리시와 지역 주민이 개발 방향에 대해 오랫동안 논의를 거듭한 끝에 1990년 파리시 의회는 비아뒤크의 재개발 결정을 내리게 된다. 중세 시대 때부터 다양한 공예품을 제조하던 이 지역의 역사성을 살려 기존 구조물을 최대한

보존한 채 예술의 거리로 탈바꿈하자고 의견이 모였다. 그 결과 1995년에 공사를 시작하여 약 1년 만에 비아뒤크 데 자르의 재탄생이 이루어졌다.

1킬로미터에 달하는 상부 철길은 나무와 꽃이 우거진 산책로로 바뀌었고, 철길 하부 10미터 높이의 아치형 공간은 고급 상가로 개조되었다. 고급 상가에서는 미술품, 패션, 전시 기획, 조명 기구, 자수, 무대 장치, 귀금속, 유리 공예, 고급 가구, 디자인 용품 등을 판매하거나, 전위적이고 실험적인 작품들을 전시하여 지나가는 사람들의 눈길을 사로잡았다. 낡은 건물이나 시설, 장소를 싹 쓸어내고 전혀 새로운 모습으로 바꾸어 버리는 재건축·재개발과 달리, 기존의 구조물을 거의 그대로 둔 채 조금씩 덧붙이거나 고치고 다듬어 생명력이 넘치는 새로운 공간으로 재탄생시킨 것이다.

중국 베이징에 가면 초고층 빌딩 사이사이 아주 오래된 가게들을 볼 수 있다. 어른을 존중하고 공경해야 하는 것처럼 오래된 건물과 가게도 그 가치를 인정하고 경의를 표하는 것은 어쩌면 너무나 당연하다. 그것이 예의이고 도리일 테니까. 그런 맥락에서 중국인들은 예부터 오래된 가게를 존중해 왔다. 베이징시와 중국 정부는 100년 이상 된 가게에 '라오쯔하오'*라는 명패를 달아 준다. 이 명패가 걸린 식당에 들어가 식사를 하면 '내가 지금 100년 된 가게에서 밥을 먹는구나!' 하는 자부심을 느끼게 된다.

* 라오쯔하오 : 노포(老鋪). 대대로 내려오는 전통 있는 가게라는 뜻의 중국어.

출처 : 고형진 외, 『고등학교 독서』(출제진 재구성)

[다] "천지간 생물 중에 오직 사람이 귀합니다. 저 금수(禽獸)나 초목(草木)은 지혜도 깨달음도 없으며, 예법도 의리도 없습니다. 사람이 금수보다 귀하고 초목이 금수보다 천한 것입니다."

실옹(實翁)은 고개를 젖히고 웃으면서 말하기를,

"너는 진실로 사람이로군. 오륜(五倫)*과 오사(五事)*는 사람의 예의(禮義)이고, 떼를 지어 다니면서 서로 불러 먹이는 것은 금수의 예의이며, 떨기로 나서 무성한 것은 초목의 예의이다. 사람으로서 만물(萬物)을 보면 사람이 귀하고 만물이 천하지만 만물로서 사람을 보면 만물이 귀하고 사람이 천하다. 하늘이 보면 사람이나 만물이 마찬가지다. 대저 만물은 지혜가 없는 까닭에 거짓이 없고 깨달음이 없는 까닭에 하는 짓도 없다. 그렇다면 만물이 사람보다 훨씬 귀하다. 또 봉황(鳳凰)은 높이 천 길을 날고 용(龍)은 날아서 하늘에 있으며, 시초(蓍草)*와 울금초(鬱金草)*는 신(神)을 통하고, 소나무와 잣나무는 재목으로 쓰인다. 사람의 부류와 견주어 어느 것이 귀하고 어느 것이 천하냐? 대개 대도(大道)를 해치는 것으론 자랑하는 마음보다 더 심한 것이 없다. 사람이 사람을 귀하게 여기고 만물을 천하게 여김은 자랑하는 마음의 근본이다."

"봉황이 날고 용이 난다 하지만 금수에서 벗어나지 못하고, 시초와 울금초와 소나무와 잣나무는 초목에서 벗어날 수 없습니다. 또 그들은 백성에게 혜택을 입힐인(仁)이 없고, 세상을 다스릴 지(知)가 없으며, 복식 · 의장의 제도와 예악(禮樂)·병형(兵刑)의 정사(政事)도 없거늘, 어찌하여 사람과 마찬가지라 할 수 있습니까?"

"너의 미혹(迷惑)*이 너무도 심하구나. 물고기를 놀라게 하지 않음은 백성을 위한 용의 혜택이며, 참새를 겁나게 하지 않음은 봉황의 세상 다스림이다. 다섯 가지 채색 구름은 용의 의장이요, 온몸에 두른 문채는 봉황의 복식이며, 바람과 우레가 떨치는 것은 용의 병형이고, 높은 언덕에서 화(和)한 울음을 우는 것은 봉황의 예악이다. 시초와 울금초는 종묘 제사[廟社]에서 귀하게 쓰이며, 소나무와 잣나무는 동량(棟樑)*의 귀중한 재목이다. 이러므로 옛사람이 백성에게 혜택을 입히고 세상을 다스림에는 만물에 도움 받지 않음이 없었다. 대체로 군신(君臣) 간의 의리는 벌[蜂]에게서, 병진(兵陣)의 법은 개미[蟻]에게서, 예절(禮節)의 제도는 박쥐[拱鼠]에게서, 그물 치는 법은 거미[蜘蛛]에게서 각각 취해 온 것이다. 그런 까닭에 '성인(聖人)은 만물을 스승으로 삼는다.' 하였다. 그런데 너는 어찌해서 하늘의 입장에서 만물을 보지 않고 오히려 사람의 입장에서 만물을 보느냐?"

이에 허자(虛子)가 크게 깨달았다.

* 오륜(五倫) : 사람이 지켜야 할 다섯 가지 도리.
* 오사(五事) : 외모는 공손해야 하고, 말은 조리 있어야 하며, 보는 것은 밝아야 하고, 듣는 것은 분명해야 하며, 생각하는 것은 지혜로워야 한다는 것.
* 시초(蓍草) : 톱풀.
* 울금초(鬱金草) : 울금, 강황.
* 미혹(迷惑) : 정신이 헷갈리어 갈팡질팡 헤맴.
* 동량(棟樑) : 마룻대와 들보를 아울러 이르는 말.

출처 : 홍대용, 「의산문답(毉山問答)」

[문제 2] 다음의 제시문을 읽고 [가]를 활용하여 [나]와 [다]를 설명하고, [나]와 [다] 각각의 관점에 따라 [라]에 대해 논술하시오. (600자 내외) (30점)

[가] 인간은 아름다움의 가치를 추구하며, 심미적 즐거움으로 삶을 더욱 의미 있고 풍요롭게 만들고 싶어 한다. 이에 인간은 미적 가치를 담고 있는 작품을 창작하고 감상하는 활동을 하면서 살아가는데, 이와 같은 활동을 예술이라고 한다. 그렇다면 예술은 인간의 삶 속에서 어떤 의미가 있을까?

먼저, 예술은 도덕적 감수성을 풍부하게 한다. 도덕적 감수성은 도덕적 문제에 민감하게 반응하고 사고하는 능력으로, 공감 능력의 바탕이 된다. 예술 활동은 정제되지 못한 감정과 욕구를 정화하여 자신의 감정을 돌아볼 수 있게 하며, 타인의 감정과 정서에 민감하게 반응하도록 공감 능력을 키워 줄 수 있다.

또한, 예술은 삶을 통찰할 수 있게 한다. 예술은 자신의 삶과 자신을 둘러싼 세계에 대한 미적 표현이므로 삶과 세상의 의미를 발견하게 한다.

마지막으로, 예술은 인간과 사회가 변화하는 계기를 마련해 준다. 예술의 자유로운 표현 기법은 다양성의 토대가 되며 새로운 문화적 흐름을 불러온다.

출처 : 정탁준 외, 『고등학교 생활과 윤리』

예술은 창작자와 관람자 사이의 상호 작용과 소통을 전제로 한다. 예술가는 예술 작품을 통해 관람자에게 영향을 미치고, 관람자는 예술 작품을 감상하면서 창작자와 소통한다. 그래서 우리는 예술과 윤리의 관계에 대해 생각해 볼 필요가 있다. 먼저 예술 작품이 관람자에게 미치는 영향을 볼 때 미적 가치[美]와 도덕적 가치[善]가 서로 독립적이라고 보기 어렵고, 나아가 미적 가치는 도덕적 가치를 실현하는 데 기여할 때 의미가 있다는 도덕주의 입장이 있다. 반면, 미적 가치와 도덕적 가치를 독립된 영역으로 보아야 한다는 예술 지상주의 입장이 있다.

출처 : 김국현 외, 『고등학교 생활과 윤리』

[나] 예술은 언어와 마찬가지로 인간의 감정을 소통시키는 한 수단이며 따라서 진보, 즉 인류가 완성을 향해서 전진하는 한 수단이다. 언어는 지금 생존해 있는 현대인들 중에서도 가장 최근의 사람들로 하여금, 전세대와 동세대의 선구자들이 경험과 사색으로 알아낸 일들을 모조리 알 수 있도록 해준다. 예술도 또한 지금 살아 있는 최근 시대 사람들에게 옛날 사람들이 경험한 감정이나 현재의 뛰어난 선구자들이 경험하고 있는 감정을 모조리 경험시켜 주는 것이다. 그리고 지식이 진보하여 보다 진실하고 필요한 지식이 그릇되거나 불필요한 지식을 추방하여 이에 대치되는 진실한 것과 필요한 지식으로 바꾸는 것처럼, 예술에 의한 감정의 발달도 저급하고 불량하며 또 사람들의 행복에 불필요한 감정을 보다 선량하고 이 행복에 보다 필요한 감정으로 추방한다. 여기에 예술의 목적이 있다. 따라서 내용면에서 볼 때, 예술은 이 임무를 다하면 다할수록 점점 좋은 것이 되고, 그렇지 않으면 않을수록 점점 나쁜 것이 된다.

출처 : 톨스토이, 『예술이란 무엇인가』

[다] 19세기 철학자이자 미학자인 니체가 말한 삶은 생생하게 작동하는 현실의 삶이다. 그는 '인간의 삶이 무엇으로 설명될 수 있는가'라는 근본적인 물음을 던지고, 철학, 윤리, 종교 등은 삶을 설명하지 못한다고 말했다. 그에 따르면, 철학은 진리를 내세워 개념의 껍질에 인간을 가두어 버리고, 윤리는 당위를 통해 마치 모든 문제가 해결될 것처럼 현실의 삶을 포장하며, 종교는 인간이 현실의 문제를 회피하고 현실 너머의 문제에 집착하게 한다. 그는 이러한 비판적 의식을 바탕으로 오직 미학, 즉 예술을 통해서만 인간의 삶이 정당화될 수 있다고 말한다. 이것이 니체 초기 미학의 핵심 주제인 '예술가-형이상학'이다.

니체는 '예술가-형이상학'과 관련하여 인간의 삶을 이해하는 데 중요하면서도 근원적인 예술 충동으로 아폴론*적인 것과 디오니소스*적인 것을 제시했다. 아폴론적 예술 충동은 형상과 형태를 만들고 기준이나 틀을 규정하고 인식하는 것이다. 이 충동에 의해 인간은 하나의 개체를 다른 개체와 구별되게 만들어 주는 '개별화의 원리'를 사용하여 구분 가능하고 산정 가능하며 인식 가능한 조형 세계를 만들어 낸다. 디오니소스적 예술 충동은 무질서를 상징하는 것으로 인간 안에서 무매개적으로 솟구치며 어떤 형태나 경계를 만들지 않고 모든 것과 하나가 되는 일체감을 지향하는 것이다. 니체는 디오니소스적인 것을 '도취'와 관련지어 설명했다. 도취는 구별을 없애고 다양한 개체를 하나로 융합시키는 것을 의미한다. 디오니소스적 예술 충동에 의해 인간은 세계의 근원적 모습과 일체감을 느끼게 된다. 이와 같은 도취는 개별화의 원리를 붕괴시킨다.

* 아폴론 : 고대 그리스 신화에서 태양의 신으로 법, 질서, 이성을 상징.
* 디오니소스 : 고대 그리스 신화에서 술의 신으로 무질서와 도취를 상징.

출처 : 『국어영역 독서』 (출제진 재구성)

[라]

고흐, <감자먹는 사람들>

요점은 이거야. 나는 등불 아래 감자를 먹는 이 사람들이 접시로 들이미는 바로 그 손으로 땅을 팠다는 사실을 캔버스에 옮겨 보려 애쓴 거야. 그렇게 육체노동으로 정직하게 양식*을 얻었음을 말하고 싶었어. 우리네 교양 있는 사람들과 전혀 다른 삶을 그림에 담고 싶었지. 이유는 모르더라도 사람들이 그런 삶에 감탄하고 인정하기를 바란다.

개인적으로 나는 농민을 관례에 따라 부드럽게 그리기보다는 투박한 모습 그대로 그리는 편이 더 낫다는 결론을 굳히게 되었지. 날씨와 풍광에 색이 바래 미묘한 모습을 띠게 된 누더기에 꾀죄죄한 파란 치마와 조끼를 걸친 시골 처녀가 도시 숙녀보다 더 좋아 보이거든. 하지만 숙녀처럼 차려입는다면 그녀의 참모습은 사라져 버리겠지. 작업복을 입고 들에 나온 농부는 신사의 외투 같은 것을 걸치고 주일에 교회에 갈 때보다 훨씬 더 좋아 보여.

농촌 생활을 관례에 따라 곱게 다듬어 그린다면 잘못일 거야. 시골을 그린 그림에서 베이컨과 연기, 감자 삶는 김 등의 냄새가 나야 좋지. 불결한 게 아니거든. 외양간에서 거름 냄새가 진동한다고 해서 이상할 것도 없어. 밭에서는 밀이 익어가거나 감자나 퇴비, 거름 냄새가 나는데, 이건 도시민들에게도 유익할뿐더러 도움이 된다고 할 수 있지. 그렇지만 농촌 생활을 그린 그림이 향수 냄새를 풍기면 되겠어?

……(중략)……

농촌 생활을 그린다는 것은 만만치 않아. 또 예술과 삶을 진지하게 생각하는 사람들에게 진지한 반성을 불러일으키는 그림을 그리려 애쓰지 않았다면, 한 인간으로서 자신을 비판해야겠지. 밀레*, 드 그루* 등 많은 이들이 "더럽고, 천하고, 쓰레기 같고, 악취가 난다."라는 혹평에 흔들리지 않은 모범적인 모습을 보여 주었잖니. 흔들리는 사람이 된다면 수치스럽겠지. 안돼, 농부를 그리려면 자신이 농부가 되어 그들처럼 느끼고 생각해야 해.

지금의 화가들 모습은 도움이 안 돼. 나는 번번이 농부들이 또 다른 세상에 살고 있다고 생각해. 많은 점에서 교양 있는 세계보다 훨씬 더 나은 세상 말이야. 무엇 때문에 그들이 예술이나 여타 많은 것을 알아야 하겠니?

* 양식(糧食) : 생존을 위하여 필요한 먹거리.
* 밀레 : 장 프랑수아 밀레(1814~1875). 프랑스의 화가. 농민에 대한 애정으로 농촌의 모습을 그렸다.
* 드 그루 : 샤를 드 그루(1825~1870). 벨기에의 화가. 밀레를 존경하여, 직접 현장에 나가 농부들의 모습을 그렸다.

출처 : 방만호 외, 고등학교 독서

[문제 3] [가], [나], [다]를 서로 연관 지어 설명하고, [다]의 각 문제에 가장 적절한 [라]의 설명 하나를 찾아, [다]의 각 문제를 해결하기 위한 방안을 제안하시오. (단 각각의 문제에 대응하는 [라]의 설명은 서로 달라야 함.) (600자 내외) (40점)

[가]

<A시와 서울시 도심의 자동차 평균 속도 비교>

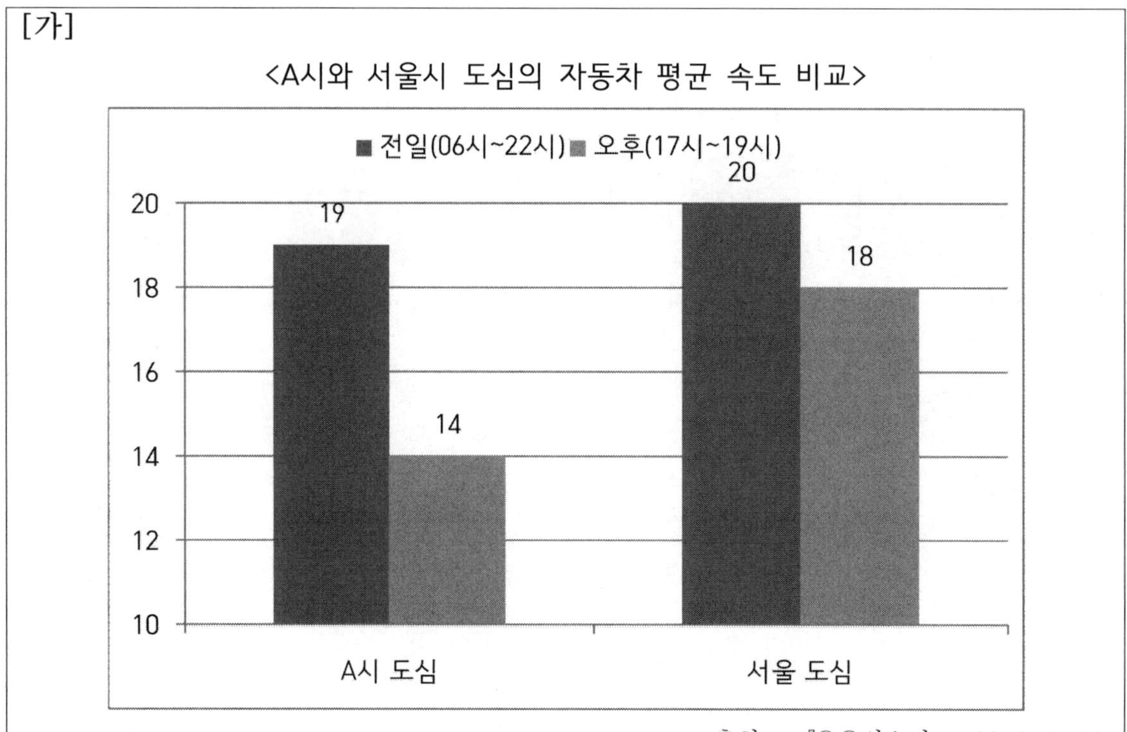

출처 : 『○○의소리』, 2016. 8. 29.

<A시 자동차 등록 대수 추이>

	2013년	2014년	2015년	2016년	2017년	2018년	2019년	2020년	2021년
자동차 등록 대수	334,426	384,117	435,015	467,243	500,197	553,578	596,215	615,342	658,594

출처 : 『○○통계포털』

<1인당 자동차 등록 대수>

	전국	A시
2010	0.36	0.44
2019	0.46	0.89

<세대당 자동차 등록 대수>

	전국	A시
2010	0.90	1.12
2019	1.05	2.03

출처 :『지방통계청』

<A시 관광객 추이>

시기	2021년 1월	2021년 2월	2021년 3월	2021년 4월	2021년 5월
관광객 수	46만 8,016명	79만 3,768명	89만 3,326명	108만 2,861명	113만 6,452명

출처 :『○○관광협회』

<A시 방문 시 주요 이용 교통 수단>

(단위 : %)

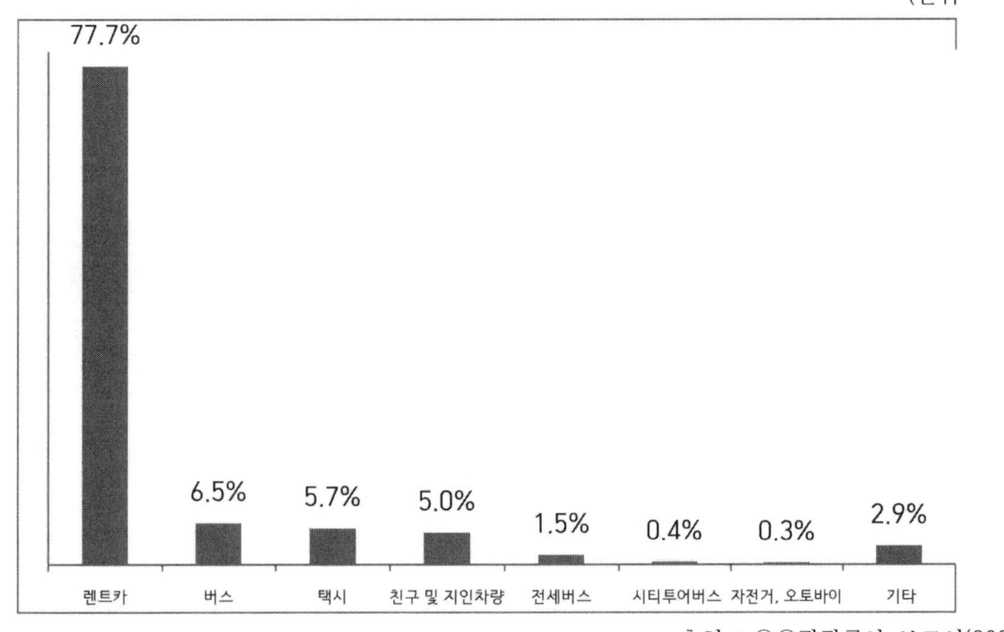

출처 : ○○관광공사 보고서(2020)

<A시 전체 교통사고 중 렌터카 사고 비율 추이>

(단위 : %)

	2012년	2013년	2014년	2015년	2016년	2017년	2018년	2019년	2020년	2021년
비중	8.6	9.2	8.8	11.3	11.9	11.9	12.1	13.8	12.3	13.4

출처 : ○○경찰청

[나] A시는 렌터카 수급 조절 권한 신설 등을 주요 내용으로 하는 A시특별법 개정안이 최근 국회를 통과함에 따라 렌터카 수급조절위원회를 구성해 '렌터카 총량제'를 실시한다고 5일 밝혔다. A시는 이번 법 개정에 따라 관련 조례를 만들어 렌터카 수급 계획 수립, 수급조절위원회 구성 등을 거친 뒤 9월 말부터 렌터카 총량제를 시행한다. 현재 3만 2,100여 대의 렌터카를 1차적으로 2만 5,000대 규모로 감축할 계획이다. 1차 감축 목표는 지난해 3월부터 올 2월까지 A시 소재 대학 산학협력단에 의뢰한 A시 차량 적정 대수 산정 결과에 따른 것이다. 이 용역 보고서에서 A시 지역 시가지 교통 체증의 주요 원인의 하나로 렌터카가 지목됐으며 수급 조절을 하지 않으면 2025년 5만 1,000여 대로 늘어날 것으로 전망됐다. 종전 A시 지역에서 차량 100대 이상, 차고지 등을 확보하면 렌터카 사업 신고를 했지만 수급 조절 계획에 따라 당분간 신규 렌터카 사업 등록이 불가능해진다. 차령 초과 렌터카의 신규 보충도 렌터카 수급조절위원회 심의를 받아야 한다. 사용 기한이 넘은 차량을 폐기하고 신규로 보충하지 않으면 내년에 7,000여 대가 줄어든다. A시 교통항공국장은 "렌터카 총량제 시행으로 교통 흐름이 원활

해지고 시장 질서도 바로잡을 수 있다."며 "이번에 A시 전역에서 자동차 운행을 제한하는 권한도 넘겨받으면서 교통 문제를 자체 해결하는 돌파구를 마련했다." 고 말했다.

출처 : 『동아일보』, 2018. 3. 6.

[다] (문제 1)

11일 관련 업계에 따르면 7월 말~8월 초 성수기 기준 A시 중형차 렌터카 비용은 평균 1박당 17만~23만 원 수준으로 치솟았다. 코로나 이전에는 10만 원에도 대여가 가능했던 것이 두 배 이상 뛰어오른 셈이다. A시 B렌터카 업체의 경우 C차량 기준 6박 7일 대여 요금이 130만 원에 달한다. 예년보다 30~50% 이상 가격이 상승했다는 것이 업계 관계자들의 추산이다.

……(중략)……

A시 렌터카 비용이 폭등한 것은 A시 관광객 수요가 코로나19 사태 이전 수준에 육박할 정도로 증가하고 있지만, '렌터카 총량제'로 공급은 줄어든 탓이다. 지난해에만 1,200만 명이 제주를 찾았고, 올해도 이미 500만 명이 방문했다. 코로나 이전인 2019년 1,500만 명에는 아직 미치지 못하지만 관광 수요가 상당히 회복된 셈이다.

출처 : 『조선일보』, 2022. 6. 11.

(문제 2)

렌터카 총량제가 멈춰 버린 이유는 일부 기업들이 자율 감축에 참여하지 않고 있으며 특히 업체가 제기한 소송에서 A시가 패소하면서 강제할 수단도 사라졌기 때문이다. A시는 렌터카 총량제를 도입하면서 자율 감축에 참여하지 않은 업체에게 운행 제한이라는 카드를 꺼내 들었지만 법적 소송에서 패소해 강제할 수단을 잃었다. 더욱이 코로나19가 확산되면서 A시를 찾는 내국인 관광객이 늘어나고 렌터카 수요가 증가하면서 업체들의 감축 참여도 저조해졌다. A시는 자율 감축에 참여하지 않는 업체에게는 관광 진흥 기금 감면 제한, 셔틀·전기차 보조금 제한 등의 페널티를 주고 있지만 차량을 줄이지 않고 영업을 하는 게 수익이 더 크기 때문에 감축할 필요성을 느끼지 못하고 있다는 분석도 나온다.

출처 : 『○○일보』, 2022. 5. 5.(출제진 재구성)

(문제 3)

A시는 렌터카를 줄이기 위해 '렌터카 총량제'를 도입하기로 했지만 대형 업체들이 소송을 제기하는 등 반발하고 있어 지역 소규모 업체와 갈등을 빚고 있다.

……(중략)……

A시는 감차 비율을 업체 규모별로 100대 이하 0, 101~200대 1~20, 201~250대 21, 251~300대 22, 301~350대 23 등 차등 적용하는 방식(총 12등급)으로 정했다. 그러나 A렌터카와 B렌터카, C렌터카, D렌터카, E렌터카 5개 대형 자동차 대여 업체는 지난 15일 A시를 상대로 차량 운행 제한 공고 처분 등 취소 소

송과 운행 제한에 대한 집행 정지 신청을 법원에 제기했다. 소송을 제기한 5개 업체를 포함해 대기업 영업소 9개사가 A시 감차 정책에 불참 의사를 밝혔다. 이들은 대형 업체일수록 자율 감차 부담이 커진다면서 A시가 재량권을 남용해 사유 재산권을 침해했다고 주장하며 렌터카 감차에 동참하지 않고 있다. 반면 중·소형 렌터카 업체들은 대형 렌터카들이 공익을 뒷전에 두고 사익만을 추구하고 있다면서 비판하고 있다.

출처 : 『세계일보』, 2019. 5. 23.

[라] (설명 1)

자본주의 사회에서 자신이 속한 집단의 이익을 추구하는 것은 자연스러운 현상이다. 그러나 한정된 사회적 자원을 놓고 집단 간에 이해관계가 충돌할 때 갈등이 발생할 수 있다. 이때 특정 지역에 사회적 자원이 불공정하게 분배되어 지역 간 격차가 벌어지는 경우 더욱 심화되기도 한다. 그리고 원활한 소통이 이루어지지 않아 생긴다. 소통은 인간과 인간 사이의 원만한 관계는 물론 공공 정책의 결정과 집행 과정에서 필수적인 요소이다. 그런데 첨예하게 의견이 대립되는 주제를 두고 소통이 부족하거나 한쪽에게만 유리하게 결론이 나면 갈등이 생겨날 수 있다. 사회 갈등은 이와 같은 다양한 원인이 복잡하게 작용한 결과물로 개인적으로나 사회적으로 여러 가지 문제를 발생시킨다. 이를 해결하기 위해서는 사회 통합이 필요하다.

출처 : 정창우 외, 『고등학교 생활과 윤리』

(설명 2)

어떤 상품은 가격이 조금만 올라도 수요량이 많이 감소하는 반면, 어떤 상품은 가격이 많이 올라도 수요량에 별 변화가 없다. 수요의 가격 탄력성은 상품의 가격 변동에 따라 수요량이 얼마나 민감하게 반응하는지를 나타내는 지표이다. 수요의 가격 탄력성이 1보다 크면 탄력적, 1과 같으면 단위 탄력적, 1보다 작으면 비탄력적이라고 한다. 수요의 가격 탄력성은 상품의 특성, 대체재의 존재, 가격 변동에 수요자가 대응할 수 있는 기간 등에 따라 달라진다. 일반적으로 필수품이거나 대체재가 적은 상품보다 사치품이거나 대체재가 많은 상품일수록 수요의 가격 탄력성이 크다. 또한 가격 변동에 수요자가 대응할 수 있는 기간이 짧을수록 갑자기 소비 습관을 바꾸기 어려우므로 수요는 비탄력적으로 반응한다.

출처 : 허수미 외, 『고등학교 경제』

(설명 3)

경제적 유인이란 금전적 보상이나 벌금과 같이 사람들이 특정한 방식으로 행동하도록 동기 부여하는 것을 말한다. 합리적인 사람은 비용과 편익을 비교하여 의사 결정을 하기 때문에 비용과 편익을 변화시키는 경제적 유인은 사람들의 행동에 영향을 끼친다. 어떤 행동의 비용을 감소시키거나 편익을 증가시키는 경제적 유인이 주어진다면 그 행동은 더 자주, 더 강하게 나타나게 된다. 시장 경제에서 대표적인 경제적 유인은 가격, 임금, 이윤, 보조금, 범칙금, 과태료, 벌금 등이다. 이러한 경제적 유인들은 편익을 증가시키거나 비용을 감소시키는 긍정적인 경제적 유인 또는 비용을 증가시키거나 편익을 감소시키는 부정적인 경제적 유인으로 작용한다.

출처 : 김종호외, 『고등학교 경제』

단국대학교
DANKOOK UNIVERSITY

논술답안지

※감독자 확인란

모집단위

성 명

수 험 번 호

생년월일 (예 : 050512)

【유의사항】

1. 답안 작성 시 문제번호와 답안번호가 일치하도록 알맞은 칸에 작성하여야 한다.
2. 답안 작성 시 필요한 경우에 수식 및 그림을 사용할 수 있다.
3. 필기구는 반드시 검은색 필기구만을 사용하여야 한다. (검은색 이외의 필기구로 작성한 답안은 모두 최하점으로 처리함)
4. 문제와 관계없는 불필요한 내용이나, 자신의 신분을 드러내는 내용이 있는 답안 및 낙서 또는 표식이 있는 답안은 모두 최하점으로 처리한다.
5. 답안은 반드시 정해진 답안작성란 안에만 작성하여야 한다. (답안작성란 밖에 작성된 내용은 채점 대상에서 제외함)

1번 (1) 답안 **(반드시 해당 문제와 일치 하여야 함)**

40

80

120

160

200

240

이 줄 아래에 답안을 작성하거나 낙서할 경우 판독이 불가능하여 채점 불가

1번 (2) 답안 **(반드시 해당 문제와 일치 하여야 함)**

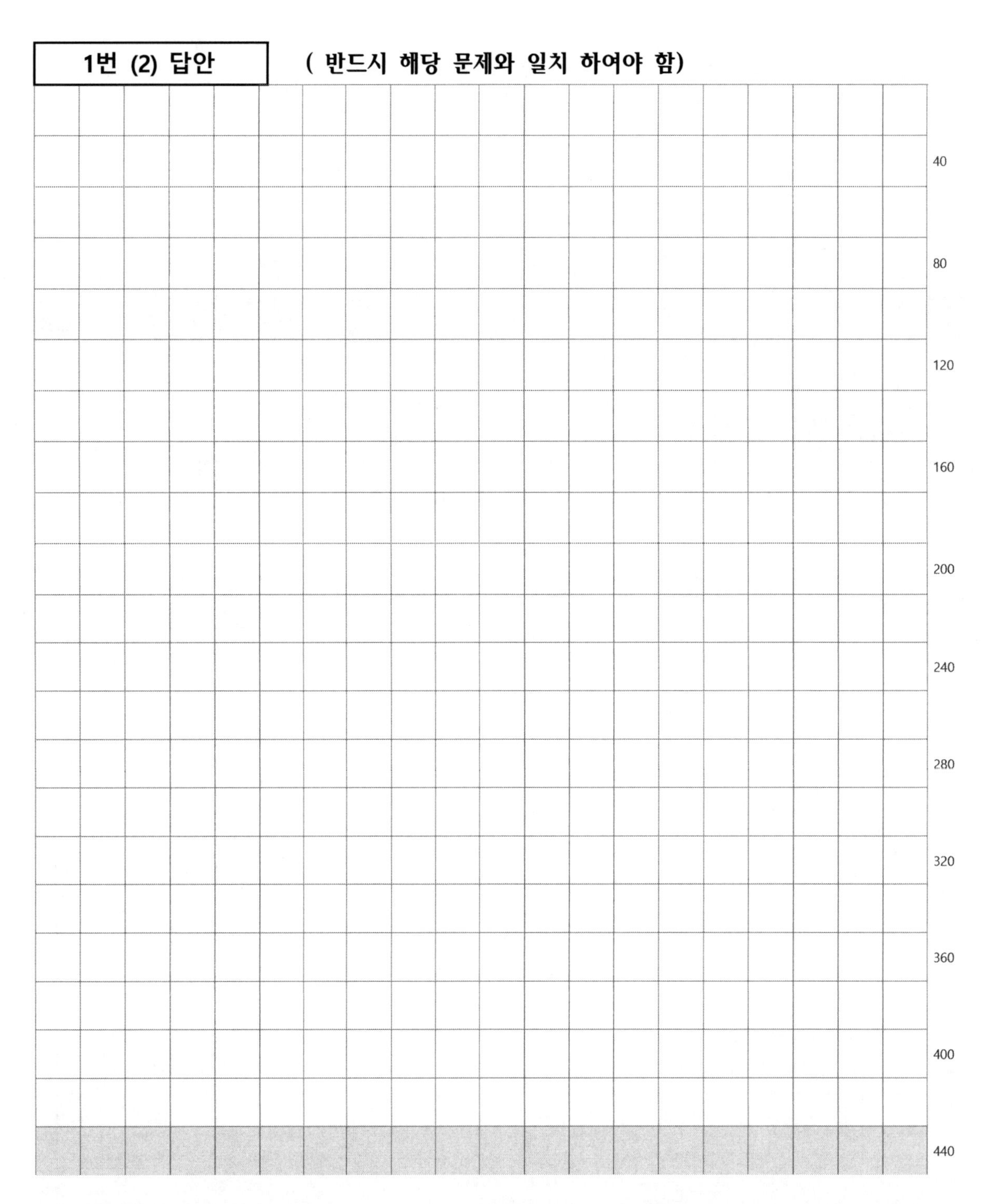

이 줄 아래에 답안을 작성하거나 낙서할 경우 판독이 불가능하여 채점 불가

2번 답안 (반드시 해당 문제와 일치 하여야 함)

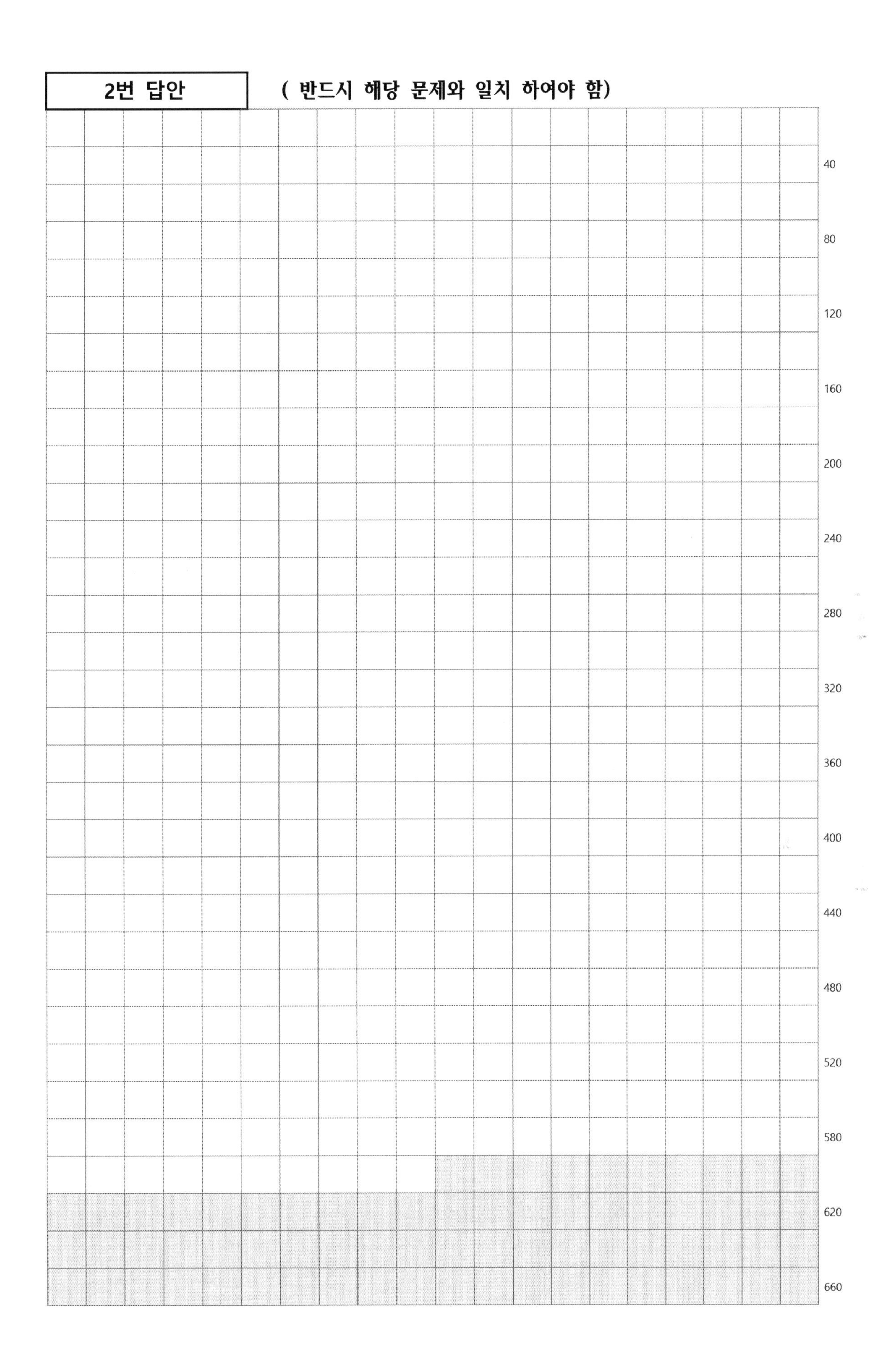

3번 답안 (반드시 해당 문제와 일치 하여야 함)

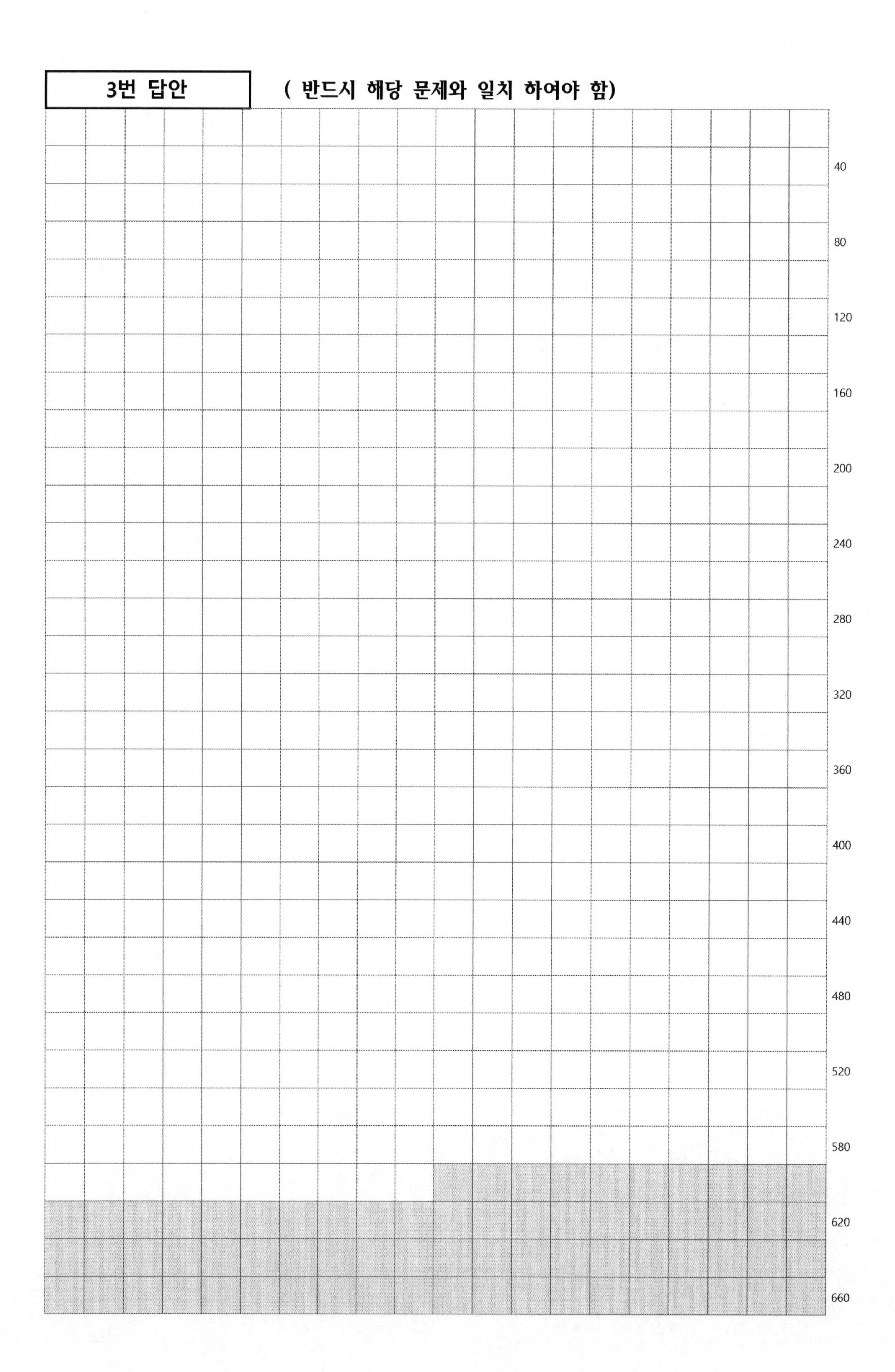

7. 2022학년도 단국대 수시 논술 (오전)

[문제 1] 다음의 제시문을 읽고 주어진 물음에 답하시오. (30점)

1) [가]에서 주제를 나타내는 단어 하나를 찾고, 그 단어를 이용하여 [가]의 내용을 요약하시오. (200자 내외) (10점)

2) [가]에서 찾은 단어를 이용하여 [나]를 요약하고 [다]를 설명하시오. (400자 내외) (20점)

[가] 시와 그림, 글씨 등에 천부적인 재능을 발휘했던 19세기 조선의 문인 화가 추사 김정희는 헌종 6년(1840년)에 제주도로 유배 간 뒤 병약한 부인 예안 이 씨가 걱정되어 편지를 40여 통 주고받는다. 이 씨 부인은 추사 김정희가 제주도로 귀양 간 지 2년 후인 1842년 11월 13일 세상을 떠나는데, 그는 그런 사정을 알지 못한 채 별세 이튿날인 14일과 18일 연달아 부인 앞으로 편지를 보낸다. 부인의 부고는 두 달 뒤인 이듬해 1월 15일에야 제주 땅에 도착했다. 추사 김정희는 뒤늦게 부인의 별세 소식을 전해 듣고 애통해 하며 도망시(悼亡詩)*를 썼는데, 이 시에 담긴 사랑을 읽을 수 있어야 한국인의 사랑관을 제대로 이해한다고 할 수 있다.

那將月姥訟冥司 나 장 월 모 송 명 사	어찌하면 월하노인 시켜 저승에 호소하여
來世夫妻易地爲 내 세 부 처 역 지 위	내세에는 그대와 나 자리 바꿔 태어날까?
我死君生千里外 아 사 군 생 천 리 외	나 죽고 그대는 천 리 밖에 산다면
使君知我此心悲 사 군 지 아 차 심 비	이 마음 이 슬픔을 그대가 알 터인데

여기에는 저승에서 부부의 인연을 맺어 주는 신선인 월하노인에게 다음 세상에 다시 태어날 때는 서로 바꿔 태어나게 부탁해서 상대방을 제주도처럼 천 리만큼 먼 곳에 두고 먼저 죽어, 사랑하는 임을 먼저 보내고 얼마나 마음이 아팠는지 알게 하고 싶다는 애절함이 담겨 있다. 이는 글자 그대로 자신이 겪은 아픔을 복수하겠다는 뜻이 아니라 자신이 먼저 죽은 부인을 얼마나 많이 사랑했는지를 보여 주는 눈물 젖은 시이다. 옛사람들은 사랑하는 이를 잃은 슬픔을 좀체 겉으로 드러내는 법이 없었다. 자식을 잃어도, 아내를 잃어도 그 슬픔을 애써 삭이며 마음속으로만 우는 절제를 미덕으로 삼았기 때문이다. 추사 김정희는 가슴속 애끓는 슬픔을 도저히 억누를 길이 없어 자신이 아내보다 먼저 죽는 복수라도 꿈꿔 보는 것이다. 속마음과는 다르게 말함으로써 상대에게 본인의 가슴속 깊은 곳에 있는 진정한 마음을 전하는 역설의 표현 방식을 접할 때, 독자들은 우선 통념이 전복되면서 나타나는 신선함을 느낀다. 그뿐만 아니라 왜 아내에게 자신의 슬픔을 느껴 보라고 했는지 그 이유를 곰곰 생각하면서 더 큰 감동을 얻는다.

* 도망시(悼亡詩) : 아내의 죽음을 슬퍼하며 지은 시.

출처 : 류수열 외, 『고등학교 국어』(출제진 재구성)

[나] 클림트가 그린 <철학>에서는 어느 구석에서도 인간 이성의 위대함에 대한 찬사

를 찾아보기 어렵다. 오히려 인류의 합리성으로는 도저히 풀어낼 수 없는 태초의 신비며 삶의 근원적인 불가해성*이 강조된 느낌이다. 사람들로 이루어진 기둥은 위에서부터 차례로 인간의 시간을 따라 어린아이, 젊은이, 노인 순으로 얽혀 있는데 어느 하나 기쁘거나 환희에 찬 사람이 없다. 놀라고 당황하거나 머리를 싸매고 고통 받고 있다. 아래로 갈수록 꼭 밤새 술이나 먹고 놀다가 이튿날 시험지를 받아 들고는 어제 내가 과연 뭘한 건가 고뇌하는 대학생의 모습을 닮았다. 그 오른쪽에 몽환적으로 표현된 형체가 지식 혹은 철학인데, 삶의 근원적 모호함 속에서 고통받는 인간들을 전혀 치유해 주지 못한다. 지식이나 철학의 상징이라면 뭔가 명확하고 강단 있게 보여야 할 것 같은데 마치 안개 속 버드나무 귀신처럼 흐릿하고 모호하다. 인간 군상을 응시하는 것도 아니어서 그들의 고통에 닿지 못하는 느낌이고, 오히려 그들을 외면하는 듯한 '알게 뭐야!' 감성이 느껴진다면 너무 지나친 걸까. ……(중략)…… 개인적으로 <철학>이 꽤 근사하다고 생각했지만 그보다 더 뼈 때리는 통쾌함은 <의학> 쪽이었다. 의학의 목적은 사람을 살리고 질병을 치료하는 것인데 클림트는 여기다 대고 노골적으로 죽음을 강조했다. 죽은 자들이 건넌다는 망각의 강, 레테를 배경으로 오른쪽에 죽음들이 넘실거리며 모여 있고 왼쪽으로는 아직 삶의 온기가 가시지 않은 젊은 육체 하나가 둥실둥실 떠내려왔다. 그 모든 것의 앞에서 히기에이아*가, 망자가 마시면 모든 기억을 잊게 된다는 레테의 강물이 든 접시를 들고 뱀을 두른 채 약간은 차가운 얼굴로 내려다보고 있다. '내가 너를 치료해 줄게.' 하는 따뜻한 나이팅게일의 모습이라기보다는 '이제 사약을 드시지요.'라고 하며 약사발을 들고 서 있는 상궁마마님 같은 느낌이다.

* 불가해성 : 이해할 수 없는 성질.
* 히기에이아 : 의술의 신 아스클레오피오스의 딸로 건강과 위생의 여신.

클림트, <철학>

클림트, <의학>

출처 : 이진민, 다정한 철학자의 미술관 이용법 (출제진 재구성)

[다] 온달과 평강 공주의 이야기는 당시에 부(富)를 축적한 평민 계층이 지배 체제의 개편 과정에서 정치·경제적 상승을 할 수 있었던 사회 변동기였다는 사료로 거론되기도 합니다. 그리고 '바보 온달'이라는 별명도 사실은 온달의 미천한 출신에 대한 지배 계층의 경멸과 경계심이 만들어 낸 이름이라고 분석되기도 합니다. 그러나 나는 수많은 사람이 함께 창작하고 그 후 더 많은 사람이 오랜 세월에 걸쳐서 승낙한 온달 장군과 평강 공주의 이야기를 믿습니다. 다른 어떠한 실증적 사실(史實)보다도 당시의 정서를 더 정확히 담아내고 있다고 생각하기 때문입니다. 완고한 신분의 벽을 뛰어넘어 미천한 출신의 바보 온달을 선택한 평강 공주의 결단과 마침내 온달을 용맹한 장수로 일어서게 한 평강 공주의 주체적 삶에는 민중들의 소망과 언어가 담겨 있기 때문입니다. 이것이 바로 온달 설화가 당대 사회의 이데올로기에 매몰된 한 농촌 청년의 우직한 충절의 이야기로 끝나지 않는 까닭이라고 생각됩니다. 인간의 가장 위대한 가능성은 이처럼 과거를 뛰어넘고 사회의 벽을 뛰어넘고 드디어 자기를 뛰어넘는 비약에 있는 것이라고 할 수 있기 때문입니다.

현대 사회에서 중시되는 능력이란 인간적 품성이 도외시된 '경쟁적 능력'입니다. 그것은 다른 사람들의 낙오와 좌절 이후에 얻을 수 있는 것으로, 한마디로 숨겨진 칼처럼 매우 비정한 것입니다. 그러한 능력의 품속에 안주하려는 우리의 소망이 과연 어떤 실상을 갖는 것인지 고민해야 할 것입니다.

당신은 기억할 것입니다. 세상 사람을 현명한 사람과 어리석은 사람으로 분류할 수 있다고 당신이 먼저 말했습니다. 현명한 사람은 자기를 세상에 잘 맞추는 사람인 반면에 어리석은 사람은 그야말로 어리석게도 세상을 자기에게 맞추려고 하는 사람이라고 했습니다. 그러나 세상은 이런 어리석은 사람들의 우직함으로 조금씩 나은 것으로 변화해 간다는 사실을 잊지 말아야 한다고 생각합니다. 우직한 어리석음, 그것이 곧 지혜와 현명함의 바탕이고 내용입니다. '편안함', 그것도 경계해야 할 대상이기는 마찬가지입니다. 편안함은 흐르지 않는 강물이기 때문입니다. '불편함'은 흐르는 강물입니다. 흐르는 강물은 수많은 소리와 풍경을 그 속에 담고 있는 추억의 물이며 어딘가를 희망하는 잠들지 않는 물입니다.

출처 : 고형진 외, 『고등학교 독서』 (출제진 재구성)

[문제 2] [가]와 [나]의 관점에서 [다]의 뱅크시를 각각 평가하고, [라]의 입장에서 [다]를 설명하시오. (600자 내외) (30점)

[가] 좋은 말씨, 조화, 우아함, 좋은 리듬은 모두 좋은 성격에 달려 있네. 내가 말하는 좋은 성격이란 세상 물정에 어두운 호인을 점잖게 이르는 말이 아니라, 진실로 훌륭하고 아름다운 성격을 갖춘 지성을 의미하네.

……(중략)……

그림은 분명 그런 것들로 가득 차 있으며, 그런 종류의 모든 기술도 그 점에서는 마찬가지라네. 직조, 자수, 건축, 온갖 가재도구의 제작이 그렇고, 우리 몸과 모든 생물들의 본성 역시 그렇다네. 그 모든 것 안에 우아함과 추함이 내재하기 때문일세. 그리고 추함과 나쁜 리듬과 부조화는 나쁜 말과 나쁜 성격의 형제자매들이고, 그와 반대되는 것들은 그와 정반대인 절제 있고 좋은 성격의 형제자매들이자 모방물이라네.

……(중략)……

우리는 다른 장인(匠人)들도 감시하며 생물들의 그림이나 조각이나 건축이나 다른 예술 작품에서 나쁜 성격과 무절제와 야비함과 추함을 그리지 못하게 막아야 하며, 우리의 이러한 지시를 따르지 못하겠다면 그들이 우리나라에서 장인으로 활동하는 것을 금지해야 하네. 그러지 않으면 우리 수호자들은 나쁜 것의 상(像)들이라는 유해한 풀밭에 둘러싸여 성장하는 동안 여기저기서 날마다 야금야금 뜯어먹어 자기도 모르는 사이에 그들의 혼(魂) 안에 큰 악이 쌓이게 될 것이네. 우리는 아름답고 우아한 것을 알아낼 수 있는 재능을 타고난 장인들을 찾아내야 하네. 그러면 우리 젊은이들은 건강한 환경에서 살게 되어 혜택을 받을 것이네. 그들이 보고 듣는 모든 예술 작품이 몸에 좋은 곳에서 불어오는 미풍처럼 그들에게 좋은 영향을 주며, 어릴 때부터 곧장 자기도 모르는 사이에 아름다운 말을 닮고 사랑하고 공감하도록 그들을 이끌어 줄 것이기 때문이네.

……(중략)……

시가(詩歌) 교육이 그토록 중요한 것은 다음 두 가지 이유 때문이 아닐까? 첫째, 리듬과 선법은 그 무엇보다 더 깊숙이 혼의 내면으로 침투하며 우아함을 가져다줌으로써 혼에 가장 큰 영향을 끼치네. 그것들은 누가 좋은 교육을 받았을 경우 그를 우아하게 만들고, 누가 나쁜 교육을 받았을 경우 그를 그와 반대되는 사람으로 만드네. 둘째, 이 분야에서 제대로 교육 받은 사람은 예술 작품이나 자연의 결점들을 가장 분명히 알아보게 될 것이네. 그러면 그는 그것들의 추함이 역겨워 아름다운 것들을 칭찬하고 반길 것이며, 아름다운 것들을 그렇게 혼 안으로 받아들이면 그 자신도 아름답고 훌륭해질 것이네.

출처 : 플라톤, 『국가』

[나] "과학은 진리에 의해 판단되는 반면, 예술은 그것이 주는 만족감에 의해 판단된다."라고 하는 명제는 이제 낡은 이야기가 되었다. 만족감은 쾌락과 동일시될 수

없다. 문제는 무엇이 작품을 좋은 것으로 또는 만족스러운 것으로 만드는가이다. 만족스럽다는 것은 기능과 목적에 따라 상대적이다. 좋은 아궁이가 골고루, 경제적으로, 조용히, 안전하게 적정 온도로 집을 데우듯이 좋은 과학 이론은 연관된 사실들을 단순명료하게 설명해 준다. 예술 작품이나 그 사례들은 재현, 기술, 예시, 표현 중에서 하나 또는 여럿을 수행한다. 예술 작품은 사실을 단순히 재현하는 것이 아니라 사실의 상징화를 통해 미를 추구한다.

상징화의 능력이 발휘된 예술 작품은 미래의 우연성에 대처할 능력과 기술을 발전시키고자 하는 좀 더 먼 현실적 목적을 갖는다. 예술이 우리로 하여금 생존, 정복, 그리고 이익에 대비하게 하기 때문이다. 다시 말해 예술이 과학처럼 현실적인 목적을 위해 복무할 수 있다고 보는 것이다. 그 견해에 따르면 예술은 창조적 상상력을 통해 과학적 영감을 자극하고, 시장 가치의 실현을 통해 수익을 창출하며, 인간 심성의 순화를 통해 사회를 안정시킨다. 모든 가치가 현실적 유용성으로 환원된다는 신념을 지닌 사람들은 예술의 심미적 경향을 현실적 유용성과 결합시키려는 의도에서 그러한 견해를 고수한다.

그러나 예술 작품이 감상자에게 주는 만족감과 예술 작품이 추구하는 미가 언제나 일치하는 것은 아니다. 예술 작품의 감상자가 경험하는 만족의 수준이나 양상은 물질에서 정신에 이르기까지 다양하게 분포한다. 심미적인 경향이 고통을 불러오는가 하면 만족스럽지만 심미적이지 않은 경우도 있다. 따라서 예술 작품의 상징화 작업을 현실적 유용성과 결부시키는 견해는 부적절하다. 상징화는 인간의 억누를 수 없는 성향으로, 인간은 그 즐거움을 위해서 또는 단순히 멈출 수가 없기 때문에 직접적인 필요를 넘어서서 상징화 작업을 계속한다. 심미적인 경험을 실현하는 예술가는 신나게 뛰어노는 강아지와 같거나 충분한 물을 발견한 후에도 끈덕지게 우물을 파는 사람과 같다. 예술은 실용적이 아니라 유희적이거나 충동적이다.

출처 : 넬슨 굿맨, 예술의 언어들 (출제진 재구성)

[다] 2003년, 한 남성이 영국의 대영 박물관 '로만-브리튼 전시관'에 들어갔다. 그곳은 기원후 43~411년 유물을 전시하는 곳인데, 이 남성은 이곳에 본인이 만든 작품을 걸어 놓고 도망쳤다. 그가 놓고 간 작품을 자세히 들여다보면 원시인이 쇼핑 카트를 밀고 있는 형태가 보인다. 그는 작품에 관한 해설도 붙이고 갔는데, 거기에는 '이 작품은 후기 정신 분열 시기에 나타난 작품'이라고 쓰여 있었다. 작품을 걸어 놓고 도망친 지 8일이 지나도록 아무도 이 사실을 몰랐고, 수많은 사람이 이 작품을 고대 미술품인 줄 알고 지나갔다. 결국, 이 남성은 박물관에 전화를 걸었다. "제가 몰래 전시한 작품을 찾아보세요."

이후 뱅크시는 유명해졌고, 그가 제작하는 작품들은 박물관에 보존되거나 3만 달러가 넘는 고가에 팔리기 시작하였다. 이에 뱅크시는 실험 카메라의 한 장면과 같은 짧은 다큐멘터리를 찍어서 인터넷에 올렸다. 2013년 10월, 뉴욕의 한 거리

노점에서 뱅크시가 직접 그린 그림을 익명의 상인에게 판매하게 하였다. 거리를 지나가는 사람들은 노점 상인이 파는 작품이 진품이라고는 생각을 못했는지, 눈길조차 주지 않았다.

뱅크시, <쇼핑하는 원시인>

<뱅크시, 그의 작품을 단돈 60달러에 팔다>

출처 : 안혜리 외, 『고등학교 미술』

[라] 어느 사회에나 '좋은 문화'에 대한 다양한 기준이 존재한다. 그 기준은 사회 내에 공존하면서 갈등하고 경쟁한다. 사회 속에 존재하는 다양한 집단들은 각기 그 나름의 조건에 따라 제각각 욕구가 있으며 거기에 맞추어 그 나름대로 좋은 문화를 판단한다. 세대에 따라, 성별에 따라, 직업이나 계층에 따라, 교육 수준에 따라 각기 자신에게 좋은 문화를 선택한다는 말이다. 중요한 것은 자신과 다른 사람의 판단 기준이나 취향에 대해 관용하고 이해하는 태도를 지니는 것이다. 그럴 때라야 사회 전체의 문화가 조화롭고 창의적인 방향으로 발전할 수 있다.

여기에서 문제가 되는 것은 어떤 것이 좋은 문화라는 자신의 판단이 정말로 내 스스로 주체적인 입장에서 이루어진 것인가 하는 점이다. 정말로 그것이 나의 삶의 조건과 욕구에 합당한 것이며 진정 나의 삶을 풍요롭고 주체적인 것으로 만들어 줄 문화인가 하는 의문이다. 어쩌면 내가 좋은 문화라고 생각하는 그 판단 기준이 단지 문화 산업의 광고 전략에 따라 만들어진 것은 아닌지, 혹은 다른 사람들의 문화 행태에 자신도 모르게 영향을 받아서 생긴 것은 아닌지 하는 자기 반성이 필요하다는 것이다. 사실 우리가 가지고 있는 문화를 판단하는 기준은 많은 경우 외부적인 영향에 의해, 특히 대중 매체와 문화 산업의 영향에 의해 형성된 경우가 많다. 말하자면 다른 사람의 목소리를 내 목소리인 것처럼 착각하고 사는 경우가 많다는 것이다. 이는 특히 청소년들에게 강조하고 싶은 문제이다.

오늘날 청소년은 가장 크고 중요한 문화 소비층이 되어 있고, 따라서 대중 매체나 문화 산업의 입장에서 보면 청소년은 가장 중요한 판매 시장이다. 미디어와 문화 산업은 어떤 식으로든 청소년을 공략하기 위해 혈안이 되어 온갖 광고와 판매 전략을 동원해 청소년을 현혹하고 있다. 이런 상황에서 자칫 마음을 놓으면 문화 산업의 광고 전략에 넘어가 한낱 소비자로 전락하기 십상이다. 그렇게 한낱 소비자일 뿐이면서 마치 자기 스스로 문화를 판단하고 선택한 것처럼 착각하기 쉽다는 것이다. 이럴 경우 그는 단지 문화의 객체일 뿐 결코 주체라 할 수 없다. 요즘 청소년들을 보면 거의 비슷한 외모와 비슷한 스타일로 꾸미면서, 거기에 비슷한 상품을 들고 다닌다. 그러면서 그들은 당당히 '개성'을 내세운다. 세상에 모두 똑같이 하고 다니는 것이 어떻게 개성일 수 있는가. 결국 대부분 문화 산업의 목소리를 자신의 목소리로 착각하고 있다고 할 수밖에 없다. 이런 식으로는 결코 좋은 문화를 가질 수 없다. 그것은 단지 돈을 버는 문화 산업에만 이익이 되는 문화일 뿐이다.

좋은 문화에 대해 윤리적이거나 미학적인 기준을 제시하는 것은 결코 옳은 일이 아닐 뿐 아니라 그다지 의미도 없다. 중요한 것은 각자의 삶 속에서 자신이 향유하고 실천하는 문화가 얼마나 삶을 풍요롭고 복되게 하는가이다. 내 자신의 삶이 고립된 삶이 아니라 사회적인 삶일진대 당연히 그 문화는 사회적으로도 좋은 문화여야 한다. 나 자신의 삶을 위해 좋은 문화라는 것이 어떤 개인적 쾌락이나 이기적 욕심을 충족시키는 문화라는 뜻은 아니라는 말이다. 좋은 문화는 필연적으로 좋은 정치적、사회적 결과를 수반한다.

출처 : 민현식 외, 『고등학교 언어와 매체』

[문제 3] [가]를 바탕으로 [나]의 문제를 모두 설명하고, [다]를 이용하여 [라]의 세 가지 상황에 대한 바람직한 대응 방안을 모두 서술하시오. (600자 내외) (40점)

[가]

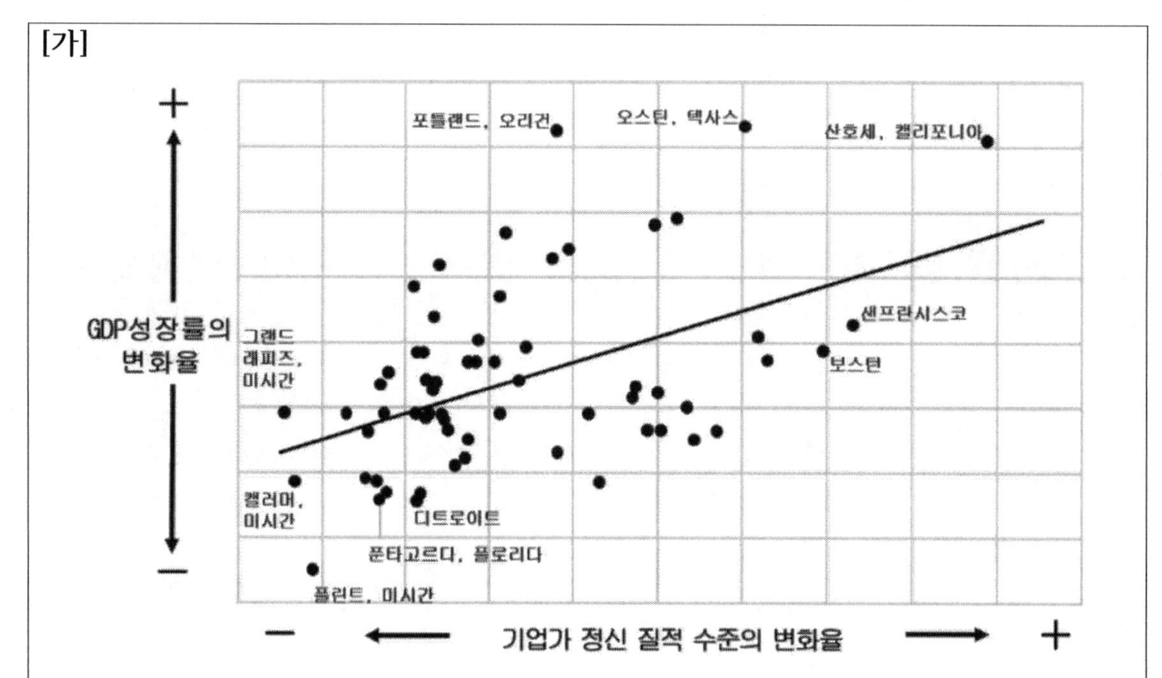

<미국 주요 도시별 기업가 정신의 질적 수준과 미래 경제 성장의 관계>

출처 : 『American Economic Journal: Economic Policy』, 2020(출제진 재구성)

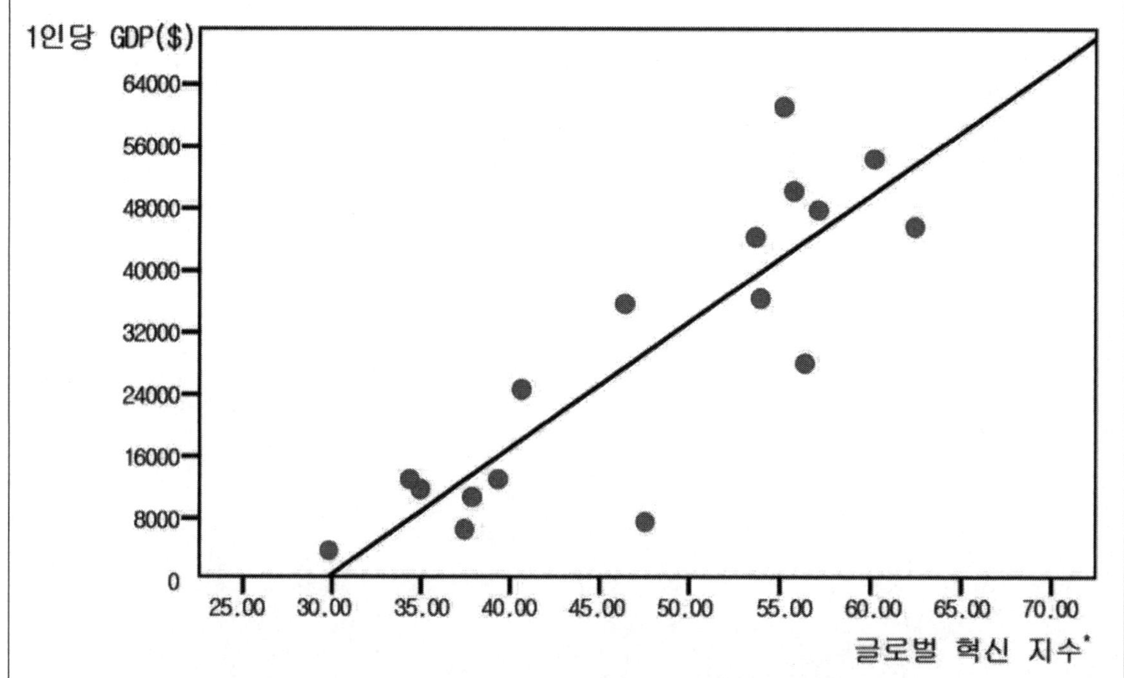

<주요 국가별 혁신 지수와 1인당 GDP 관계>

* 글로벌 혁신 지수 : 전 세계 지식 재산권 기구 회원국을 대상으로 미래 경제 발전 등의 주요 원동력인 혁신 역량을 측정한 지수.

출처 : Management Studies and Economic Systems , 2016(출제진 재구성)

[나]

연도 \ 국가	2014	2015	2016	2017	2018	2019	2020	2021 (8월 3일 기준)
한국	2	2	2	3	6	11	11	11
미국	27	51	65	96	151	212	242	388
중국	5	22	33	55	90	101	119	157

<한국, 미국, 중국의 유니콘 기업* 개수 비교>

* 유니콘 기업 : 기업 가치가 10억 달러 이상인 비상장 스타트업. 스타트업은 미국 실리콘 밸리에서 생겨난 용어로 설립한 지 오래되지 않은 신생 벤처 기업을 뜻하며, 일반적으로 기업가 정신과 혁신을 바탕으로 자체적인 비즈니스 모델을 가지고 있는 창업 기업을 의미함.

출처 : CB Insights 발표 자료, 2021(출제진 재구성)

연도	2000-2007	2007-2020	2020~2030 (전망)	2030~2060 (전망)
한국 1인당 잠재 성장률* (단위 %)	3.8	2.8	1.9	0.8

국가	한국	미국	일본	OECD	G20
1인당 잠재 성장률 (2030∼2060년 기준, 단위 %)	0.8	1.0	1.1	1.1	1.0

<한국 및 주요국의 1인당 잠재 성장률 전망>

* 잠재 성장률 : 경제 성장 요소인 노동력, 자본, 생산성을 모두 활용해 물가 상승이라는 부작용을 유발하지 않으면서, 최대한 이룰 수 있는 경제 성장률 전망치.

출처 : OECD, 2021

[다] 시장에서 개인은 자신의 욕망에 비해 희소한 자원을 어떻게 하면 효율적으로 사용할 수 있을지를 고민하게 된다. 이때 합리적 선택을 하려면 문제를 정확히 인식한 후 선택의 대안들을 분석하고 각 대안의 편익과 비용을 파악해야 한다. 편익은 어떤 선택을 통해 얻어지는 만족이나 이득을 말하는데, 선택에 따른 비용과 편익을 비교하여 비용보다 편익이 더 큰 쪽을 선택하는 것이 합리적이다.

출처 : 구정화 외, 『고등학교 통합사회』

관료제는 대규모의 조직을 효율적으로 운영할 수 있다는 장점이 있지만 여러 가지 문제점도 있다. 관료제는 업무 수행을 하는 데 규칙과 절차를 강조한다. 그러다 보니 조직의 목적보다 규칙과 절차 준수가 우선시되는 목적 전치 현상이 나타나기도 한다. 또한, 경직된 조직 운영은 빠른 사회 변화에 신속하고 유연하게 대응하지 못하는 원인이 되기도 한다. 관료제는 업무가 세분화·전문화되어 구성원들이 자율성과 창의성을 발휘하기 어렵고 조직의 부속품으로 여겨지도록 하는 인간 소외 현상이 발생할 수 있다. 또한, 신분이 보장되고 연공서열에 따라 보상이 이루어져 무사안일주의가 생기기도 한다.

출처 : 서범석 외, 『고등학교 사회·문화』

정부는 제도 개혁, 불필요한 규제의 완화, 행정 절차의 간소화 등을 통해 비효율성을 개선할 수 있다. 또한 보조금 지급이나 세금 부과와 같은 경제적 유인을 통해 시장에 대한 불필요한 개입을 줄이고 시장의 자율성을 확보할 수 있다.

출처 : 허수미 외, 『고등학교 경제』

정부는 공정한 경쟁을 해치는 행위를 규제하여 경제의 원활한 작동을 돕는다. 하나 또는 소수의 기업이 지배하는 상품 시장에서는 기업이 가격을 부당하게 올리거나 생산량을 임의로 조정하여 경쟁 기업에 불이익을 주거나 소비자에게 횡포를 부릴 수 있다. 이때 정부는 「독점 규제 및 공정 거래에 관한 법률」 등 각종 법규를 적용하고, 한국 소비자원 또는 공정 거래 위원회와 같은 소비자 보호 기관을 운영하여 공정한 경쟁을 해치거나 소비자에게 피해를 주는 행위를 규제한다.

출처 : 정창우 외, 『고등학교 통합사회』

대형 마트의 쇼핑 카트 정리대에 가 보면 쇼핑 카트들이 가지런히 정리되어 있는 모습을 볼 수 있다. 이는 소비자들이 자발적으로 쇼핑 카트를 정해진 장소에 가져다 놓은 결과이다. 대부분의 대형 마트에서 소비자들은 100원짜리 동전을 넣어야 쇼핑 카트를 이용할 수 있으며, 반납 시 100원을 돌려받을 수 있다. 이는 대형 마트가 경제적 유인을 활용하여 사람들이 스스로 쇼핑 카트를 정리하도록 유도한 것이다.

출처 : 유종열 외, 『고등학교 경제』

기업의 목적은 상품 판매를 통한 이윤의 추구이다. 기업은 추구하는 목적 달성을 위해 새로운 상품을 개발하기도 하고, 조직과 조직 문화를 바꿔 보기도 하는 등 많은 노력을 기울인다. 그리고 가계는 이러한 기업의 노력으로 만들어진 싸고 질 좋은 상품을 소비함으로써 만족감을 얻는다. 이외에도 기업은 가계가 제공하는 토지와 노동, 자본을 사용하여 생산 활동을 함으로써 가계에 일자리와 소득을 제공하는 중요한 역할을 한다.

출처 : 김종호 외, 『고등학교 경제 』

[라]

[상황 1]

카카오·네이버 등 거대 온라인 플랫폼 기업*을 규제하려는 정부와 정치권의 칼끝이 스타트업까지 겨냥하고 있다. 플랫폼 기업의 독과점과 골목 상권 침해를 명분으로 내세운 정부와 정치권이 기업의 규모나 성장세, 업종과 상관없이 전방위 규제에 나서면서 스타트업들이 생존을 걱정해야 할 상황에 몰린 것이다. 벤처 캐피털 업계 관계자는 “플랫폼에 대한 전방위적 규제가 시행되면 자금력이 취약한 스타트업들은 고사하고 거대 플랫폼이 시장을 독식하는 역설이 빚어질 것”이라고 말했다.

* 플랫폼 기업 : 제품이나 서비스를 제공하는 생산자와 이를 필요로 하는 사용자들을 서로 연결하고, 이를 기반으로 각종 제품이나 서비스를 중개하여 수수료 수입을 얻는 기업.

출처 : 『조선일보』, 2021. 9. 23.

아마존과 애플, 구글, 페이스북, 네이버, 카카오 등 빅테크는 온라인 플랫폼을 기본으로 한 대형 정보 기술 기업이다. 이들 기업의 공통점은 특정 분야에서 지배력이 확고하다는 것이다. 지금의 위치에 오기까지는 경쟁에서 이기기 위해 수많은 혁신을 거듭했을 것이다. 그런데 한때 기술 혁신의 아이콘으로 각광 받은 이들 빅테크의 상황은 달라졌다. 지배력이 점차 강해지면서 독점적 지위에 올라 무소불위 공룡이 되어가고 있다. 문어발식으로 사업 영역을 확장하고, 거래 업체에 갑으로 군림하며, 경쟁업체 진입을 막는다. 빅테크는 한 분야의 독점적 지위에 만족하지 않고, 모든 것을 빨아들이는 블랙홀이 되려고 한다. 빅테크의 횡포는 다수의 참여자가 상생해야 하는 산업 생태계 질서를 파괴할 수밖에 없다.

출처 : 『경향신문』, 2021. 9. 14.

[상황 2]

30대 초반 직장인 A 씨는 올해 초 다니던 스타트업을 그만두고 대기업으로 직장을 옮겼다. 다닌 지 불과 석 달 만이었다. 유니콘 기업으로 성장 중인 인공 지능(AI) 기술 회사였고 정부와 각종 글로벌 경진 대회에서 수상할 정도로 유명했으며 유망해 보였다. 국책 은행에서 투자 자금도 유치했다. 그는 재수·삼수 끝에 꿈을 이뤘다. 첫 출근 전날, 그는 직원 간의 자유로운 아이디어 교환과 빠른 의사 결정, '원팀'으로 움직이는 일사불란함 등 같은 스타트업 문화를 기대했다. 하지만 내부에서 본 AI 기업은 그가 꿈꾸던 모습과 완전히 달랐다. 대기업 출신 대표는 회사 규모가 커지자 같은 대기업 출신 간부들을 중간 관리자로 영입했다. A 씨는 "대기업 출신 관리자들이 비선 실세처럼 행동했다."라며 "그들은 그런 게 절차이자 위계질서라 생각했다."라고 말했다. 하나부터 열까지 챙기는 게 대표의 장점이었지만 조직이 커지면서 장점은 단점으로 바뀌었다. 직원 수가 100명 가까이 되는데도 대표는 프로젝트 제안서 오탈자까지 직접 검사했다고 한다. A 씨는 "창업 멤버들은 모두 회사를 떠났고 이제는 막 졸업한 개발자와 군 대체 복무를 하는 프로그래머들만 남은 상황"이라며 "기대를 많이 한 내 잘못일지 모르지만 마치 혁신 기업에서 배신을 당한 기분이었다."라고 아쉬워했다.

출처 : 『매일경제』 2021. 8. 4.

[상황 3]

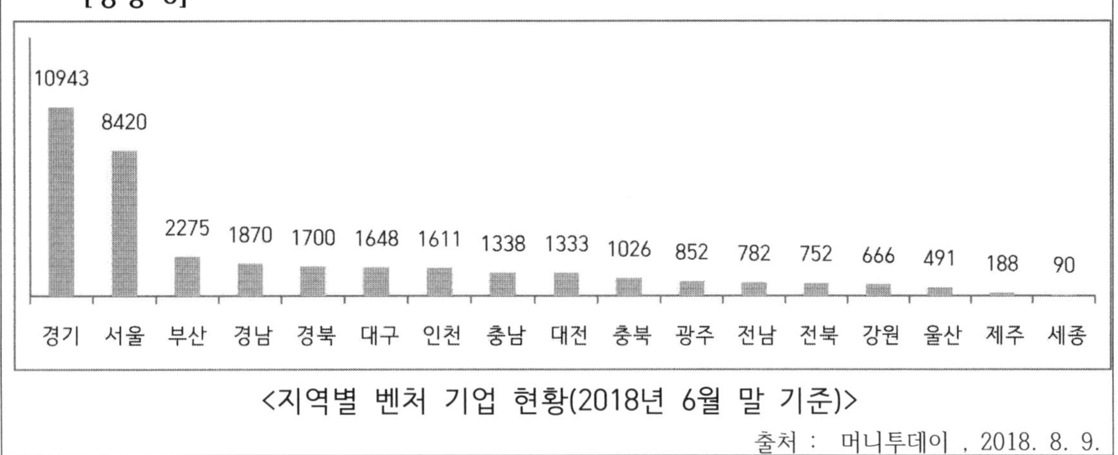

<지역별 벤처 기업 현황(2018년 6월 말 기준)>

출처 : 머니투데이 , 2018. 8. 9.

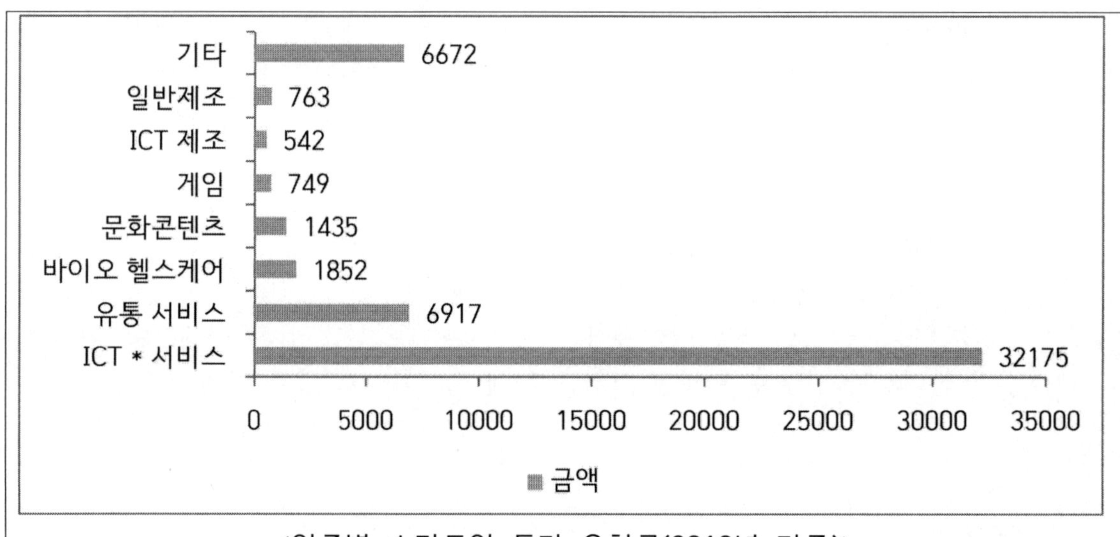

<업종별 스타트업 투자 유치금(2019년 기준)>

* ICT : Information and Communications Technology의 약자로 정보 기술과 통신을 융합한 기술을 이르는 용어.

출처 : 『한국경제신문』, 2020. 10. 20.

단국대학교
DANKOOK UNIVERSITY

논술답안지

※감독자 확인란

모집단위

성 명

수 험 번 호									
0	0	0	0	0	0	0	0	0	0
1	1	1	1	1	1	1	1	1	1
2	2	2	2	2	2	2	2	2	2
3	3	3	3	3	3	3	3	3	3
4	4	4	4	4	4	4	4	4	4
5	5	5	5	5	5	5	5	5	5
6	6	6	6	6	6	6	6	6	6
7	7	7	7	7	7	7	7	7	7
8	8	8	8	8	8	8	8	8	8
9	9	9	9	9	9	9	9	9	9

생년월일 (예 : 050512)					
0	0	0	0	0	0
1	1	1	1	1	1
2	2	2	2	2	2
3	3	3	3	3	3
4	4	4	4	4	4
5	5	5	5	5	5
6	6	6	6	6	6
7	7	7	7	7	7
8	8	8	8	8	8
9	9	9	9	9	9

【유의사항】
1. 답안 작성 시 문제번호와 답안번호가 일치하도록 알맞은 칸에 작성하여야 한다.
2. 답안 작성 시 필요한 경우에 수식 및 그림을 사용할 수 있다.
3. 필기구는 반드시 검은색 필기구만을 사용하여야 한다. (검은색 이외의 필기구로 작성한 답안은 모두 최하점으로 처리함)
4. 문제와 관계없는 불필요한 내용이나, 자신의 신분을 드러내는 내용이 있는 답안 및 낙서 또는 표식이 있는 답안은 모두 최하점으로 처리한다.
5. 답안은 반드시 정해진 답안작성란 안에만 작성하여야 한다. (답안작성란 밖에 작성된 내용은 채점 대상에서 제외함)

1번 (1) 답안 **(반드시 해당 문제와 일치 하여야 함)**

40

80

120

160

200

240

이 줄 아래에 답안을 작성하거나 낙서할 경우 판독이 불가능하여 채점 불가

1번 (2) 답안 (반드시 해당 문제와 일치 하여야 함)

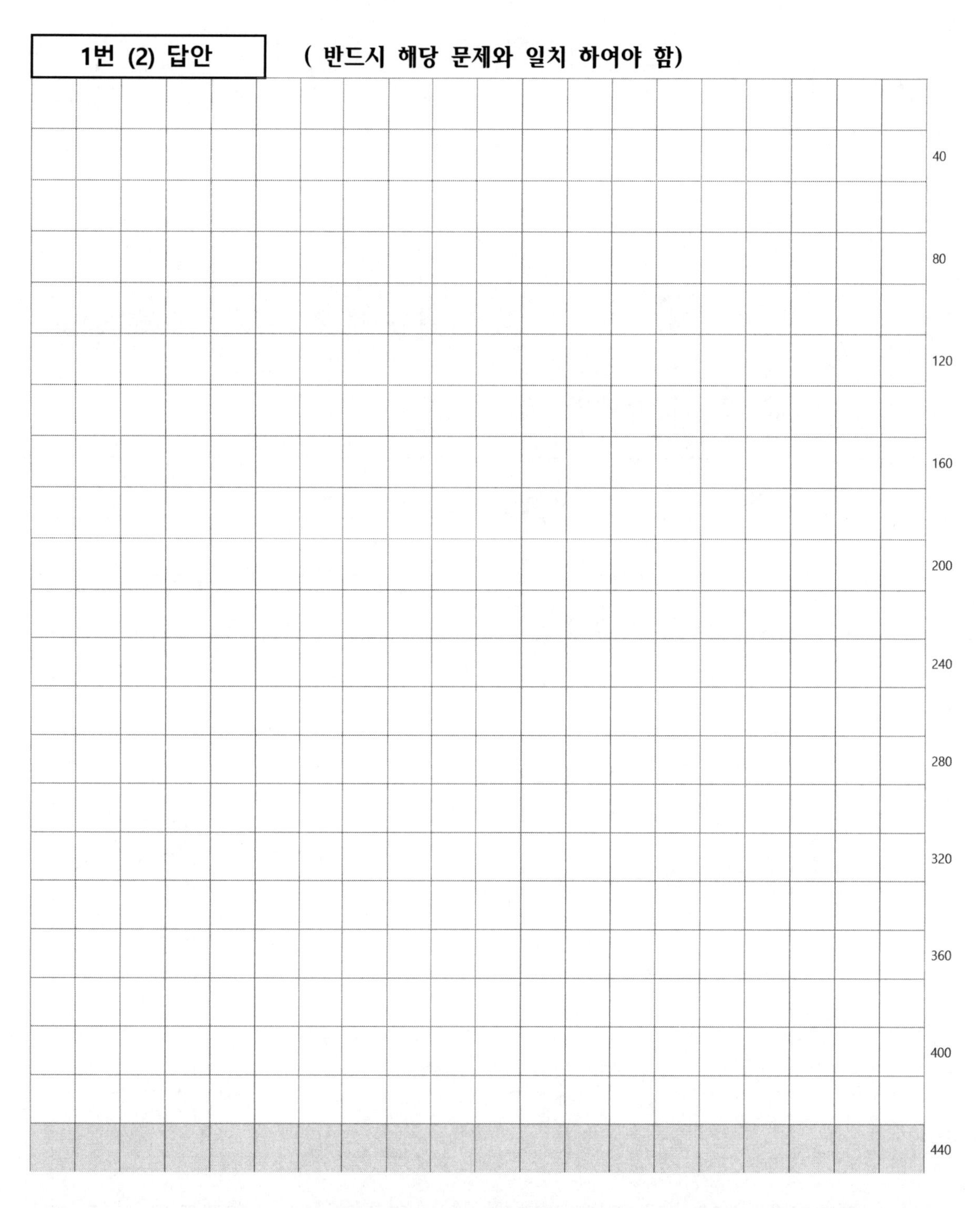

이 줄 아래에 답안을 작성하거나 낙서할 경우 판독이 불가능하여 채점 불가

2번 답안 (반드시 해당 문제와 일치 하여야 함)

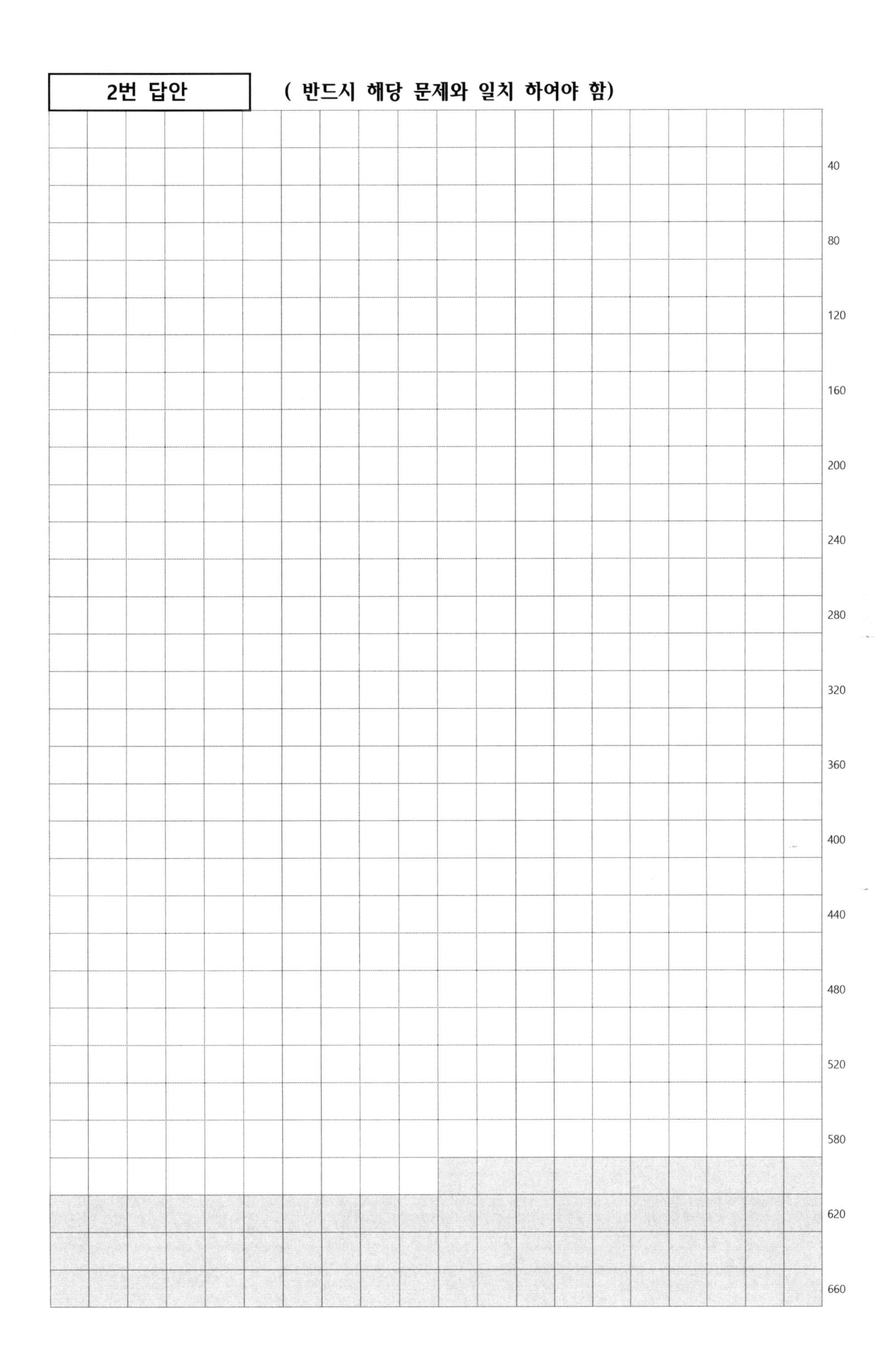

3번 답안 **(반드시 해당 문제와 일치 하여야 함)**

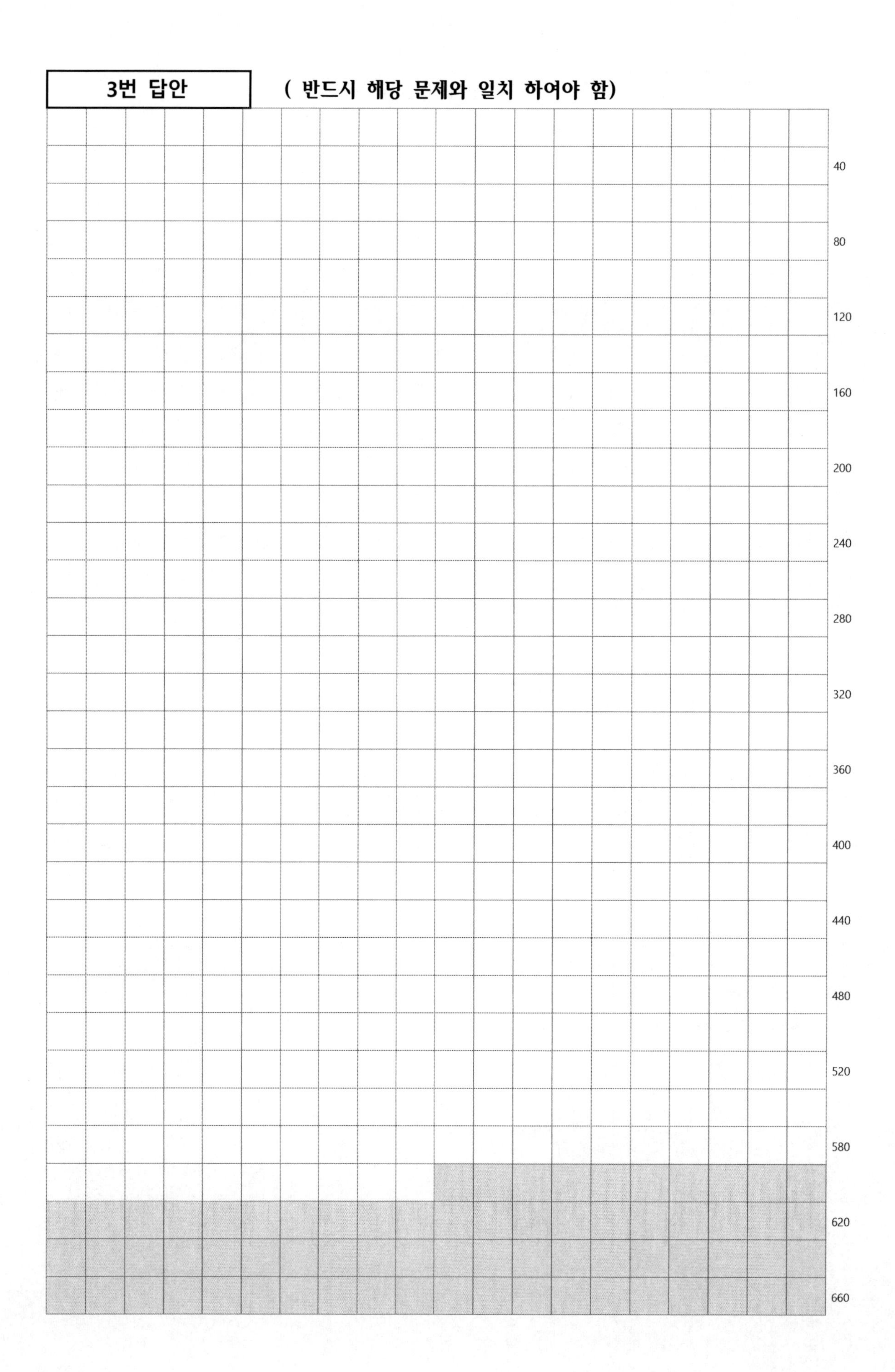

8. 2022학년도 단국대 수시 논술 (오후)

[문제 1] 다음의 제시문을 읽고 주어진 물음에 답하시오. (30점)

1) [가]에서 주제를 나타내는 단어 하나를 찾고, 그 단어를 이용하여 [가]의 내용을 요약하시오. (200자 내외) (10점)

2) [가]에서 찾은 단어를 이용하여 [나]를 요약하고 [다]를 설명하시오. (400자 내외) (20점)

[가] 처음으로 영문학 과목을 듣는 1학년 학생들에게 문학 작품 분석법을 가르칠 때 나는 역할 바꾸기를 역설한다. 이번 학기 영문학 개론 시간에는 학생들에게 윌리엄 포크너*의 「에밀리에게 장미를」이라는 작품을 읽혔다. 남부 귀족 가문의 마지막 혈통인 에밀리 그리어슨은 빠르게 변하는 현대의 도시 속에서 완전히 고립된 삶을 산다. 그러다가 북부에서 온 십장* 호머 배론이라는 남자와 사랑에 빠지고, 떠나려는 그를 붙잡기 위해 그에게 극약을 먹인다는, 아주 기괴한 이야기이다.

작품 분석을 하면서 에밀리의 성격을 이야기하라고 하면 학생들은 보통, "그 여자는 제정신이 아니에요. 정상적인 사람이라면 그런 행동을 할 수 없지요."라고 한다. 그렇게 말하면 토론이고 분석이고 아무것도 할 수가 없다. 어떤 작품에서 작중 인물이 그저 남이고, 그의 행위는 괴팍스러운 성향을 가진 남의 일이라고 단정해 버리면, 나와 남 사이의 공존을 공부하는 문학은 애당초 의미를 잃는다. 학생들 말마따나 에밀리의 경우는 단지 하나의 정신병 사례가 되어 버리는 것이다. 그럴 때 역할 바꾸기를 통해 스스로 에밀리가 되어 보라고 하면, 학생들의 관점은 달라진다. "에밀리도 가문의 전통을 지키는 귀족이기 이전에, 사랑하고 싶고 사랑받고 싶은 하나의 인간이지요."라든가 "에밀리는 어렸을 때 아버지에게 과잉보호를 받으며 자랐고, 바깥세상을 경험할 기회가 없었습니다."라든가 "에밀리의 고립된 삶은 지독한 자기와의 투쟁이었고, 그래서 포크너가 장미를 바치는 거지요."라는 등 에밀리의 입장을 변호하면서 꽤 그럴듯하게 비평적 접근을 한다.

남이기 때문에 안 되고, 나이기 때문에 괜찮다는 논리는 어쩌면 인간의 본능인지도 모른다. 많은 학생들 앞에서 강의할 때 나는 가끔 엉뚱한 생각을 한다. 누구나 다 똑같이 얼굴에는 눈 두 개, 코 한 개, 입 한 개가 있다. 그런데 어쩌면 그렇게 똑같은 조합으로 50명이면 50명, 100명이면 100명의 얼굴이 다 제각각 다를 수 있는가. 100명은 고사하고, 그 똑같은 조합으로 크로마뇽인* 이후 완벽하게 두 얼굴이 정확하게 똑같이 겹치는 예는 없었으리라. 그런데 두뇌 과학자들에 의하면 우리의 속 모습은 겉모습보다 더 차이가 난다고 한다. 얼핏 보기에는 똑같이 큰골, 작은골로 이루어져 있고 생김새도 비슷하게 보이지만, 두뇌마다 제각각 조금씩 찌그러진 정도나 굴곡, 주름 잡힌 정도가 달라서, 절대로 두 개의 두뇌가 완벽하게 같을 수 없다는 것이다. 즉 사람마다 살아가면서 제각각 다른 경험을 하고, 그 경험에 따라 갖는 느낌, 기억, 생각이 두뇌에 작은 선이나 주름을 하나씩 만들기 때문에, 억만 년이 지나도 똑같은 두뇌가 있을 수 없다는 말이다.

* 윌리엄 포크너 : 미국의 소설가로 주로 미국 남부 사회의 비극적인 모습을 묘사하였다.
* 십장 : 일꾼들을 감독하고 지시하는 우두머리.
* 크로마뇽인 : 1868년 프랑스의 크로마뇽 동굴에서 발견된 최초의 현생 인류.

출처 : 이숭원 외, 고등학교 문학 (출제진 재구성)

[나] 어느 누구라도 진심으로 다른 사람의 구원을 바라면서 그 사람을 고문으로 죽게 하는 것이, 그것도 개종되지 않은 채로 죽게 하는 것이 옳다고 생각하는 것을 나는 도저히 이해할 수 없습니다. 그것은 어떤 누구도 정상적인 행동이라고 생각하지 않을 것입니다. 누구도 그런 행동이 자비심이나 사랑이나 선의에서 비롯되었다고 믿지 않을 것입니다. 만일 불이나 칼의 위협을 통해서라도 다른 사람들에게 그들이 지닌 도덕적 원칙과 상관없이 어떤 특정한 교리를 억지로 고백하게 하고 이런저런 예배에 순응하게 해야 한다고 주장하는 사람들이 있다면, 그런 사람들은 수많은 사람들이 자기와 같은 신앙을 가지도록 만들기를 원하는 것이 틀림없습니다. 그렇지만 그런 사람들이 그런 수단을 통해서 진정한 그리스도의 교회를 세우겠다는 생각은 전혀 믿을 것이 못 됩니다.

……(중략)……

종교 문제에 대해 다른 견해를 가진 사람들에게 관용을 베푸는 것은 예수 그리스도의 복음에도 그리고 인간의 순수한 이성에도 아주 옳은 일입니다. 그러므로 내 생각에는 관용의 필연성과 관용이 갖고 있는 이점을 인식하지 못할 정도로 우둔한 사람이 있다면 참 어처구니없는 일입니다. 나는 여기에서 어떤 사람들이 갖고 있는 자만심과 야망을 비난하려는 것도 아니고 또 다른 사람들이 갖고 있는 무자비한 열의를 비난하려는 것도 아닙니다. 이러한 것들은 인간에게는 아마도 좀처럼 완전히 벗어날 수 없는 결점들일 것입니다. 그래서 사람들은 이런 것으로 비난을 받을 때마다 그럴듯한 변명을 둘러댑니다. 그리고 가끔씩 일어나는 열정에 휩싸일 때에는 그런 일에 칭찬해 줄 것을 요구합니다. 그래서 어떤 사람들은 다른 교파의 사람들을 비기독교적인 잔인함으로 박해할 때 공공의 복지를 돌본다는 핑계와 법을 준수한다는 핑계를 댑니다. 그리고 또 다른 사람들은 종교라는 미명 아래 자신들의 방종과 부도덕함을 처벌 받지 않으려고 합니다.

출처 : 존 로크, 『관용에 관한 편지』(출제진 재구성)

[다] 감정은 비이성적이고 비효율적이지만 인간됨을 규정하는 본능으로, 감정에 따라 판단하고 의지적으로 행동하는 인간에게 감정은 강점이면서 동시에 결함이 된다. 논리적으로 설명할 수 없는 인간의 행동은 대부분 감정과 의지에서 비롯한 것이다. 인류는 진화의 세월을 거쳐 공감과 두려움, 만족 등 다양한 감정을 발달시켜 왔다. 인간의 감정과 의지는 수백만 년의 진화 과정에서 인류가 살아남으려고 선택한 전략의 결과이다.

인공 지능을 통제하는 것이 과학자들과 입법자들의 과제라면, '인간이란 무엇인가?', '인공 지능이 대체할 수 없는 나만의 특징과 존재 이유는 무엇일까?'라는 철학적인 질문은 각 개인에게 던져진 과제이다. 인공 지능 시대는 필연적으로 인간의 본질과 삶의 의미에 대해 근원적 질문을 던진다. 인공 지능과 자동화는 우리에게 기계가 인간을 능가할 수 없는, 기계가 도저히 흉내 낼 수 없는 인간의 능력이 무엇이냐고 묻는다. 이것은 단지 기계와의 경주에서 살아남기 위해 경쟁력 있는 직업을 유지할 수 있는 인간만의 고유한 기능이 무엇인지를 묻는 게 아니다. 인공 지능이 점점 더 똑똑해지고, 인간이 해 오던 많은 일을 기계가 대신하게 되는 상황에서 인간이 인간다워지는 것의 의미를 묻는 것이다.

인공 지능 시대에 인간을 인간답게 만드는 것은 무엇보다 결핍과 그에 따른 고통이다. 인류의 역사와 문명은 이러한 결핍과 고통에서 느낀 감정을 동력으로 발달해 온 고유의 생존 시스템이다. 처음 마주하는 위험과 결핍은 두렵고 고통스러웠지만, 인류는 놀라운 유연성과 창의성으로 대응해 왔다. 결핍과 고통을 벗어나는 과정에서 인류가 체득한 생존의 방법이 유연성과 창의성이다. 이것은 기계에 가르칠 수 없는 속성이다. 그래서 인간의 약점은 인간과 기계를 구별하는 최후의 요소라고 할 수 있다. 우리는 기계를 설계할 때 부정확한 인식과 판단, 감정에서 비롯한 변덕스럽고 비합리적인 행동, 망각과 고통 같은 인간의 약점을 기계에 부여하지 않는다. 인간은 우리가 기계에 부여하지 않을, 이러한 부족함과 결핍을 지닌 존재이다. 하지만 거기에 인공 지능 시대 우리가 가야 할 사람의 길이 있다.

출처 : 신유식 외, 『고등학교 국어』

[문제 2] [가]와 [다], [나]와 [다]가 결합한 체제에 대해 각각 설명하고, 이 두 체제에서 [라]를 수용하는 이유를 제시문에 근거하여 각각 논술하시오. (600자 내외) (30점)

[가] 개인의 자유가 무엇보다 소중한 가치라고 보는 자유주의는 개인의 자유와 권리의 근거를 자연권 사상에 두고 있다. 자연권 사상에 따르면 모든 인간은 타인에게 양도할 수 없는 자유와 생명, 재산에 대한 권리를 가지고 있다. 자연권은 인간이 태어날 때 하늘로부터 부여받은 권리, 즉 천부 인권(天賦人權)으로서의 권리이다. 이러한 자연권은 홉스, 로크 등 근대의 사회 계약론자에 의해 계승되고 발전되었다.

……(중략)……

자유주의는 자유를 최상의 정치적·사회적 가치로 삼으며, 개인의 자유를 위협하는 체제와 제도에 반대한다. 자유주의는 국가의 존립 목적이 구성원들이 스스로 선택한 신념에 따라 자유로운 삶을 영위할 수 있도록 하는 데 있다고 본다. 따라서 자유주의는 다른 시민의 자유와 권리를 침해할 때 외에는 공권력과 법이 개인의 행동을 제약할 수 없다고 본다. 즉 법의 간섭은 최소한으로만 이루어져야 한다는 것이다. 자유주의에서는 정치 공동체가 개인의 자유와 권리를 보장하기 위해 존재하므로 공동선*보다는 개인의 행복과 자아실현 등 개인선의 추구를 중시한다. 그러나 개인선의 추구만을 지나치게 강조할 경우, 시민이 공동체로부터 부여받은 자신의 의무와 공동선에 무관심해지는 문제가 생길 수 있다.

……(중략)……

하지만 자유주의가 공동체와 공동선의 가치를 무시하지는 않는다. 자유주의는 자신의 이익이나 자아실현을 이유로 타인의 자유와 권리를 부당하게 침해하는 것에 반대한다. 자유주의에서 이상으로 삼는 개인은 자신의 삶을 스스로 선택하고 만들어 나가면서도 다른 사람의 자유와 권리도 그만큼 소중하게 여길 줄 아는 인간이다. 이러한 개인은 공동체 속에서 자신을 비롯한 구성원 모두가 행복을 누리기 위해서는 공동선의 추구가 필요하다는 것을 알고 자율적인 선택에 따라 공동선을 추구할 것이다. 자유주의에서는 관용을 자신과 다른 견해나 행동을 승인하며, 자신의 견해나 행동을 다른 사람에게 강요하지 않는 태도로 인식한다. 이때 관용은 다른 사람의 견해나 사상, 행동에 동의하지 않음에도 이를 참거나 허용한다는 더욱 적극적인 태도를 포함한다. 이는 불완전한 인간이 의사 결정 과정에서 오류를 저지를 수도 있다는 것을 전제로 한다. 하지만 이러한 관용의 태도가 무조건적인 관용을 의미하지는 않으며, 자유주의는 이른바 관용의 역설*을 경계하기도 한다. 타인을 존중하고 관용한다고 해서 다른 사람의 인권과 자유를 침해하는 일까지 관용하는 것은 아니기 때문이다.

* 공동선(共同善) : 개인을 포함한 공동체를 위한 선(善). 즉 공동체 전체에 이익이 되는 공익성으로 '공공선(公共善)'이라고도 한다.
* 관용의 역설 : 관용을 무제한으로 허용한 결과 인권이 침해되고, 사회 질서가 무너지는 현상.

출처 : 정창우 외, 『고등학교 윤리와 사상』(출제진 재구성)

[나] 19세기 이후 자본주의는 대규모 생산력을 지속적으로 발전시켰다. 이는 대다수 시민을 생산에 대한 지배로부터 배제하는 대가로 이루어졌던 것이다. 자본주의는 인간으로서의 권리보다 소유의 권리를 우선한다. 재산권이나 사회적 권리를 갖지 못한 임금 노동자라는 새로운 계급을 만들었고 계급 간 투쟁을 격화시켰다. 세상에는 모두가 상당한 생활을 향유할 만한 자원이 존재하지만, 자본주의는 세계 인구의 기본적 필요를 만족시키지 못하였다. 파멸적 위기와 대량 실업이 없이는 제 기능을 발휘할 수 없다는 것이 입증되었고, 사회 불안과 빈부의 뚜렷한 격차를 만들어 냈다. 제국주의적 팽창과 식민지 수탈을 복원하여 국가 간, 인종 간 분쟁을 더욱 심화하였다. 어떤 나라에서는 강력한 자본가 집단이 과거의 야만성을 자극하여 파시즘이나 나치즘의 모습으로 고개 들도록 조장하였다.
사회주의는 자본주의 사회의 고유한 병폐에 대항한 운동으로 유럽에서 발생하였다. 자본주의로 인해 가장 고통 받는 계층은 임금 노동자들이었기 때문에 초창기 사회주의는 이들의 운동으로 발전하였다. 이후 전문직 및 사무직 노동자, 농어민, 수공업자와 소매상, 예술가와 과학자 등 점점 더 많은 시민에게 인식되었다. 사회주의는 생산 수단을 소유·통제하는 소수에게 의존하고 있는 인민의 해방을 목표로 한다. 경제 권력을 인민 전체의 손에 넘기고 자유인이 평등하게 함께 일하는 공동체를 만드는 것 또한 사회주의의 목표이다.

……(중략)……

지금 많은 나라에서 방임적 자본주의는, 국가의 간섭과 집단적 소유를 통해 사적 자본가의 영역을 제한하는 경제로 나아가고 있다. 더 많은 인민이 계획의 필요성에 동의해 가고 있다. 사회 보장, 자유 노동조합주의, 산업 민주주의가 영역을 넓히고 있다. 이 같은 발전은 대부분 사회주의와 노동조합 운동가에 의한 오랜 투쟁의 결과이다. 사회주의가 강한 곳 어디에서든 새로운 사회 질서의 창조를 향한 중요한 조치가 시행되고 있다.

출처 : 프랑크푸르트 선언 (출제진 재구성)

[다] 우리의 정치 체제는 민주주의라고 불립니다. 왜냐하면 권력이 소수의 손에 있는 것이 아니라 전체 인민의 손에 있기 때문입니다. 사적인 분쟁을 수습해야 하는 문제가 있을 때 모든 사람은 법 앞에 평등합니다. 국가에 기여할 수 있는 능력을 가지고 있는 한 어느 누구도 빈곤하다는 이유로 정치적으로 무시되지 않습니다. ……(중략)…… 아테네에서 각 개인은 자신의 일뿐만 아니라 국가의 일에도 관심을 가집니다. 자신의 일에만 대체로 전념하는 사람들도 정치 일반에 대하여 아주 잘 알고 있습니다. 우리 아테네인들은 정책에 대한 결정을 스스로 내리거나 적절한 토의에 회부합니다.

출처 : 정창우 외, 『고등학교 윤리와 사상』

민주주의는 국민이 주권자로서 권력을 가지고 스스로 권력을 행사하는 정치 제도, 또는 그러한 정치를 지향하는 사상이나 정치적 지배 원리이다. 민주주의는 모든 국민이 동등한 자유와 평등한 권리를 가지는 존재라고 보고 '국민의, 국민에 의한, 국민을 위한 정치'를 추구한다.

국민 주권 원리를 바탕으로 하는 민주주의를 실현하려면 우선, 모든 국민이 정치에 참여할 권한과 기회를 동등하게 가져야 한다. 모든 국민은 직접 또는 대표자를 통해 헌법, 법률 및 정책과 관련하여 정치 권력을 행사할 수 있어야 하며, 정치 권력을 행사할 때는 누구도 차별 받거나 배제되어서는 안 된다. 모두가 번갈아 가며 지배하고 지배 받을 수 있는 것이 민주주의의 원리이기 때문이다.

다음으로, 국민이 권력의 구성과 집행을 통제할 수 있어야 한다. 특히 통치 권력이 국민의 권리를 제대로 보장하지 못하거나 주어진 권한을 넘어서서 권력을 마음대로 행사할 때 국민이 바로잡을 수 있어야 한다.

출처 : 변순용 외, 『고등학교 윤리와 사상』

[라] 1784년 영국 맨체스터 근처 면화 공장의 아동 노동자들에게 심각한 열병이 발생하였다. 그 원인을 조사한 결과, 열병은 아동 노동자의 열악한 노동 환경 때문이라는 보고서가 발표되었다. 이는 영국 사회에 큰 반향을 불러일으켰고, 1802년 세계 최초의 노동 보호법이라고 할 수 있는 「도제*의 건강과 풍속에 관한 법(the Health and Morals of Apprentices Act)」이 제정되었다. 이 법은 당시 도제의 지위에 있었던 아동 노동자들의 하루 근로 시간을 12시간 이내로 제한하고, 야간 노동을 금지하였다. 또한 사업주는 아동 노동자들에게 적정한 숙소와 의복을 지급하고 기본적인 교육을 제공해야 한다고 명시하였다. 비참한 아동 노동자들을 동정하는 여론에서 비롯된 노동법은 이후 꾸준히 발전하여 모든 임금 노동자를 보호하는 오늘날의 노동법 법제로 발전하였다.

* 도제 : 특정 분야의 전문가 밑에서 일하면서 직업에 필요한 기능과 지식을 배우는 직공을 말한다.

출처 : 김왕근 외, 『고등학교 정치와 법』

근로 조건은 계약 당사자의 자유로운 합의에 따라 정해지는 것이 원칙이다. 하지만 이를 당사자에게만 맡긴다면 근로 조건이 실질적으로 사용자의 의사에 따라 결정될 수 있고, 근로자에게 불리한 결과가 나타날 수 있다. 이에 우리 헌법에서는 "근로자는 근로 조건의 향상을 위하여 자주적인 단결권·단체 교섭권 및 단체 행동권을 가진다."라고 규정함으로써 노동 삼권을 보장하여 사용자보다 경제적으로 약한 지위에 있는 근로자를 보호하고 있다.

출처 : 서범석 외, 『고등학교 정치와 법』

노동법은 사회법*의 한 종류로서 근로 관계를 규율한다. 국가는 노동법을 근거로 근로 관계에 일정한 제한을 가할 수 있다. 예를 들어 임금이나 근로 조건은 당사자인 사용자와 근로자가 자율적으로 결정하는 것이 원칙이지만, 부당한 임금과 열악한 근로 조건이 적용되지 않도록 국가가 개입하여 최저 임금과 최소한의 근로 조건을 보장하도록 강제한다.

노동법에는 근로의 조건과 기준을 정하여 경제적 약자인 근로자를 보호하는 근로 기준법, 사용자가 최저 수준 이상의 임금을 근로자에게 지급하도록 규제하는 최저 임금법, 근로자의 단체 결성과 노사 관계에서 발생한 문제를 합리적으로 해결하기 위한 노동조합 및 노동관계 조정법 등이 있다.

* 사회법 : 사회법은 사적 영역에 대한 공적 규제로서 '사적 자치 원칙'의 수정이라는 특징을 지닌다. 사회법은 크게 노동법, 사회 보장법, 경제법, 환경법 등으로 분류된다.

출처 : 김왕근 외, 고등학교 정치와 법

[문제 3] [가], [나], [다]를 연관 지어 설명하고, [라]를 모두 활용하여 [다]를 해결하기 위한 방안을 서술하시오. (600자 내외) (40점)

[가]

<1인 가구 비율과 평균 가구원 수 변화>

연도	1985	1990	1995	2000	2005	2010	2015
1인 가구 비율 (%)	6.9	9	12.7	15.5	20	23.9	27.2
평균 가구원 수 (명)	4.1	3.7	3.3	3.1	2.9	2.7	2.5

출처 : 구정화 외, 『고등학교 사회 · 문화』

<합계 출산율*과 출생아 수 변화>

연도	2012	2013	2014	2015	2016	2017	2018
합계 출산율 (명)	1.3	1.19	1	1.24	1.17	1.05	0.96
출생아 수 (만 명)	48.5	43.7	43.5	43.8	40.6	35.8	32.5

* 합계 출산율 : 가임 여성(15~49세) 1명이 평생 낳을 것으로 예상되는 평균 출생아 수를 나타낸 지표.

출처 : 『서울경제』, 2019. 1. 20.

<20~30대 미혼 성인 남녀 877명 설문 조사 결과>

Q. 결혼 후 딩크족* 생활을 하실 건가요?

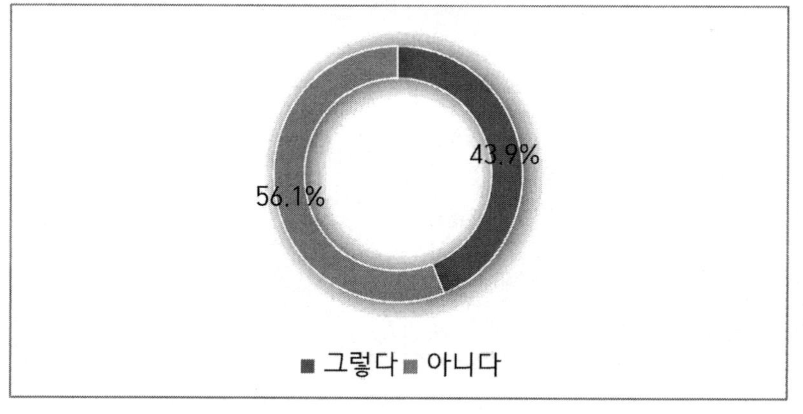

* 딩크족 : DINK(Double Income No Kids)+족. 아이를 갖지 않는 맞벌이 부부.

출처 : 『중앙일보』, 2019. 4. 2.

<반려동물을 키우는 가구 수 추이>

연도	2012	2015	2018	2019
반려동물을 키우는 가구 수 (만 가구)	359	457	511	591
전체 가구 수 대비 비율 (%)	17.9	22	23.7	26.4

출처 : 『리얼캐스트』, 2020. 12. 9.

[나]

<분야별 반려동물 관련 산업>

분야	산업
동물 복지	동물 병원, 동물 장례, 반려동물 카페, 동물 미용실, 홈펫시터
교육	반려동물 관리사 • 스타일리스트 학원, 반려동물 훈련소
제조 • 생산	반려동물 분양, 반려동물 사료, 케어용품, 미용 용품, 가구 등

<반려동물 관련 시장 규모 전망>

연도	2015	2016	2017	2018	2019	2020	…	2027
시장 규모 (억 원)	17000	21400	23300	27000	30000	33000		60000

출처 : 『더벨』, 2021. 2. 15.

[다] 펫팸족*이라는 말이 나올 정도로 반려동물을 키우는 인구는 점점 증가하지만, 정작 지역 내에서 반려동물을 마음 편히 키울 수 있는 공간은 많지 않다.

최근 언론 보도를 통해 이웃 주민의 반려견에게 물려 중상을 입거나 심지어는 사망하는 사고까지 발생함에 따라 반려견과 주인이 함께 다니는 모습은 비반려인들의 안전에 위험 요소로 비쳐지기도 한다.

이러한 가운데 정부는 ▲목줄 길이 제한 ▲공원 내 배설물 미처리에 대한 과태료 인상 등 구체적인 정책을 내놨지만, 효과가 미미하다는 우려의 목소리가 나오고 있다. 공원 면적과 개수에 비해 단속 인원이 턱없이 부족한 상황에서 과태료를 높인다고 해도, 적발을 제때 하지 못해 사실상 효과는 크지 않다는 것이다. 시행 전부터 논란이 되고 있는 일명 '개파라치' 제도를 악용하는 사례도 예상돼 제도 개선에 대한 목소리도 높다.

이에 일부 반려인과 개를 키우지 않는 비반려인들에게서 공원에 반려견을 위한 놀이터를 설치해 달라는 요구가 나오고 있다. 하지만 구청은 반려견 놀이터를 설립하기 위한 공간에 관내 근린공원이 해당되지 않아, 불가능하다는 입장이다.

퇴근 후 반려견과 함께 생태 공원을 자주 이용한다는 A 씨는 "개파라치, 목줄 길이 제한 등 반려견에 대한 제재가 점점 강화되고 있다."라면서 "반려견을 공원에 데리고 나가면 지나가는 주민들의 시선이 곱지 않다고 느낀다."라고 하소연했다. 그러면서 A 씨는 "반려견이랑 집에만 있어야 하느냐?"라며 "안전사고 등으로 반려견에 관한 규제를 강화하는 것도 좋지만 반려견과 함께 소통하고 산책할 수 있는 공간의 마련도 필요하다."라고 말했다.

반려견을 위한 공간이 필요하다는 의견은 견주뿐만 아니라, 반려견을 키우지 않는 주민들 사이에서도 나온다. 미연에 사고를 방지하고자 이들이 서로 방해 받지 않도록 반려견을 위한 공간을 별도로 마련해야 한다는 것이다.

공원을 자주 이용한다는 B 씨는 "반려견을 데리고 나와 목줄, 배변 등 펫티켓을 지키지 않는 견주들을 많이 볼 수 있다."라면서 "따뜻해지면 점점 더 많은 반려견들이 나올 텐데 언제 어떤 사고가 발생할지 모르니, 반려견 놀이터와 같이 한 구역을 지정해 펜스를 치고 그 안에서 반려동물을 풀어놓고 마음껏 뛰어놀 수 있게 하는 것이 무조건적인 단속보다는 사고를 줄일 수 있는 방법 중 하나라고 생각한다."라고 말했다.

이에 대해 구청 관계자는 우선 "생태 공원의 경우 그곳에 하천이 있는데, 하천은 지자체가 아닌 국가 소유물이어서 하천법 제33조에 의거, 반려견을 위한 공간을 마련하기가 사실상 어렵다."라고 설명했다. 그는 또 "공원을 이용하는 주민들 중반려견 전용 공간을 심하게 반대하는 분들도 계셔서 반려견 놀이터 조성이 쉽지 가 않다. 서울 시내 자치구 중 ○○구의 경우 반려견 놀이터 공간을 마련했지만, 주민 반대 여론이 심해 다시 없애는 사례 등이 있었다."라며 "일단 우리 구에는 현재 반려견 놀이터를 조성할 수 있는 공간이 마련돼 있지 않다."라고 설명했다. 현행 '공원녹지법 시행규칙'에 따르면 도시공원 내 동물 놀이터의 설치는 10만㎡ 이상의 근린공원 및 주제 공원에 설치할 수 있도록 되어 있다.

* 펫팸족 : 반려동물을 뜻하는 펫(pet)과 가족을 의미하는 패밀리(family)가 합쳐진 조어.

출처 : 『서울로컬뉴스』, 2018. 3. 20.(출제진 재구성)

[라] 같은 사회 현상도 시대와 장소에 따라 다르게 해석되기도 하고, 사회 구조나 그 사회가 추구하는 가치에 따라 받아들이는 정도가 다를 수도 있다.

비둘기 문제를 예로 들면, 한때 평화의 상징이었던 비둘기는 현재 도심에서 각종 문제를 일으키는 골칫거리가 되었다. 비둘기를 그저 평화의 상징으로만 여기고 이 문제를 방치한다면 비둘기로 인한 피해가 커질 수 있다. 그렇다고 비둘기를 유해 동물로만 여겨 무조건 퇴치하려고 한다면 도시 생태계가 변화하여 또 다른 피해가 발생할지도 모른다.

이러한 문제가 발생하였을 때에는 발생 경과, 지역적 특성, 관련 정책이나 제도, 그 사회가 추구하는 가치 등을 함께 고려하여 문제 해결에 나서야 한다. 즉 통합적 관점에서 문제를 관찰하고 분석할 때, 제대로 된 해결책을 얻을 수 있다.

출처 : 육근록 외, 『고등학교 통합사회』

사회 통합은 한 사회가 공동의 목표를 향해 조화롭게 결속된 상태를 의미한다. 이는 사회 갈등을 해소하여 평등하고 서로 신뢰하는 사회를 실현하며, 국민 개개인의 행복을 지향하는 것을 말한다. 이러한 사회 통합은 경제 성장과 복지를 확대하고, 국민을 위한 여러 가지 정책의 효과를 높일 수 있다.

사회 통합을 이루기 위해서는 제도적 차원의 노력과 의식적 차원의 노력이 함께 필요하다. 제도적 차원에서는 사회의 가치를 배분하는 과정에서 공정하고 투명한 절차와 기준을 확립하여 소외 받는 사람이 생기지 않도록 해야 한다. 이를 위해서는 교육이나 홍보를 통해 절차와 과정의 정당성과 신뢰를 구축하여 법치주의를 확립하고 공정 사회를 구현해야 한다.

의식적 차원에서는 다양성을 인정하면서 대화와 토론으로 의사 결정을 하는 성숙한 민주 시민의 자세가 필요하다. 민주주의 사회는 서로 다른 생각이 공존하는 사회이다. 다른 사람의 가치관과 신념이 나와 다를 수 있음을 이해하고, 양보와 관용의 정신을 발휘함으로써 사회 통합으로 가는 초석을 다질 수 있을 것이다.

출처 : 김국현 외, 『고등학교 생활과 윤리』 (출제진 재구성)

인간은 서로 뜻을 전달하기 위해 의사소통을 한다. 소통은 막히지 않고 잘 통한다는 의미로, 의사소통이 잘 이루어지면 갈등을 예방하고 서로 협력하며 좋은 관계를 유지할 수 있다. 의사소통은 상대방을 존중하는 바탕에서 열려 있는 대화를 통해 이루어져야 한다. 즉 소통은 결정된 것을 상대방에게 전하고 상대방이 받아들이도록 하는 것이 아니라, 나와 상대방이 서로 의견을 주고받는 공유의 과정이다.

담론은 언어로 표현되는 인간의 모든 관계를 분석하는 도구로, 현실에서 전개되는 각종 사건과 행위를 해석하고 인식하는 틀을 제공한다. 나아가 담론은 해석의 틀을 토대로 사회 구성원에게 특정한 인식과 가치관으로 현실을 바라보게 하고, 현실을 재구성하게 하는 효과를 갖는다.

출처 : 김국현 외, 『고등학교 생활과 윤리』

정부의 경제 활동을 재정이라고 하며, 재정 활동은 세입과 세출을 통해 이루어진다. 세입은 조세 및 세외 수입으로 구성되며 세출은 국방, 복지, 사회 간접 자본 확충 등을 달성하기 위해 재원을 지출하는 활동이다. 정부가 재정 활동을 수행하기 위해 세입과 세출을 사전에 계획하는 것을 예산이라고 하며, 예산안은 국회의 심의를 거쳐 확정된다. 정부는 이러한 재정 활동을 통해 시장의 기능을 보완하고 소득 재분배, 경제 안정화 등 공공의 이익을 추구한다.

출처 : 허수미 외, 『고등학교 경제』

세금은 납부 방법에 따라 직접세와 간접세로 나눌 수 있다. 직접세는 세금을 납부하는 사람과 부담하는 사람이 같은 세금으로, 소득세, 법인세 등이 이에 해당한다. 간접세는 세금을 납부하는 사람과 부담하는 사람이 다른 세금으로, 부가가치세, 개별 소비세 등이 있다.

출처 : 박형준 외, 『고등학교 경제』

경제적 유인이란 금전적 보상이나 벌금과 같이 사람들이 특정한 방식으로 행동하도록 동기 부여하는 것을 말한다. 합리적인 사람은 비용과 편익을 비교하여 의사 결정을 하기 때문에 비용과 편익을 변화시키는 경제적 유인은 사람들의 행동에 영향을 끼친다. 어떤 행동의 비용을 감소시키거나 편익을 증가시키는 경제적 유인이 주어진다면 그 행동은 더 자주, 더 강하게 나타나게 된다.

시장 경제에서 대표적인 경제적 유인은 가격, 임금, 이윤, 보조금, 범칙금, 과태료, 벌금 등이다. 이러한 경제적 유인들은 편익을 증가시키거나 비용을 감소시키는 긍정적인 경제적 유인 또는 비용을 증가시키거나 편익을 감소시키는 부정적인 경제적 유인으로 작용한다.

출처 : 김종호 외, 『고등학교 경제』

DKU 단국대학교 DANKOOK UNIVERSITY

논술답안지

※감독자 확인란

모집단위

성 명

수험번호

생년월일 (예 : 050512)

【유의사항】
1. 답안 작성 시 문제번호와 답안번호가 일치하도록 알맞은 칸에 작성하여야 한다.
2. 답안 작성 시 필요한 경우에 수식 및 그림을 사용할 수 있다.
3. 필기구는 반드시 검은색 필기구만을 사용하여야 한다. (검은색 이외의 필기구로 작성한 답안은 모두 최하점으로 처리함)
4. 문제와 관계없는 불필요한 내용이나, 자신의 신분을 드러내는 내용이 있는 답안 및 낙서 또는 표식이 있는 답안은 모두 최하점으로 처리한다.
5. 답안은 반드시 정해진 답안작성란 안에만 작성하여야 한다. (답안작성란 밖에 작성된 내용은 채점 대상에서 제외함)

1번 (1) 답안 **(반드시 해당 문제와 일치 하여야 함)**

40

80

120

160

200

240

이 줄 아래에 답안을 작성하거나 낙서할 경우 판독이 불가능하여 채점 불가

1번 (2) 답안 (반드시 해당 문제와 일치 하여야 함)

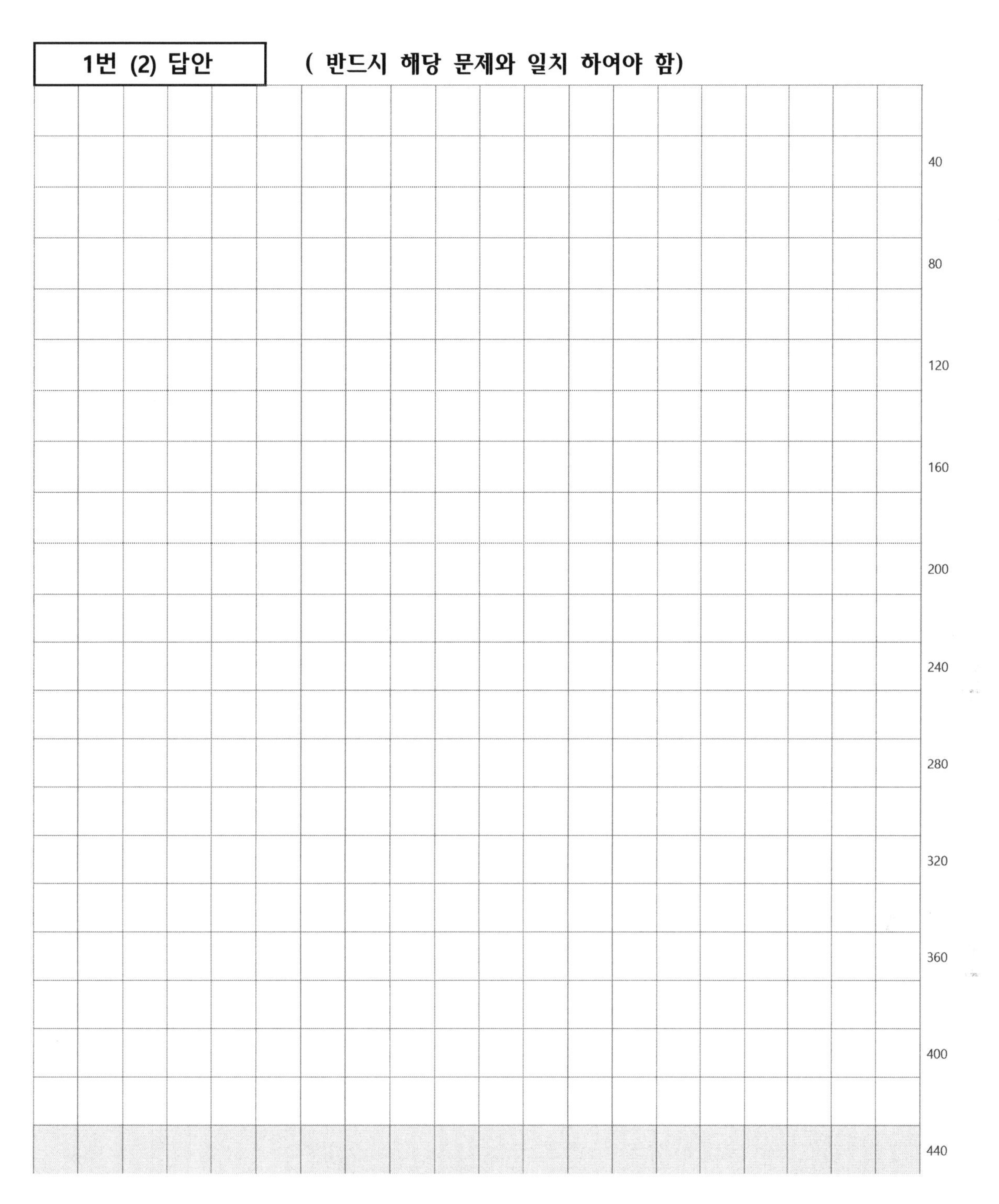

이 줄 아래에 답안을 작성하거나 낙서할 경우 판독이 불가능하여 채점 불가

2번 답안 **(반드시 해당 문제와 일치 하여야 함)**

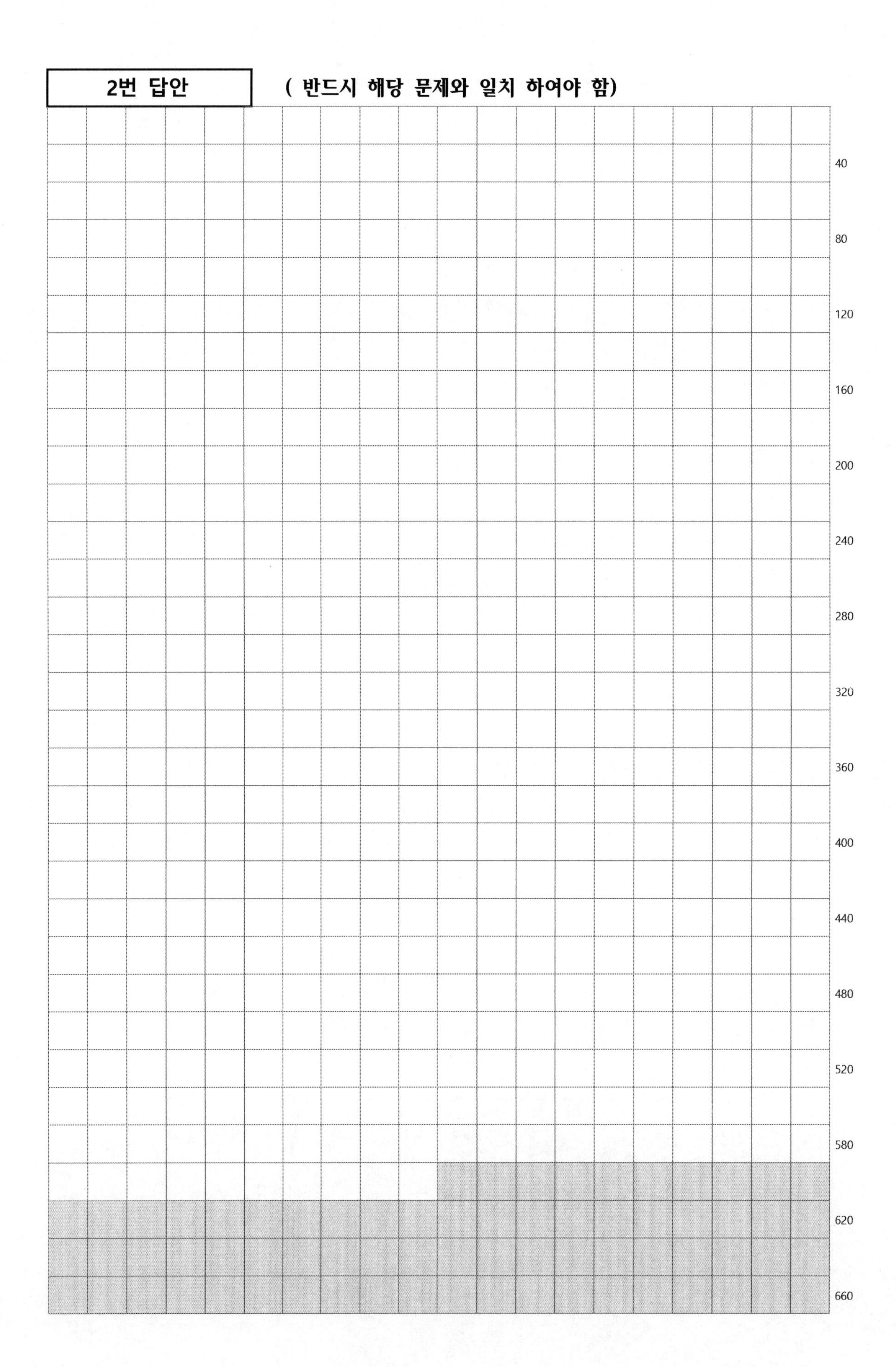

3번 답안 **(반드시 해당 문제와 일치 하여야 함)**

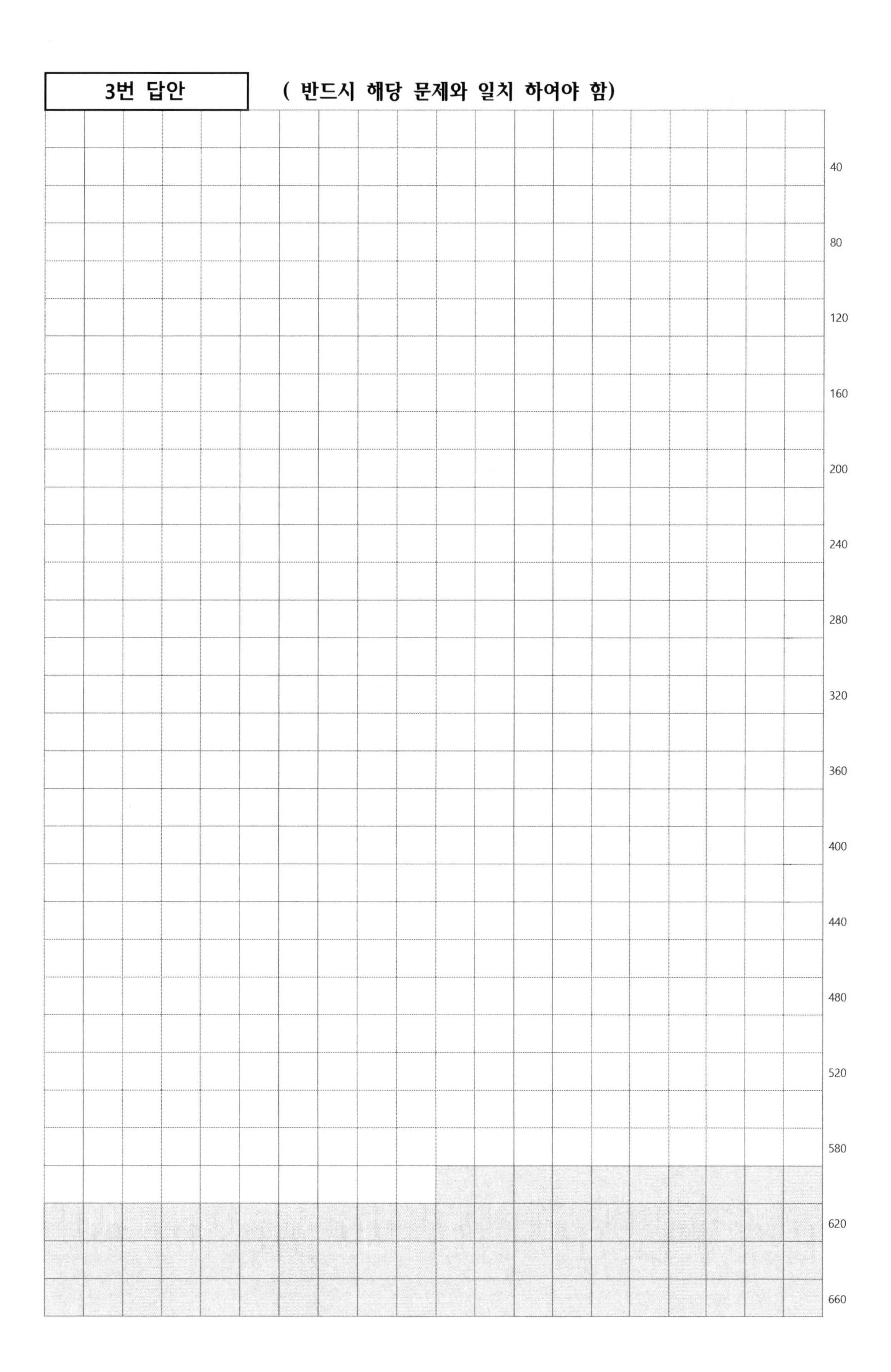

9. 2022학년도 단국대 모의 논술

[문제 1] 다음의 제시문을 읽고 주어진 물음에 답하시오. (30점)

1) [가]에서 주제를 나타내는 단어 하나를 찾고, 그 단어를 이용하여 [가]의 내용을 요약하시오. (200자 내외) (10점)

2) [가]에서 찾은 단어를 이용하여 [나]를 요약하고 [다]를 설명하시오. (400자 내외) (20점)

[가] 누군가를 만나 과거보다 더 완전한 인간이 되었다는 기쁨을 느끼게 되는 감정, 이 감정에서도 성별의 차이가 존재한다. 여성은 늘 수동적이며 구원을 기다리는 존재로 여겨져 왔다. 하지만 1792년 페미니스트 메리 울스턴크래프트*는 <여성 권리 옹호>에서 이제 여성은 수동적 객체가 아니라 직접 자신의 개성을 가지고 대상을 선택하는 주체로 나서야 한다고 주장한다. 이제 사랑은 단순히 우연에 바쳐지는 것이 아닌 개인의 적극적인 선택 문제가 되었다.

현대 사회의 사랑과 결혼에서 남녀의 성 역할에 대한 기대는 일치하지 않는다. 자본주의 사회에서 남성은 결혼과 동시에 낭만적 감정을 공유하기보다는 일터의 사냥꾼으로 살아야 하는 운명을 지녔다. 그렇기에 결혼하는 순간 남성은 '순결하고 헌신적인 어머니나 누이'의 모습을 여성에게 기대하며 자신에게 헌신해 주기를 요구한다. 이에 반해 여성은 결혼 후에도 드라마 속 주인공처럼 깜짝 행사와 사랑스러운 체험을 하게 해 줄 남성을 꿈꾼다. 현대 사회에서 사랑과 결혼은 동상이몽의 현장이 되는 것이다.

현대인들은 점점 사랑의 열정을 소모적인 것이라고 낙인찍으려 한다. 현대 사회는 훨씬 복잡해졌고, 현대인들은 훨씬 바쁘고 피곤해졌다. 그래서 현대에는 이 감정을 좀 더 유용한 것으로 변모시키려 하는 경향이 나타나며, 이 감정을 통해 자신의 이미지를 찾고 상대를 통해 자아를 확산해 간다. …… 중략 …… 현대인은 점차 낭만적인 환상에서 벗어나 개인화를 추구하고 있다. 그러나 개인주의와 자기애가 심해지는 현대 사회에서도 이 감정에 대한 열망은 식지 않을 것이다. 동상이몽의 결혼 제도라 해도 그것이 시사하는 유대나 소속감은 포기되지 않을 것이다. 왜냐하면 지루한 일상에서 낭만적 환상과 자아의 실존적 의미를 발견하게 하는 유일한 것이기 때문이다.

* 메리 울스턴크래프트(1759~1797) : 영국의 작가이자 철학자.

출처 : 방민호 외, 『고등학교 독서』(출제진 재구성)

[나] 이것의 능동적 성격은 준다는 요소 외에도, 언제나 모든 형태에 공통된 어떤 기본적 요소들을 내포하고 있다는 사실에서 분명해진다. 이러한 요소들은 보호, 책임, 존경, 이해 등이다.

보호가 포함되어 있다는 것은 자식에 대한 모성애에서 가장 명백하게 나타난다. 어머니가 자식을 충분히 보호하지 않는다면, 또한 어머니가 자식에게 젖을 주지 않거나 목욕을 시키지 않거나 편안하게 해주지 않는다면, 아무리 어머니의 사랑에 대한 보증을 듣더라도 우리는 진실하다고 감동하지 않을 것이다. 그러나 어린 아이를 돌보고 있는 어머니를 보면 우리는 강력한 인상을 받을 것이다. 동물이나 꽃에 대한 경우도 다르지 않다. 꽃에 물을 주는 것을 잊어버린 사람을 본다면, 우리는 그 사람이 꽃을 사랑한다고 믿지 않을 것이다.

…… 중략 ……

보호와 관심에는 책임이라는 측면이 포함되어 있다. 오늘날은 책임이 흔히 의무, 곧 외부로부터 부과된 것을 의미한다고 이해되고 있다. 그러나 책임은 그 참된 의미에서는, 전적으로 자발적인 행동이다. 책임은 다른 인간 존재의 요구에 대한 나의 반응이다. 책임을 진다는 것은 응답할 수 있고, 응답할 준비가 갖추어져 있다는 뜻이다.

…… 중략 ……

만일 존경이 없다면, 책임은 쉽게 지배와 소유로 타락할 것이다. 존경은 두려움이나 외경*은 아니다. 존경은 이 말의 어원에 따르면 어떤 사람을 있는 그대로 보고 그의 독특한 개성을 아는 능력이다. 존경은 다른 사람이 그 나름대로 성장하고 발달하기를 바라는 관심이다.

이와 같은 존경은 착취가 없다는 의미를 내포하고 있다. 나는 사랑하는 사람이 나에게 이바지하기 위해서가 아니라 자기 자신을 위해서 자기 나름대로의 방식으로 성장하고 발달하기를 바란다. 만일 내가 다른 사람을 사랑한다면, 나는 그(또는 그녀)와 일체감을 느끼지만 이는 있는 그대로의 그와 일체가 되는 것이지, 내가 이용할 대상으로서 나에게 필요한 그와 일체가 되는 것은 아니다.

…… 중략 ……

어떤 사람을 존경하려면 그를 잘 알지 않고서는 불가능하다. 보호와 책임은 이해에 의해 인도되지 않는다면 맹목일 것이다. 이해는 관심에 의해 동기가 주어지지 않으면 공허할 것이다. 이해는 나 자신에 대한 관심을 초월해서 다른 사람을 그의 관점에서 볼 수 있을 때만 가능하다.

* 외경 : 공경하면서 두려워함.

출처 : 정창우 외, 『고등학교 생활과 윤리』(출제진 재구성)

[다] 할아버지의 입관. 할머니와 자식들. 할머니, 할아버지를 쓰다듬으면서 운다.

눈길, 선산으로 향하는 큰아들. 무덤가에서 불을 피운 할머니의 뒷모습. 할머니는 전에 시장에서 사 두었던, 어릴 때 죽은 자식들의 내복을 태운다.

눈물 닦는 할머니. 무덤 위의 눈사람.

할머니 : 아이들을 할아버지가 가서 만나거든, 아이들이 올 거예요. 오거든 옷 한 벌씩 입혀요. 그 전에 나하고 약속했잖우.

할머니는 다시 할아버지의 옷을 태운다.

할머니 : 할아버지, 가져가서 내년 봄 되면 입으셔요. 내년 봄날 따뜻해지면 입으셔요. 이건 할아버지 러닝셔츠야. 날 따시거든 입어. 내가 없더래도 잘해요. 깨끗이 낯도 닦고. 깨끗하게 하고 다녀요, 할아버지. 내가 없더래도 할아버지 보고 싶더래도 참아야 돼. 나도 할아버지 보고싶더래도 참는 거야.

눈물 닦는 할머니. 무덤 위의 눈사람.

할머니 : 할아버지요, 나는 집으로 가요. 나는 집으로 가니, 할아버지는 잘 계세요. 춥더라도참고.

할머니는 걷다가 무덤을 다시 뒤돌아보고 흐느낀다. 흐느끼면서 겨우 발걸음을 옮기던 할머니, 무덤을 바라보면서 주저앉아 흐느낀다.

할머니 : 아이고, 너무 불쌍하다. 할아버지가, 아이고 세상 불쌍해. 할아버지 불쌍해 죽겠네. 할아버지 생각나니까는, 할아버지 생각을 누가 하나, 나밖에는 하는 사람이 없는데……. 아이고. (페이드아웃*)

* 페이드아웃 : 영상에서 화면을 점점 흐리게 하여 결국에는 소거하는 연출 기법.

출처 : 류수열 외, 『고등학교 문학』

[문제 2] [가]를 고려하여 [나]를 설명하고, [가]와 [나]를 활용하여 [다]의 현상들을 소비의 관점에서 모두 설명하시오. (600자 내외) (30점)

[가] 인간에게 양식(良識)은 가장 동등하게 분배되어 있다. 사람들 모두 스스로가 양식을 풍부하게 갖추고 있다고 생각하므로, 다른 모든 것에 대해 만족하지 못하는 사람들마저도 대체로 자신들이 이미 갖추고 있는 양식보다 더 많은 양식을 바라지 않는다. 이런 점에서 양식 혹은 이성이라고 불리는, 올바르게 판단하고 진실과 거짓을 구별하는 힘은 모든 인간에게 있어 태생적으로 동등하다고 입증된 것처럼 생각된다.

따라서 우리들이 보여주는 의견의 다양성은 누군가가 다른 사람들보다 더욱 이성적이기 때문이 아니라 단지 우리들이 서로 다른 방식으로 생각하며 동일한 대상에 집중하지 않아서 발생한다. 그러므로 가장 중요한 것은 좋은 능력을 갖추는 것이 아니라 그 능력을 올바르게 적용하는 것이다. 가장 위대한 영혼은 가장 훌륭한 미덕만큼이나 가장 위험한 악덕도 행할 수 있다.

그리고 아주 느리게 움직이는 사람들도 언제나 곧게 나 있는 길을 따라 걷는다면, 달려가지만 그 길을 벗어난 사람보다 훨씬 더 큰 진전을 이루어낼 수 있다.

나는 나의 그 어떤 면도 대부분의 다른 사람들보다 더 완벽하다고 생각했던 적이 없다. 나는 종종 다른 사람들 못지않게 민첩하게 판단하거나, 명확하고 독특하게 상상하거나, 완벽하고 신속하게 기억할 수 있기를 바랐다. 나는 이러한 것들 외에 정신의 완벽함에 기여하는 특성들을 알지 못한다. 이성 또는 판단력만이 우리를 인간으로 만들어주고 짐승과 구별해 주는 것이므로, 이성은 개개인들에게서 완벽하게 찾아볼 수 있는 것이라고 믿는다. 그런 점에서 동일한 종의 탁월함과 열등함은 오직 우연에 의해 평가되며, 개별적인 형태나 자질 사이에 있는 것이 아니라는 철학자들의 일반적인 견해를 따르고 싶다.

출처 : 데카르트, 『방법서설』(출제진 재구성)

[나] 자본주의는 경제 문제를 시장을 통해 해결한다는 점에서 알 수 있듯이 시장 경제를 기반으로 한다. 시장 경제는 개인의 자유로운 이익 추구와 경쟁에 기초하여 경제의 기본 문제를 해결하는경제 체제이다.

시장에서 개인은 자신의 욕망에 비해 희소한 자원을 어떻게 하면 효율적으로 사용할 수 있을지를 고민하게 된다. 이때 합리적 선택을 하려면 문제를 정확하게 인식한 후 선택의 대안들을 분석하고 각 대안의 편익과 비용을 파악해야 한다. 편익은 어떤 선택을 통해 얻어지는 만족이나 이득을 말하는데, 선택에 따른 비용과 편익을 비교하여 비용보다 편익이 더 큰 쪽을 선택하는 것이 합리적이다.

출처 : 구정화 외, 『고등학교 통합사회』

우리는 비용과 편익을 고려하여 합리적 선택을 해야 한다. 그러나 선택의 과정에서 효율성*만을 추구할 경우 공공의 이익이나 규범 준수와 같은 가치를 훼손할 우려가 있다.

……중략……

합리적 선택은 소비자나 기업 등 각 경제 활동 주체의 차원에서 보면 사적인 이익을 극대화하는 데에는 기여하지만, 사회적 차원에서 보면 바람직하지 않은 결과를 초래할 우려가 있다. 따라서 각 경제 활동의 주체는 선택의 과정에서 사적인 이익과 공익, 사회적 이익을 고려하여 조화를 추구하는 자세를 갖출 필요가 있다.

* 효율성 : 최소 비용으로 최대 만족을 추구하는 경제 행위의 원칙

출처 : 이진석 외, 『고등학교 통합사회』

[다] M세대는 밀레니얼(Millennials) 세대로 1980년대 초반부터 1990년대 중반까지 출생한 세대이고, Z세대는 1990년대 중반부터 2000년대 중반까지 출생한 세대를 일컫는다.

이들은 미래 비즈니스와 밀접하게 연관 있는 세대로 새로운 세대의 소비 패턴에 대한 관심도 높아지고 있다. 잡코리아와 알바몬이 지난달 MZ세대 2,233명을 대상으로 한 '소비 성향' 조사에서 응답자의 절반 이상(51.2%)이 가격 대비 높은 성능을 추구하는 '가성비 소비'*를 선호한다고 응답했다.

이와 함께 인간이나 동물·환경에 해를 끼치는 상품은 피하고, 환경과 지역 사회에 도움이 되거나 공정 무역을 통해 만들어진 제품을 구매하며, 제3세계 노동자들을 인식하자는 소비 운동이 있다. 최근 우리나라 화장품 업계에서 동물 실험 반대 바람이 불고 있다. 동물 실험이 동물의 고통과 죽음을 상쇄할 만큼 유용하지 않고, 또 유용하다 할지라도 이를 대체할 방법이 있다면 동물 실험을 하지 않는 것이 마땅하다는 것이다. 이미 검증된 원료를 이용하거나 동물 실험을 대체하는 실험법을 사용함으로써 '크루얼티 프리(Cruelty Free)'**제품을 생산하고 있다. 에너지 소비 효율 등급제는 에너지 소비가 많고 보급률이 높은 제품을 대상으로 1~5등급으로 에너지 효율 등급 라벨을 부착하도록 하고, 최저 효율 기준 미달 제품은 생산·판매를 금지하는 제도이다. 1등급에 가까울수록 에너지 절약형 제품이며, 1등급 제품은 5등급보다 약 30~40% 에너지가 절감된다.

공정 무역은 개발 도상국 생산자의 경제적 자립과 지속 가능한 발전을 위해 생산자에게 좀 더 유리한 무역 조건을 제공하는 무역 형태를 말한다. 업사이클링(Upcycling)은 기존에 버려지던 제품을 단순히 재활용하는 차원에서 더 나아가 새로운 가치를 더해(Upgrade) 전혀 다른 제품으로 다시 생산하는 것(Recycling)을 말한다.

* 가성비 소비 : 지불한 가격 대비 높은 효용을 얻을 수 있는 소비 행위
** 크루얼티 프리 제품 : 비동물 실험 인증을 받은 제품

출처 : 『내외경제TV』, 2021. 6. 11. (출제진 재구성)
정창우 외, 『고등학교 통합사회』

[문제 3] [가]의 관점에서 [나]와 [다]를 연관지어 설명하고, 이 설명을 바탕으로 [라]의 모든 문제를 해결하기 위한 방안을 서술하시오. (600자 내외) (40점)

[가] 오늘날 사회 불평등 현상이 심화함에 따라 사회 구성원들이 공정하게 대우받지 못하는 일이 증가하고 있다. 사회 불평등이란 부, 권력, 지위와 같은 사회적 희소가치가 불평등하게 분배되어 개인, 집단 및 지역이 서열화되어 있는 현상을 말한다. 불평등은 사회적 자원의 희소성 때문에 어느 정도는 자연스럽게 나타나는 현상으로 볼 수 있지만, 그 정도가 심해지면 구성원 사회적 갈등으로 이어져 심각한 사회 문제를 초래할 수 있다.

출처 : 정창우 외,『고등학교 통합사회』

지속 가능한 발전이란 미래 세대가 살아가는 데 필요한 자원과 환경을 손상하지 않으면서 현재를 살아가는 우리의 욕구를 동시에 충족하는 발전을 가리킨다. 지속 가능한 발전은 경제 성장, 환경 보전, 사회 안정과 통합 등의 여러 분야를 조화롭게 추구할 때 이룰 수 있다. 초기의 지속 가능한 발전은 환경 보전과 경제 개발의 조화에 초점을 맞추었으나, 최근에는 사회 공동체의 유지와 경제 발전 역시 조화롭게 지속 가능해야 한다는 목소리가 높아지고 있다.

출처 : 이진석 외, 『고등학교 통합사회』

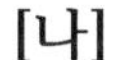
[나]

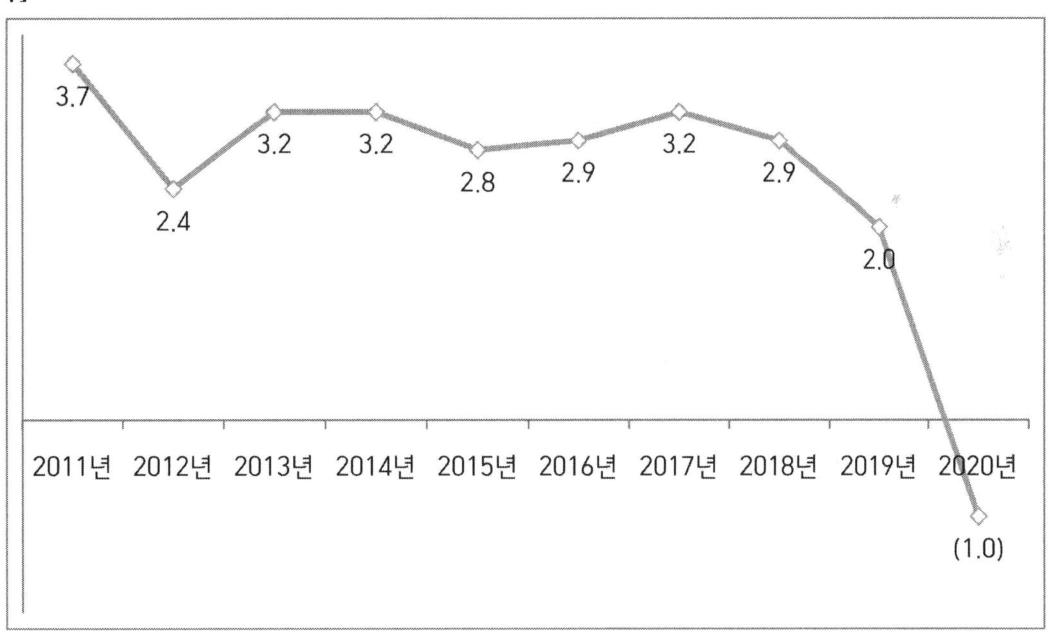

<실질 국내 총생산(GDP) 성장률 추이, 단위 : %>

출처 : 한국은행, 2021.

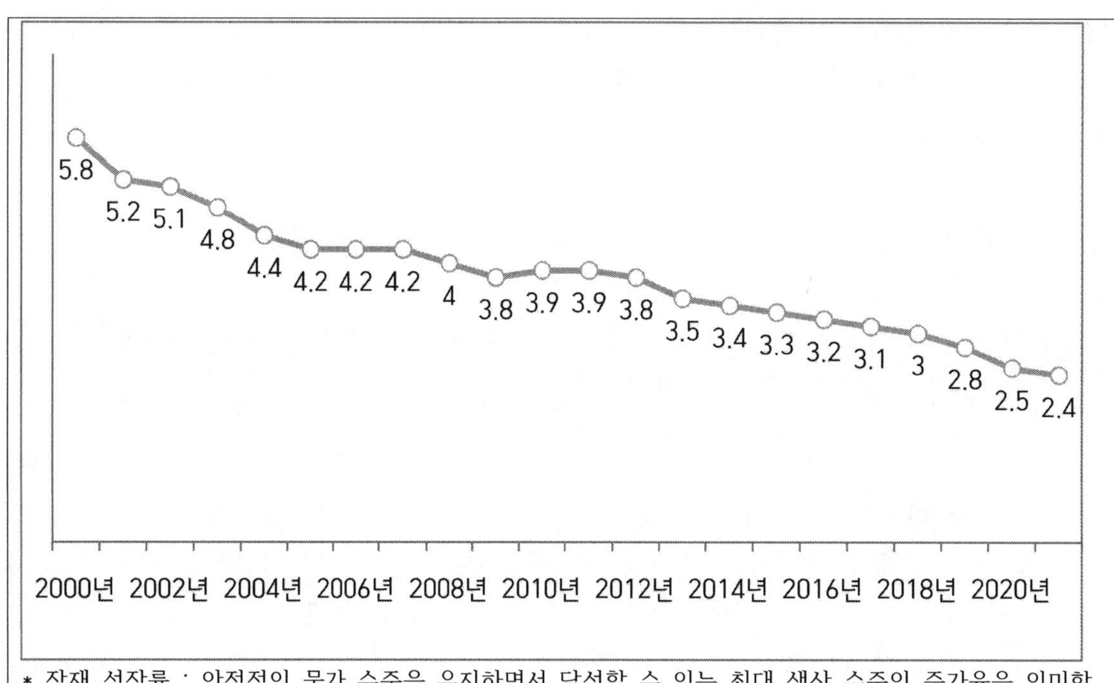

* 잠재 성장률 : 안정적인 물가 수준을 유지하면서 달성할 수 있는 최대 생산 수준의 증가율을 의미함.

<한국 잠재 성장률 추이, 단위 : %>

출처 : OECD, 2020.

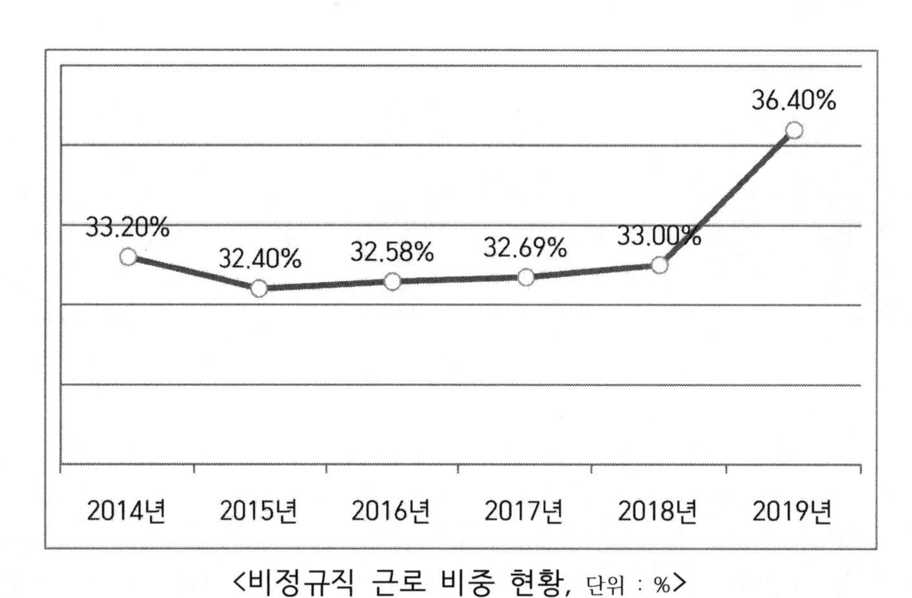

<비정규직 근로 비중 현황, 단위 : %>

출처 : 통계청, 2019.

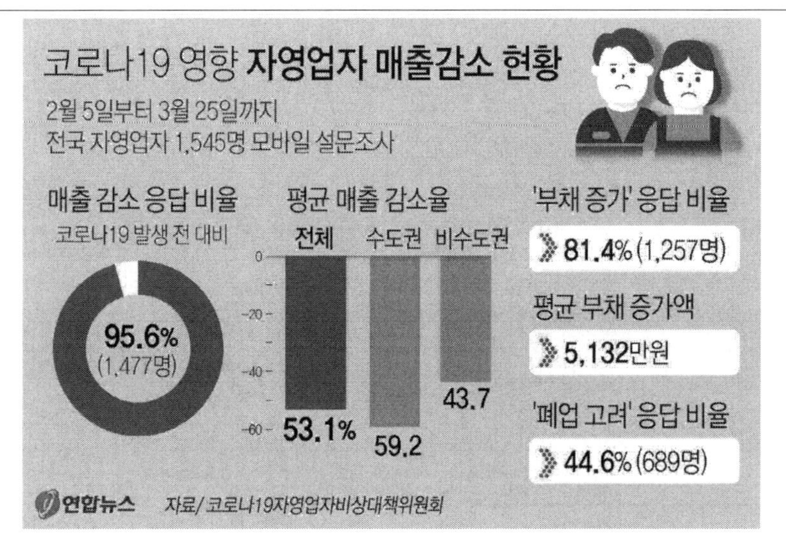

<코로나19 영향 자영업자 매출 감소 현황>

출처 : 연합뉴스, 2021.

[다]

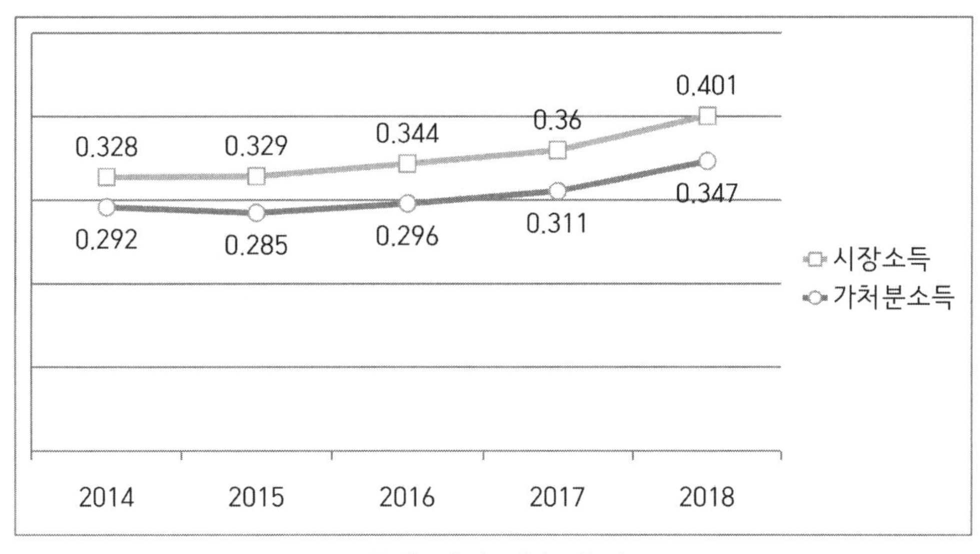

<국내 지니 계수 추이>

* 지니 계수 : 소득의 불평등 정도를 나타내는 가장 대표적인 소득분배지표로 0에서 1사이의 수치로 표시되는데, 소득 분배가 완전 평등한 경우가 0, 완전 불평등한 경우가 1임.

출처 : 통계청, 2018.

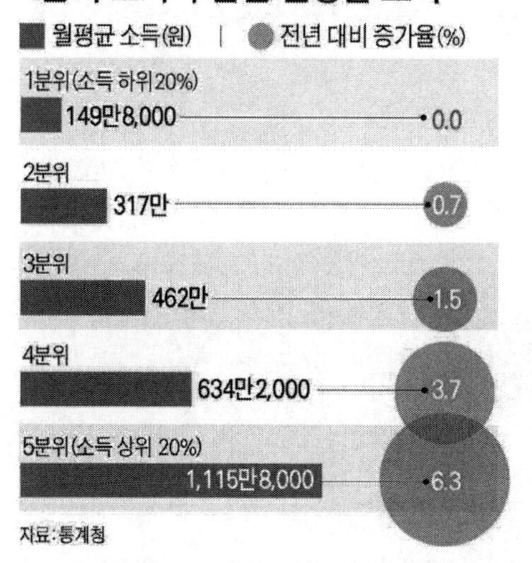

<2020년 1분기 소득 수준별 월평균 소득>

출처 : 통계청, 2020.

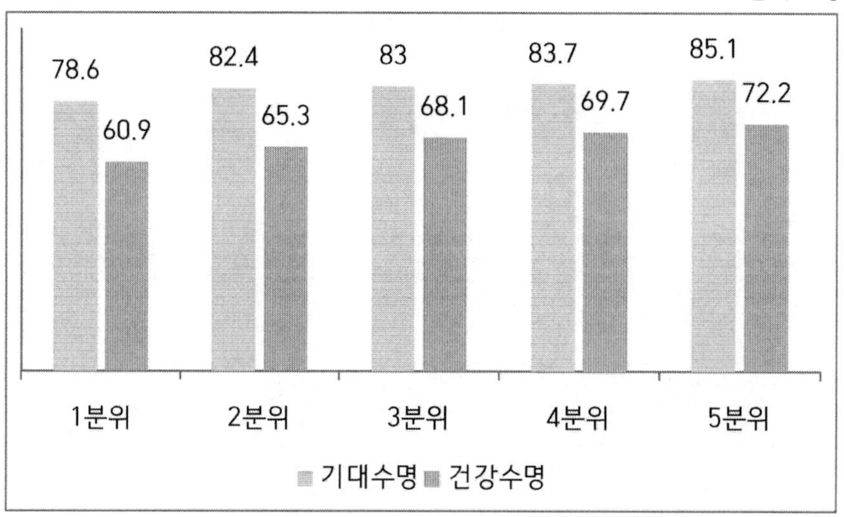

<소득분위별 기대 수명, 건강 수명, 단위 : 세>

* 기대 수명 : 사람들이 몇 년까지 살 수 있을지 추정하는 기대치를 의미함.
** 건강 수명 : 특정 나이대의 사람이 장애 없이 살아갈 수 있는 햇수를 의미함.

출처 : 보건사회연구원, 2019.

가구소득별 사교육 현황		
가구소득별	사교육비(월평균, 원)	사교육 이용율(%)
200만원 미만	9만9,000	39.9
200만~300만원 미만	15만2,000	50.5
300만~400만원 미만	19만6,000	60.3
400만~500만원 미만	25만7,000	67.8
500만~600만 원 미만	31만	71.9
600만~700만 원 미만	35만7,000	74.2
700만~800만 원 미만	425,000	79.9
800만 원 이상	50만4,000	80.1

<가구소득별 사교육 현황>

출처 : 교육부, 2020.

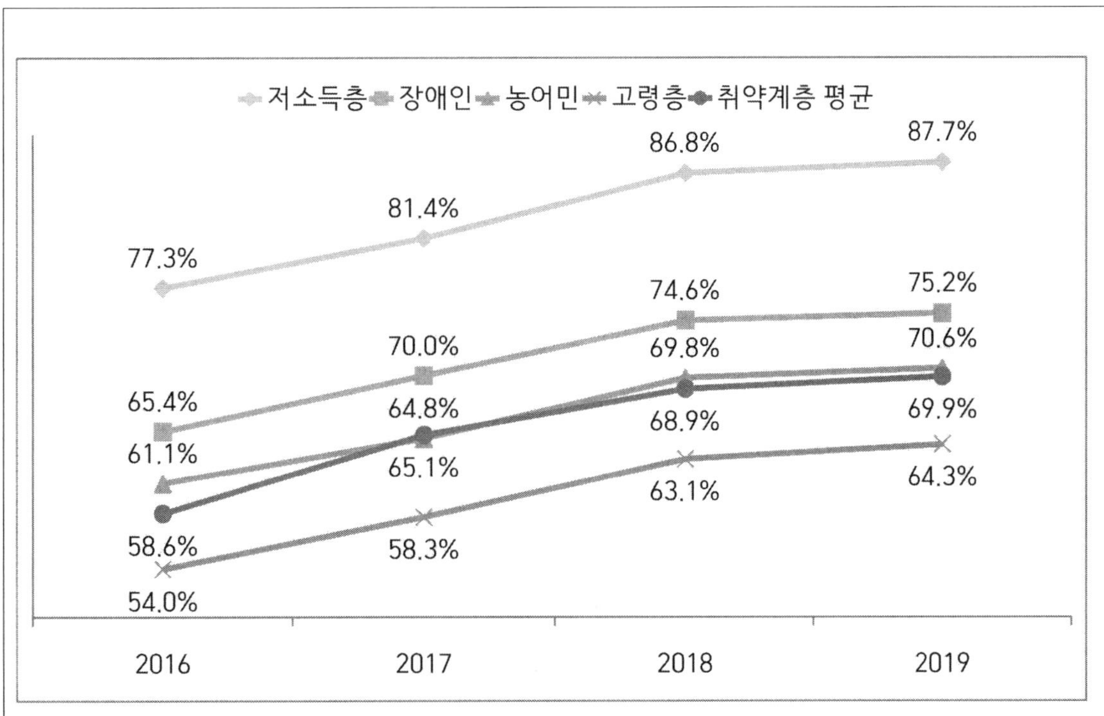

<계층별 디지털 정보화 수준 추이, 단위 : %>

* 위 수치는 비소외 계층의 정보화 수준을 100이라 했을 때, 소외(취약) 계층의 정보화 수준임.

출처 : 한국지능정보사회진흥원, 2020.

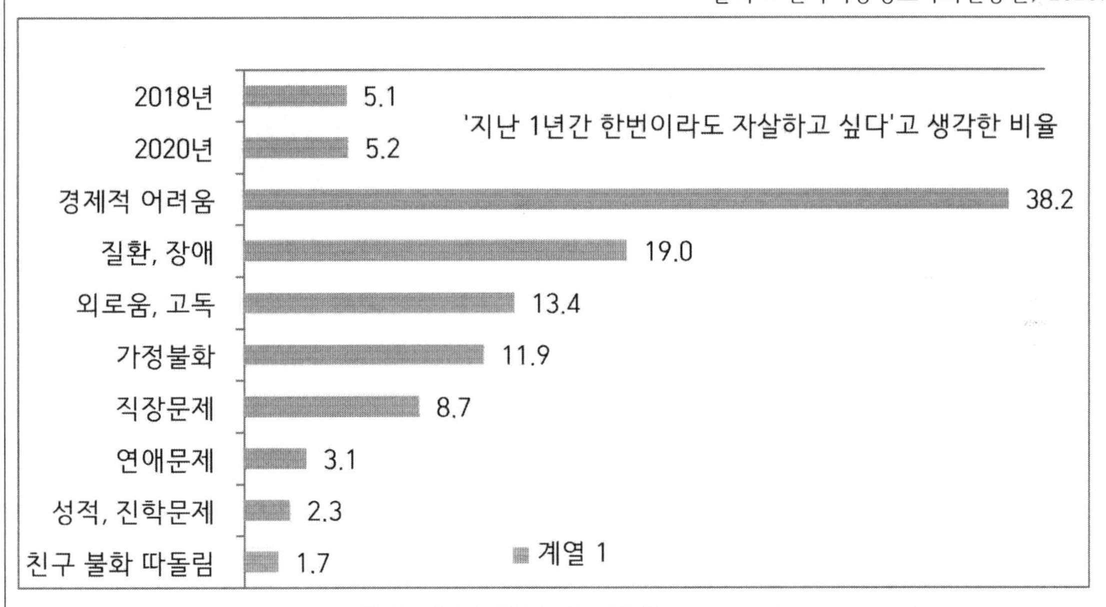

<자살 충동 여부 및 이유, 단위 : %>

출처 : 통계청, 2020.

[라] 문제는 2030세대 1인 가구가 경제적 빈곤으로 고시원, 원룸과 같은 취약한 주거 환경으로 내몰리면서 심리적 고립뿐 아니라 물질적 고립까지 이중고에 시달리고 있다는 점이다. 경기도 시흥시에 사는 양모(30) 씨는 올해 세 번째 9급 공무원 시험을 준비하고 있다. 2년 전부터는 가족과 떨어져 월 25만원짜리 고시원 생활

을 하고 있다. 양씨는 "2평도 안 되는 햇빛도 잘 들지 않는 공간에서 벽만 보며 살다 보니 '나는 세상에 없는 존재나 마찬가지'란 생각이 들 때가 많다."며 "최근에는 우울증까지 생겼다."고 말했다.

출처 : 『중앙일보』, 2021. 3. 27.

"(이사 결정을) 빨리 좀 해주세요"라는 마지막 독촉. 기댈 가족도, 돌아갈 고향도 없지만 할머니는 그저 "네"라고 했다. "저기서 헐린다 해서 여기로 왔는데 또 헐린대요." 경기 광명에서 50년 넘게 살아온 김선이(가명·79) 할머니는 지난 전세살이 두 번을 재개발 철거로 인해 집을 빼야 했고, 이번에도 그렇다. 세 번째다. 10여 년 전, 농사를 지어 번 돈으로 샀던 집을 사기로 잃은 후 전세살이를 시작했고, 이제 가난한 그는 이곳에서도 저곳에서도 살 자격이 없다고 한다.

출처 : 『한국일보』, 2021. 6. 9.

가정 형편이 어려워 생활비를 직접 벌어야 하는 이 씨는 편의점에서 아르바이트를 하며 생활비를 마련한다. 이 씨는 "점심과 저녁을 모두 밖에서 사먹어야 하는 날은 한 끼는 굶고 나머지 한 끼만 '밥버거(밥으로 만든 버거)'나 토스트 같은 걸로 간단히 때운다."고 했다. 신종 코로나바이러스 감염증(코로나19) 확산은 우리 사회에 묻혀 있던 결식 청년 등 청년 빈곤 문제를 드러내고 있다. 취업난과 사회적 거리 두기로 아르바이트마저 힘들어지자 생활고에 시달리는 청년들이 생겨나고 있다. 교육비, 주거비 등 절약할 수 있는 건 다 줄이고 '이제 줄일 건 식비뿐'이라며 하루하루를 버티는 청년들이다.

출처 : 『동아일보』, 2021. 4. 19.

지난달 3일 만난 최길녀(여·가명·67) 씨는 3년 전부터 손가락 마디가 아프기 시작해 빨래나 설거지를 하는 것도 고통스러운 상태다. 하지만 병원에 가지 않아 병명조차 알지 못한다. 최 씨는 갑상선암 후유증을 앓고 있는 남편 강명석(가명·69) 씨와 함께 사고로 숨진 아들이 남긴 17, 18세 손녀를 돌보는 조손가정 보호자다. 아파트 경비원과 요양 보호사로 생계를 잇던 두 부부에게 지난해는 실직과 경제적 빈곤, 질병이 한꺼번에 닥친 힘든 한 해였다. 코로나 시대 노년층 격차는 극명하게 갈린다. 바늘구멍보다 좁은 노인 일자리, 소득 감소에 따른 스트레스와 건강 격차는 육체적·정신적 문제와 연결된다.

출처 :『서울신문』, 2021. 3. 4.

DKU 단국대학교 DANKOOK UNIVERSITY

논술답안지

※감독자 확인란

모집단위

성 명

수 험 번 호

생년월일 (예 : 050512)

【유의사항】
1. 답안 작성 시 문제번호와 답안번호가 일치하도록 알맞은 칸에 작성하여야 한다.
2. 답안 작성 시 필요한 경우에 수식 및 그림을 사용할 수 있다.
3. 필기구는 반드시 검은색 필기구만을 사용하여야 한다. (검은색 이외의 필기구로 작성한 답안은 모두 최하점으로 처리함)
4. 문제와 관계없는 불필요한 내용이나, 자신의 신분을 드러내는 내용이 있는 답안 및 낙서 또는 표식이 있는 답안은 모두 최하점으로 처리한다.
5. 답안은 반드시 정해진 답안작성란 안에만 작성하여야 한다. (답안작성란 밖에 작성된 내용은 채점 대상에서 제외함)

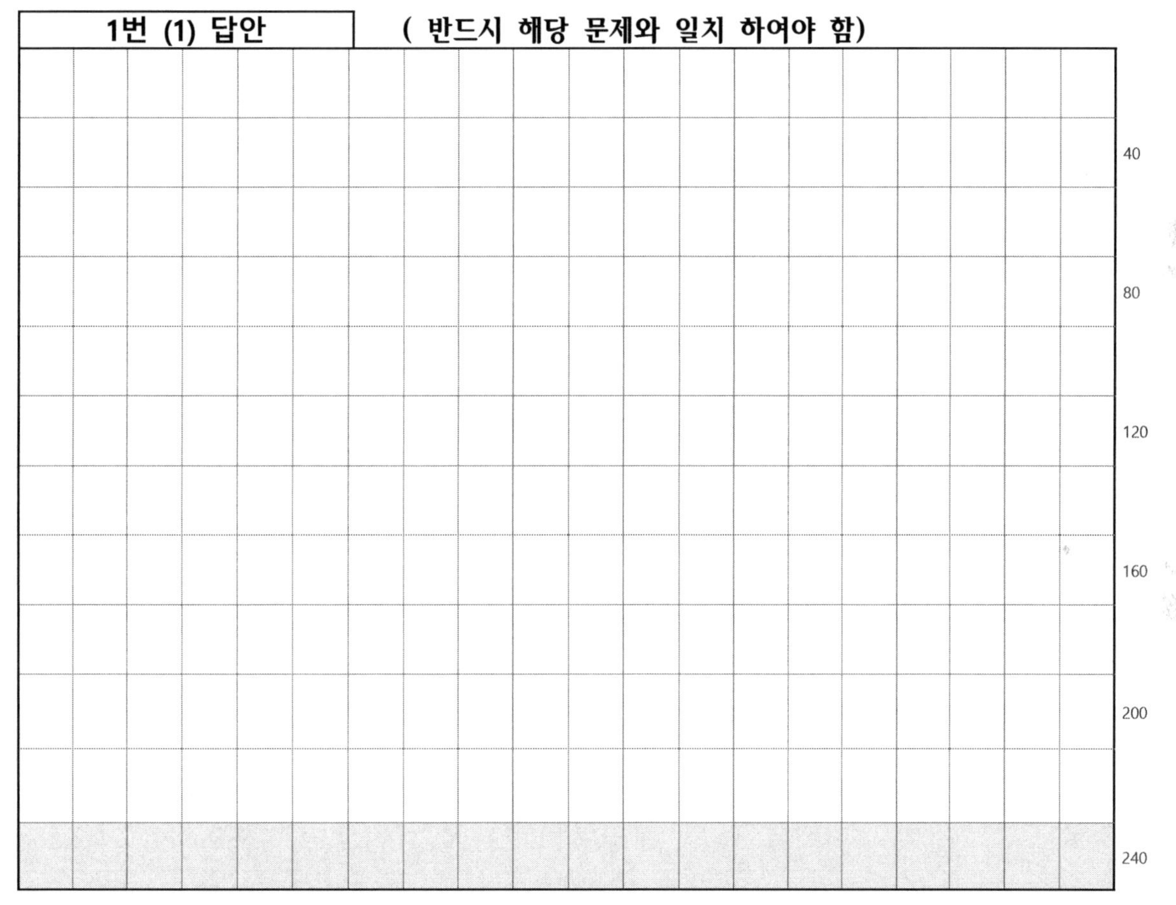

이 줄 아래에 답안을 작성하거나 낙서할 경우 판독이 불가능하여 채점 불가

1번 (2) 답안 (반드시 해당 문제와 일치 하여야 함)

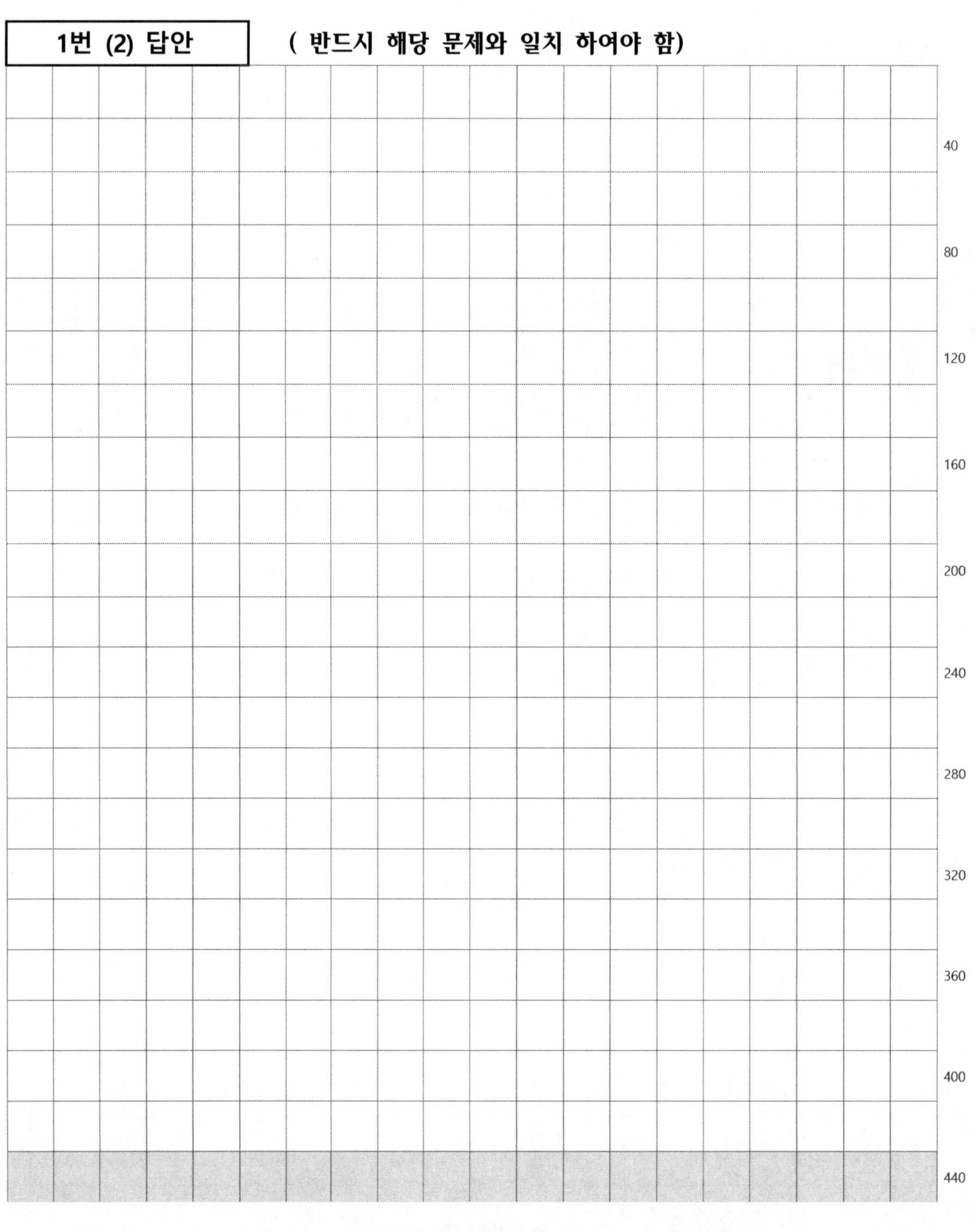

이 줄 아래에 답안을 작성하거나 낙서할 경우 판독이 불가능하여 채점 불가

2번 답안 **(반드시 해당 문제와 일치 하여야 함)**

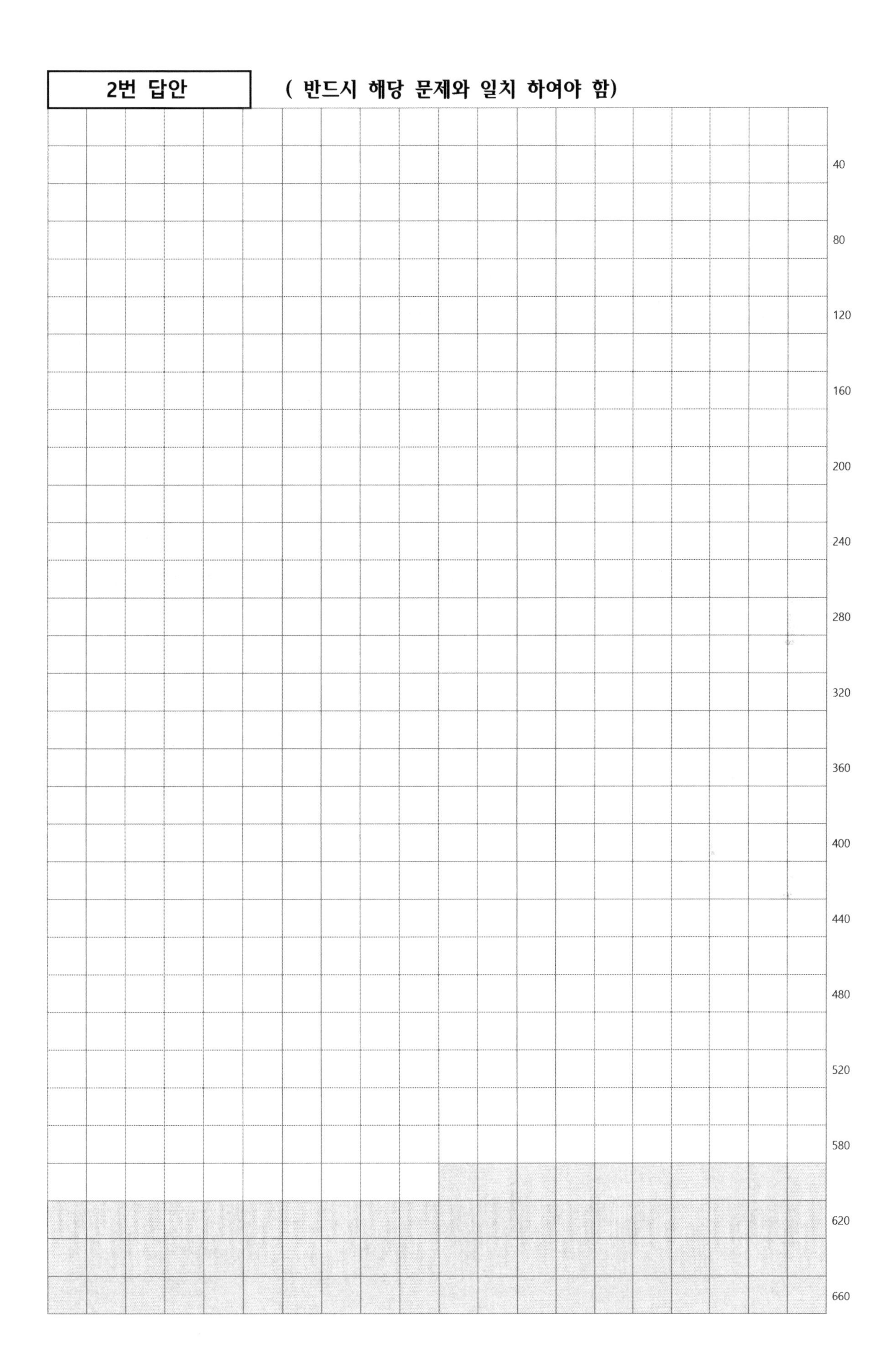

3번 답안

(반드시 해당 문제와 일치 하여야 함)

40
80
120
160
200
240
280
320
360
400
440
480
520
580
620
660

10. 2021학년도 단국대 수시 논술 (오전)

[문제 1] 다음의 제시문을 읽고 주어진 물음에 답하시오. (30점)

1) [가]에서 주제를 나타내는 단어 하나를 찾고, 그 단어를 이용하여 [가]의 내용을 요약하시오. (200자 내외) (10점)

2) [가]에서 찾은 단어를 이용하여 [나]를 요약하고 [다]를 설명하시오. (400자 내외) (20점)

[가] 기초를 파내어 자기 집을 무너지게 한 사람이 있다고 하면, 사람은 그가 집이 무너질 것을 선험적으로 알고 있었다고 한다. 말하자면, 그는 집이 실제로 무너지는 경험을 해 보지 않고도 안다고 한다. 그러나 엄밀하게 보면, 이 사실을 전적으로 선험적으로만 알 수는 없다. 왜냐하면 물체가 무게를 가지고 있으며, 따라서 그 무게를 떠받치고 있는 것이 제거되면 그 물체가 무너진다는 사실을 경험에 의해 미리 알고 있지 않으면 안 되기 때문이다.

……(중략)……

경험은 어떤 것이 그러한 성질을 가지고 있다는 것을 우리에게 가르쳐 주지만, 그러나 그것이 그 밖의 다른 것일 수 없다는 것을 가르쳐 주지는 않는다. 따라서 '첫째로' 만일 '필연성'을 가지는 명제가 있다고 하면 이러한 명제는 선험적 판단이다. 또한 이 명제 자체가 반드시 필연적 명제에서만 도출된 것이라면 그것은 절대적으로 선험적이다. '둘째로' 경험은 자기의 판단에 진정한 또는 엄밀한 보편성을 부여하는 것이 결코 아니며, 다만 귀납을 통해 그럴듯하고 비교적으로 '보편성'을 부여하는 데 불과하다.

경험적 보편성이란 대다수의 경우 타당한 보편성을 모든 경우에 타당한 보편성으로 재량껏 높인 데 불과하다. 예컨대, "모든 물체는 무게를 가진다."라고 하는 명제에서 살필 수 있는 바와 같다. 이에 반하여 엄밀한 보편성이 어떤 판단에 본질적으로 속하여 있는 경우 이 보편성은 판단의 특수한 인식 원천에서 유래한다는 것을, 즉 선험적 인식 능력에 의한 것임을 보여 준다. 그러므로 필연성과 엄밀한 보편성은 선험적 인식의 확실한 특징이며, 이 양자는 서로 불가분하게 결합하여 있다. 그러나 이러한 특징을 기준으로 하는 경우 판단의 우연성보다 판단이 경합적으로 제한되어 있음을 보여 주는 것이 경우에 따라선 용이하며, 판단의 필연성보다 우리가 그 판단에 부여하는 무제약적인 보편성을 보여 주는 것이 알기 쉬운 때가 많다. 필연성과 보편성이라는 두 가지 표징(標徵)은 그 각각이 모두 확실한 것으로서, 따로따로 사용하는 편이 좋을 것으로 생각한다.

출처 : 한철우 외, 『고등학교 고전』

[나] 대부분의 사람들은 그들이 현실 생활에서 보고자 하는 것을 그림 속에서도 보기를 원한다. 이것은 지극히 당연한 선택이다. 우리는 모두 자연의 아름다움을 좋아하고 그 아름다움을 작품 속에 간직해 준 미술가들을 감사하게 생각한다. 이런 미술가들 자신도 우리들의 이런 취향을 퇴박*하지는 않을 것이다. 플랑드르의 위

대한 화가인 루벤스가 그의 어린 아들을 그렸을 때, 그는 분명히 아들의 귀여운 얼굴을 자랑스럽게 생각했을 것이다. 또한 그는 우리들이 그의 아들을 귀엽게 보아 주기를 원했을 것이다. 그러나 마음을 사로잡는 아름다운 주제에 관해서 이런 편견을 갖는 것은 우리들로 하여금 매력이 덜한 주제를 다룬 그림을 거부하게 만든다.

독일의 유명한 화가 뒤러도 루벤스가 자기의 포동포동한 아들에게 가졌던 만큼의 애착과 사랑을 가지고 그의 어머니를 그렸을 게 틀림없다. 고생에 찌든 늙은 어머니를 진실하게 그린 이 습작은 보는 이로 하여금 시선을 피하고 싶은 충동을 줄 만큼 충격적이다. 그러나 뒤러의 이 그림은 위대한 진실성을 담고 있는 명작이기 때문에, 우리가 처음에 느낀 반감을 극복하기만 한다면 충분한 보상을 받게 될 것이다. 우리는 한 작품이 가지고 있는 아름다움은 그 소재 자체가 가지고 있는 아름다움 속에 있는 것이 아니라는 사실을 곧 깨닫게 된다. 아름다운 것에 관한 문제는 무엇이 아름다운 것이냐에 관한 취향과 기준이 그처럼 다르다는 데 있다.

* 퇴박 : 마음에 들지 아니하여 물리치거나 거절함.

출처 : 정민 외, 『고등학교 고전』

[다] 그런데 미국에서도 모든 인간이 태어나면서부터 평등한 것은 아니고, 소련은 이웃 나라가 전쟁의 소용돌이 속에 있을 때도 평화를 누리고 있었던 것은 우리가 공통으로 관찰한 사실이다. 사람을 잡아먹는 호랑이를 '과학적 부조리'라고 규정하는 동물학자들에 대해서는 논할 것도 없다. 지금 말한 명제는 마치 사실을 말하는 것처럼 위장된 정치 강령 항목에 지나지 않는다. 이상주의자는 이러한 '사실'의 몽상 세계 속에 살고 있고, 이 몽상 세계는 사실-이것은 이상주의자가 말하는 '사실'과 전혀 다르다.-로 구성된 현실 세계와는 거리가 멀다.

한편 현실주의자는 이러한 이상주의적 명제가 현실이 아니라 소망이고, 직설법이 아니라 자신들이 바라고 추구하는 것을 말하는 성격을 가지고 있음을 쉽게 간파한다. 그리고 현실주의자는, 소망으로 간주되는 이러한 명제는 사실은 선험적 명제가 아니며, 이상주의자는 도저히 이해할 수 없는 형태로 실제 세계에 뿌리내리고 있다고 계속 주장한다.

즉 현실주의자에게 인간의 평등성이라는 명제는 특권계급의 수준으로 자신들을 끌어올리려는 하층계급의 이데올로기이다. 평화의 불가분성이라는 명제는 특히 공격의 위기에 처해 있는 나라들의 이데올로기이다. 이러한 국가들은 자신들에 대한 공격이, 지금 평화를 누리고 있는 다른 나라에도 중대사라는 기본 원칙을 어떻게든 내세우고 싶은 것이다. 또 주권 국가가 부조리하다는 명제는 강대국의 이데올로기이다. 다른 나라의 주권은 강대국이 자신의 우월적 지위를 유지하는 데 방해가 되기 때문이다. 이렇게 이상주의 이론이 의지하고 있는 숨겨진 기반을 밝히는 것은 진지한 정치학의 필수 전제가 된다.

그러나 현실주의자는 정치 이론의 선험적 성격을 모두 부정하고, 또 정치 이론이 현실 속에 뿌리내리고 있음을 증명하기 위해 쉽게 결정론에 빠져 버린다. 이 결정론의 관점에서 보면, 이론은 미리 준비되고 결정된 목적을 합리화하는 수단에 지나지 않는 완전한 무용지물로, 그로써 현상을 바꿀 수는 없다. 따라서 이상주의자가 목적을 유일하고 궁극적인 사실로 다루는 데 비해, 현실주의자는 과감하게 목적은 단순히 다른 여러 사실에서 기계적으로 생겨나는 것이라고 생각한다.

출처 : E. H. 카, 『역사란 무엇인가/이상과 현실 』

[문제 2] [가]와 [나]를 모두 활용하여 [다]의 문제점을 정리하고, [라]~[바]를 모두 이용하여 [다]를 개선하기 위한 방안을 논술하시오. (600자 내외) (30점)

[가] 인간의 지성을 고질적으로 사로잡고 있는 우상과 그릇된 관념들은 인간의 정신을 혼미하게 할 뿐만 아니라, 우리가 얻을 수 있는 진리조차도 얻을 수 없게 만든다. 그러므로 인간이 모든 가능한 수단을 동원해 용의주도하게 그러한 우상들로부터 자신을 지키지 않는 한, 학문을 혁신하려고 해도 곤경에 빠지고 말 것이다.

……(중략)……

'종족의 우상'은 인간성 그 자체에, 인간이라는 종족 그 자체에 뿌리박고 있는 것이다. '인간의 감각이 만물의 척도다.'라는 주장을 생각해 보면 쉽게 이해가 갈 것이다.

'동굴의 우상'은 각 개인이 가지고 있는 우상이다. 즉 각 개인은 (모든 인류에게 공통적인 오류와는 달리) 자연의 빛(light of nature)을 차단하거나 약화시키는 동굴 같은 것을 제 나름으로 가지고 있다.

또한 인간 상호 간의 교류와 접촉에서 생기는 우상이 있다. 그것은 인간 상호 간의 의사 소통과 모임에서 생기는 것이므로 '시장의 우상'이라고 부를 수 있겠다.

마지막으로 철학의 다양한 학설과 그릇된 증명 방법 때문에 사람의 마음에 생기게 된 우상이 있는데, 나는 이를 '극장의 우상'이라고 부르고자 한다.

출처 : 베이컨, 『신기관』

[나] 미끄러운 경사 길 논증은 미끄러운 경사 길에서 일단 첫 발걸음을 떼고 나면, 그 방향을 바꾸거나 멈출 수 없게 되는데, 그것이 우리 모두에게 해가 될 것이기 때문에 첫 발걸음을 떼는 데에 신중해야 한다는 논증이다. 이는 "만일 우리가 A를 허용한다면, 우리는 B와 C로 나아가는 단계를 밟게 될 것이다."라고 주장한다. 즉 현재 A 자체에는 도덕적인 문제가 없어 보이더라도 이것이 B와 C 단계로 나아갈 가능성이 매우 크고, B와 C가 좋지 않은 결과임이 분명하다면, 이는 우리가 A를 허용하지 않아야 할 강력한 이유가 된다는 것이다.

출처 : 변순용 외, 『고등학교 생활과 윤리』

[다] 우리는 거짓이 사실을 압도하는 사회에서 살고 있다. 그렇다 보니 사실에 사회적 맥락이 더해진 진실도 자연스레 설 자리를 잃고 있다. 옥스퍼드 사전은 2016년을 대표할 단어로 '탈진실(post-truth)'을 선정하고, 탈진실화가 국지적 현상이 아니라 세계적으로 나타나는 시대적 특성이라고 진단했다. 탈진실의 시대가 시작된 것을 입증하기라도 하듯 '가짜 뉴스'에 관한 사회적 논란이 뜨겁다.

가짜 뉴스의 정의와 범위에 대해서는 의견이 여러 갈래로 나뉜다. 언론사의 오보에서부터 인터넷상의 뜬소문까지, 가짜 뉴스라는 용어는 넓은 의미 영역 안에서 혼란스럽게 사용되고 있다. 전문가들은 가짜 뉴스의 기준을 정하고 범위를 좁히지 않으면 비생산적인 논란만 가중될 수밖에 없다고 지적한다. 이에 2017년 2월

한국언론학회와 한국언론진흥재단 주최로 열린 토론회에서는 가짜 뉴스를 '정치 · 경제적 이익을 위해 의도적으로 언론 보도의 형식을 하고 유포된 거짓 정보'라고 정의하였다.

……(중략)……

'21세기형 가짜 뉴스'의 특징은 그 논란의 중심에 국제적인 정보 통신 기업이 있다는 점이다. 가짜 뉴스는 더 이상 동요나 입소문을 통해 퍼지지 않는다. 누구나 쉽게 이용하는 매체에 '정식 기사'의 얼굴을 하고 나타난다. 감쪽같이 변장한 가짜 뉴스들은 사람들의 입맛에만 맞으면 쉽게 유통 · 확산된다. 대중이 뉴스를 접하는 경로가 신문 · 방송 같은 전통적 매체에서 인터넷 사이트, 누리 소통망(SNS) 등 디지털 매체 쪽으로 옮겨 가면서 벌어진 일이다. 세계적으로 맹위를 떨치는 정보 통신 기업들은 '디지털 뉴스 중개자'로 부상하는 동시에 가짜 뉴스의 온상지가 됐다.

……(중략)……

누리 소통망의 정보 처리 규칙도 혐오와 차별, 극단적 주장을 확대 재생산하는 데 기여했다. 정보는 일정한 단계를 거쳐 선별적으로 전달된다. 이때 정보 처리 규칙은 이용자가 좋아하고 자주 보는 것 위주로 보여 주는 방식을 통해 개인 맞춤형 정보를 제공한다. 문제는 이 과정에서 개인의 편견과 고정 관념 역시 강화된다는 점이다. 이른바 '필터 버블(filter bubble)' 현상이 일어나는 것이다. 필터 버블은 정보를 제공하는 인터넷 검색 업체나 누리 소통망 등이 이용자 맞춤형 정보를 제공하는 과정에서 이용자가 특정 정보만 편식하게 되는 현상을 말한다.

……(중략)……

개인 맞춤형 정보 처리 규칙은 정치 · 사회 분야의 뉴스와 만나 필터 버블 현상을 극대화한다. 진위 여부보다 자신의 호불호가 뉴스를 보고 믿는 기준으로 더 강력히 작용하다 보니 잘못된 사실이 진실의 자리를 차지하게 되는 것이다. 이때 가짜 뉴스의 소비는 일종의 심리적 보상 행위이기도 하다. 여론의 장에서 자신의 의견이 차지하는 위치를 확인하고 자기와 유사한 의견들만을 받아들임으로써 심리적인 불안정성을 제거하려는 행위인 것이다. 이 과정에서 확증 편향* 이 작용하고, 사실을 해석할 때도 편향적 결과를 낳는다. 이는 한쪽으로 쏠린 정치 · 사회 소식이 전체 여론을 호도할 수 있게 함으로써, 개인의 편견과 고정 관념을 넘어 민주주의를 위협하는 사회적 차원의 부정적 결과로 이어질 수 있다.

* 확증 편향 : 자신의 신념과 일치하는 정보는 받아들이고 신념과 일치하지 않는 정보는 무시하는 경향.

출처 : 이삼형 외, 『고등학교 독서』

[라] 정치 문화란 한 사회의 다수 구성원이 자신들의 정치 체제에 관하여 공유하고 있는 신념, 감정, 태도를 의미한다. 정치 문화는 그 사회의 구성원과 정부가 어떠한 관계를 형성하는지에 영향을 미치며, 민주적 정치 체제의 발전과도 밀접한 관련이 있다. 정치학자 알몬드(G. Almond)와 버바(S. Verba)는 정치 문화를 향리형, 신민형, 참여형으로 분류하였다.

'향리형 정치 문화'는 전근대적 사회에서 지배적인 유형이다. 이러한 정치 문화에서는 구성원 다수가 정치와 정부가 하는 일에 관심을 두지 않는다. 또한 구성원들이 스스로 정치와 관련이 있다고 생각하지 않으므로 정치 참여에도 소극적이다.

'신민형 정치 문화'는 전근대적 사회에서 근대적 사회로 발전하면서 나타나는 유형이다. 이러한 정치 문화에서는 구성원들이 정치 과정과 그 산물인 정책에 대해 알지만 정치 과정에 자신들의 요구를 투입하려는 태도는 부족하다. 따라서 자신을 스스로 적극적 참여자로 인식하지 않고 정책 집행, 지시 또는 정치적 동원의 대상으로만 간주한다.

'참여형 정치 문화'는 현대 민주주의 정치 체제에서 지배적으로 나타나는 유형이다. 이러한 정치 문화에서는 구성원들이 정치 체제의 투입과 산출 과정을 잘 알고 자신들의 역할에 적극적인 태도를 보인다. 따라서 선거나 그 밖의 정치 활동에 적극적으로 참여하여 자신들의 요구를 정책 결정 기구에 투입하려 한다.

출처 : 정필운 외, 『고등학교 정치와 법』

[마] 현대 과학 기술은 우리의 삶을 성찰해 볼 시간적 여유를 갖지 못할 정도로 빠른 속도로 발전하고 있다. 요나스(H. Jonas)는 과학 기술의 발달과 그것을 따라가지 못하는 도덕적 숙고의 간격을 윤리적 공백이라고 표현하였다. 그리고 이는 결국 이성적 인간(homo sapiens)에 대한 도구적 인간(homo faber)의 지배를 초래할 것이라고 비판하였다. 과학 기술의 발달은 인간 삶의 다양한 영역에 영향을 미치며 새로운 변화를 가져온다.

……(중략)……

삶의 다양한 영역에서 제기되는 새로운 윤리 문제를 해결하기 위해서는 관련된 다른 학문 영역과 긴밀한 협력이 필요하다.

출처 : 변순용 외, 『고등학교 생활과 윤리』

[바] 이상적 대화 상황은 자유롭고 평등한 토의가 이루어지는 상황으로, 더 나은 주장에 근거하여 도달한 합의에 따라서만 규제되는 상황을 말한다. 이러한 대화 상황을 위해서는 다음의 조건을 만족해야 한다.

첫째, 표현의 이해 가능성으로, 이해 가능성을 사실적으로 전제해야 한다. 둘째, 표현하는 명제는 참된 명제이어야 한다. 셋째, 제시하는 의견이 규범적 맥락에서 정당해야 한다. 넷째, 말하는 주체가 진실하여야 하며 진지한 발언 태도를 지녀야 한다.

따라서 대화 상황에 참여하는 사람들은 본인이나 다른 대화 상대자를 기만하거나 속일 의도를 가져서는 안 된다. 또한 대화 참여자들은 각각 담론에 효율적으로 참여할 기회가 평등하게 주어져야 한다.

출처 : 정탁준 외, 『고등학교 생활과 윤리』

[문제 3] [가]가 [나]의 문제 해결에 도움이 되는 이유를 설명하고, [다]를 고려하여 [가]의 확대를 위한 정부, 기업, 개인의 역할을 각각 논술하시오. (600자 내외) (40점)

[가] 누리 소통망(SNS)이란 특정한 관심이나 활동을 공유하는 사람들 사이의 관계망을 구축해 주는 온라인 서비스이다. 페이스북과 트위터 등의 폭발적 성장에 따라 누리 소통망은 사회적 관심의 대상으로 부상하였다. 사람들은 누리 소통망을 통해 다른 사람들과 정보뿐만 아니라 각자의 사회적 경험을 공유하면서 인적 관계를 형성해 나간다. 정보 추구를 기반으로 한 활동의 결과가 관계의 형성과 유지로 이어지는 것이다. 이렇게 누리 소통망은 사람들에게 인적 관계를 맺을 수 있는 소통의 장을 제공하고, 사람들은 다른 사람들과의 상호 작용을 통해 지식과 기능 등을 학습하게 된다. 누리 소통망은 사회화 기관으로서 개인의 사회화에 영향을 미치고 있는 것이다.

출처 : 신형민 외, 『고등학교 사회 · 문화』

컴퓨터 시스템을 개발하는 기업에 근무하는 A 씨는 회사로 출근하는 대신 집에서 컴퓨터를 켠 채 근무한다. 어린 두 자녀의 양육 문제로 일을 그만두려던 중, 회사에서 유아기 자녀를 둔 직원들을 대상으로 '재택근무'를 실시했기 때문이다. 덕분에 A 씨는 일주일에 한번만 회사에 출근하여 회의를 진행하고, 나머지 시간은 업무를 받아 집에서 일하고 있다.

출처 : 구정화 외, 『고등학교 통합사회』

수도권 거리 두기 2단계 조정에 따라 경북교육청은 교육부와 협의를 거쳐 21일부터 학교 밀집도 2/3 이내에서 등교 수업과 원격 수업을 병행하고 원격 수업의 질을 제고하며, 교사-학생 간 소통 강화 방안을 모색해 학생들의 학습권 보장과 교육 안전망을 촘촘히 구축한다.
먼저 비대면 상황에서 학습자의 주도적 참여와 다양한 상호 작용을 지향하는 경북형 원격 수업 'Ontact 수업 가이드 방안'을 안내하여 기존 원격 수업의 재개념화, 학급 구성의 다양화 등 경북 지역 특색을 반영한 원격 수업 방안을 정립한다.

출처 : 『경북일보』, 2020. 9. 21.

<2015년 ○○○ 기관의 재택근무 사유>

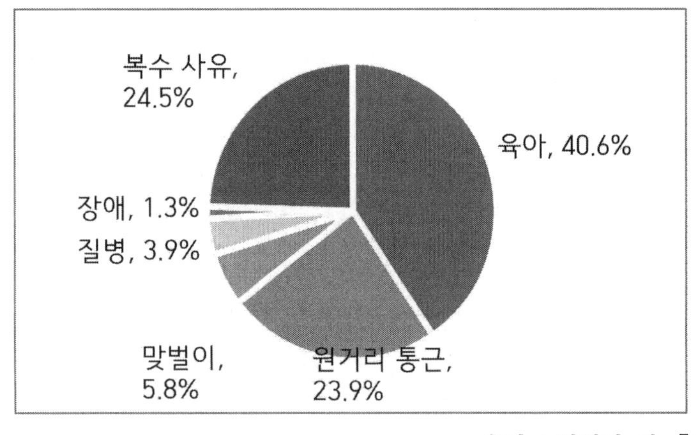

출처 : 박병기 외, 『고등학교 통합사회』

[나]

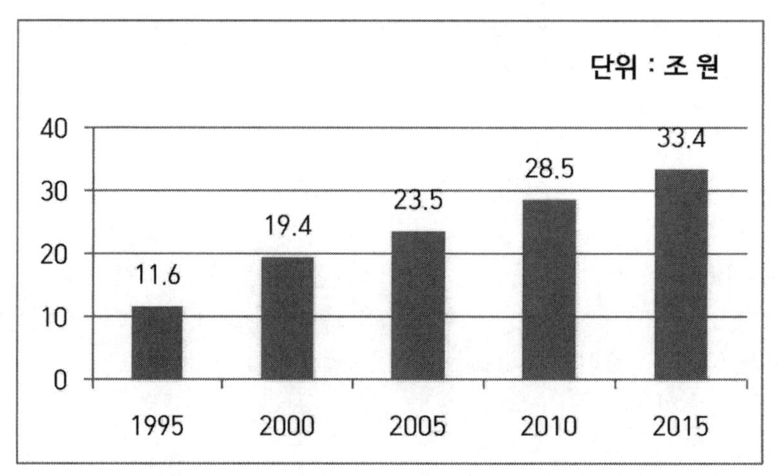

자료 제공 : 한국교통연구원, 2016.

<교통 혼잡 비용>

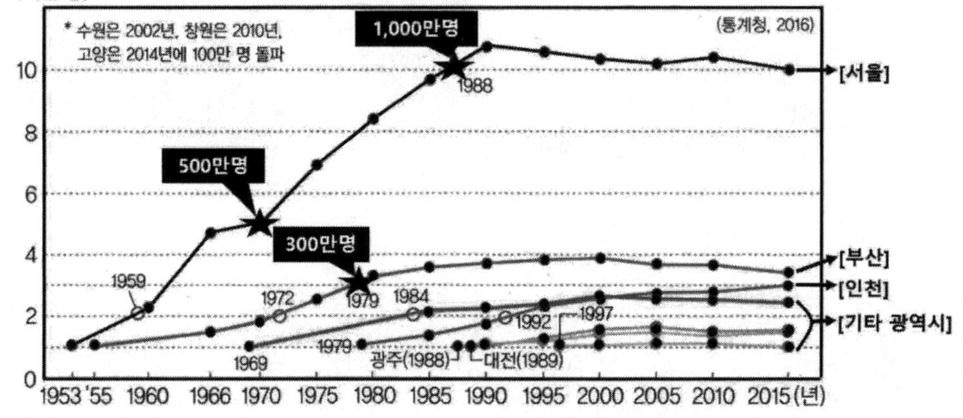

출처 : 박병기 외, 『고등학교 통합사회』

자료 제공 : 통계청, 2016.

<도시별 인구 변동>

출처 : 유성종 외, 『고등학교 한국지리』

[다]

구분	계층별				영역별		
	농어민	장년층	저소득층	장애인	접근*	역량*	활용*
정보 격차 지수	72.2	77.4	87.7	86.2	94.6	70.8	68.0
스마트 격차 지수	55.2	56.3	74.5	62.5	80.8	44.0	60.0

자료 제공 : 미래창조과학부, 2015 정보 격차 실태 조사.

<정보 소외 계층의 정보화 수준>

- 각 수치는 일반 국민을 100으로 가정했을 때의 비교 수준임.
- 정보 격차 지수는 PC 기반 유선 인터넷 환경, 스마트 격차 지수는 이동 통신 기반 유무선 융합 스마트 환경에서 발생하는 정보 격차의 수준 및 특성을 종합적으로 측정한 것임.

* 접근 : 컴퓨터, 인터넷을 사용하기가 얼마나 용이한지를 나타내는 지표.
* 역량 : 문서 작성, 정보 검색 등 컴퓨터 및 인터넷 사용 능력을 나타내는 지표.
* 활용 : 컴퓨터나 인터넷 사용 시간, 이용 다양성을 나타내는 지표.

출처 : 육근록 외, 『고등학교 통합사회』

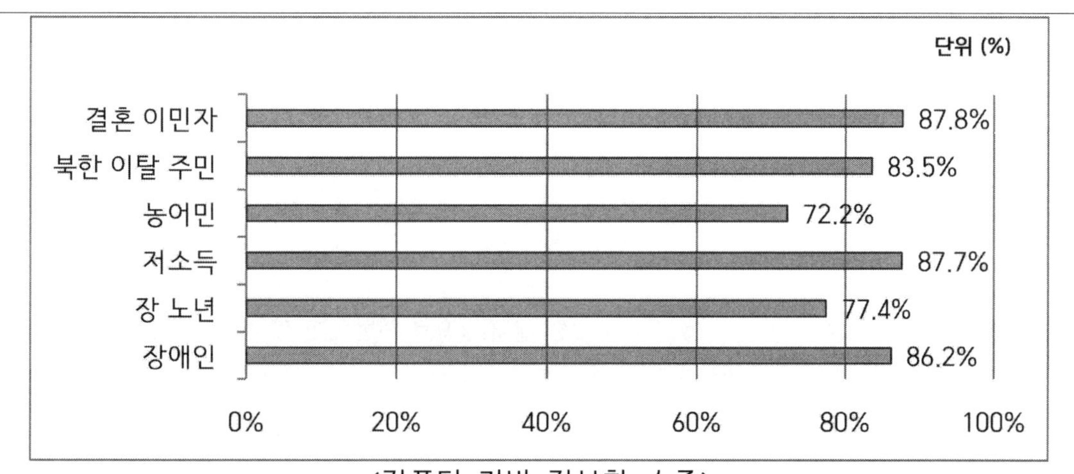

<컴퓨터 기반 정보화 수준>

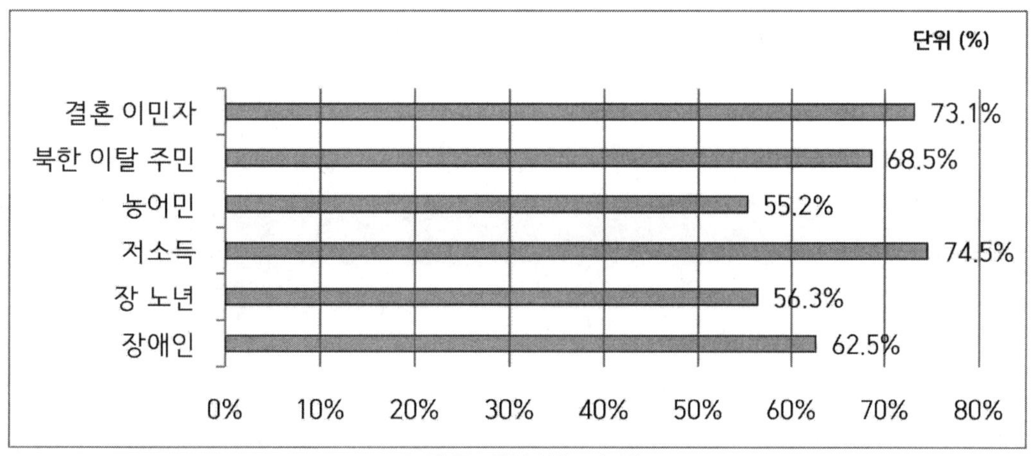

<스마트 정보화 수준>

* 각 수치는 일반 국민을 100으로 가정했을 때의 비교 수준임. (단위 : %)

자료 제공 : 과학기술정보통신부 한국정보화진흥원, 2015.

출처 : 손영찬 외, 『고등학교 사회 · 문화』

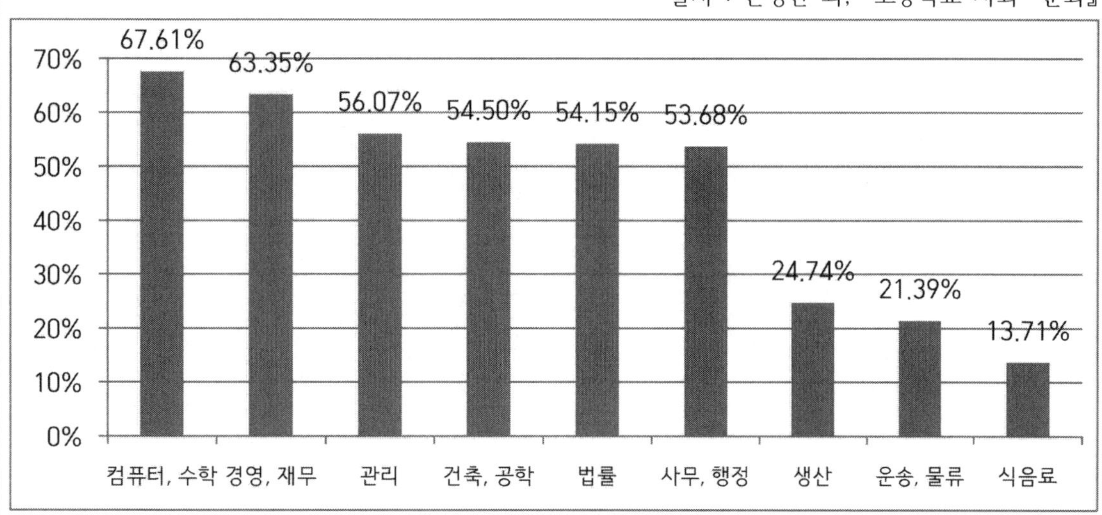

<직종별 재택근무 가능 비율>

자료 제공 : IZA, 노동경제연구원, 2020.

출처 : 경향신문 , 2020. 9. 8.

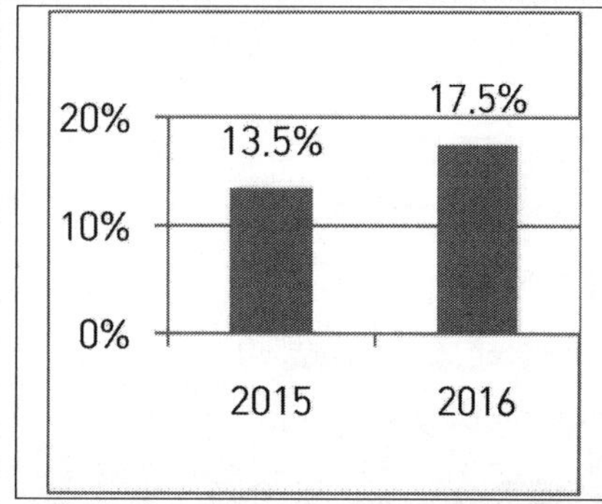

침해 사고 유형	
악성코드 감염 등으로 인한 피해	11.6%
개인 정보 유출 및 사생활 침해	9.2%
랜섬웨어 감염으로 인한 피해	2.8%
피싱/파밍/스미싱 등으로 인한 금전적 피해	2.1%
신용 카드 또는 직불 카드 사기 불법 결제 등으로 인한 금전적 피해	1.8%

* 침해 사고 경험자 기준(복수 응답), 미래창조과학부, 2016.

<개인 정보 침해 경험>

출처 : 김영순 외, 『고등학교 사회 · 문화』

우리 실험실을 이끄는 지도 교수, 이른바 '캡틴'은 루마니아 출신이었다. 영어가 외국어인 나와 캡틴 사이에는 웃지 못할 일화가 많았다.

어느 주말이었다. 당시 나는 실험실에서 멀리 떨어진 켄터키주에서 실험실 자료를 정리하는 일을 돕던 학부 연구생한테 자료 손질을 부탁하는 전자 우편을 보냈다. 캡틴도 편지의 내용을 볼 수 있도록 설정해 전자 우편을 보냈다. 얼마 뒤 전화벨이 울렸고, 캡틴의 우렁찬 목소리가 울려 퍼졌다.

"자네 나라말에는 생큐, 플리즈, 익스큐즈 미도 없나! 한국어로 말해 보게!"

나는 어리둥절해서 시키는 대로 대답했다.

"분명 있구먼. 그런데 왜 그런 표현을 안 쓰나?"

캡틴은 누그러진 목소리로 말을 이었다.

"학부생은 지금 멀리 있지 않나. 게다가 오늘은 주말이고. 상대방의 상황을 잘 모른 채 부탁할 땐 가능한 한 공손해야 한다고. 생큐, 플리즈, 익스큐즈 미! 알겠나?"

한 대 맞은 느낌이었다. 보낸 전자 우편을 다시 보니 거기에는 감사의 표현도, 부탁의 표현도 없었다. 뜨끔했다. 캡틴의 호통은 내가 놓치고 있던 중요한 부분을 알려 주었다. 언어로 소통할 때에는, 특히나 상대방의 얼굴을 볼 수 없을 때는 최대의 언어 예절을 갖춰야 한다는 것을.

출처 : 방민호 외, 『고등학교 언어와 매체』

최근 한국청소년상담복지개발원의 설문 조사에 따르면 9~24세 청소년 92명 중 59.8%가 코로나19 확산 이후 불안, 걱정, 두려움을 느낀다고 답했다. 응답자의 72%는 스트레스 요소로 '친구들을 만나지 못하는 상황'을 꼽았다. 이어 온라인 개학 실시(64.6%), 생활의 리듬이 깨짐(64.6%), 외출 자제로 집에서만 지내야 하는 갑갑함(62.2%) 등의 순으로 어려움을 느낀다고 했다. 학생들의 사회성 발달을 둘러싼 우려는 우리만의 문제가 아니다. 유네스코는 "학교가 문을 닫으면 어린이와 청소년들이 발달에 필수적인 사회적 접촉을 하지 못한다."고 지적했다.

출처 : 『국민일보』, 2020. 11. 26.

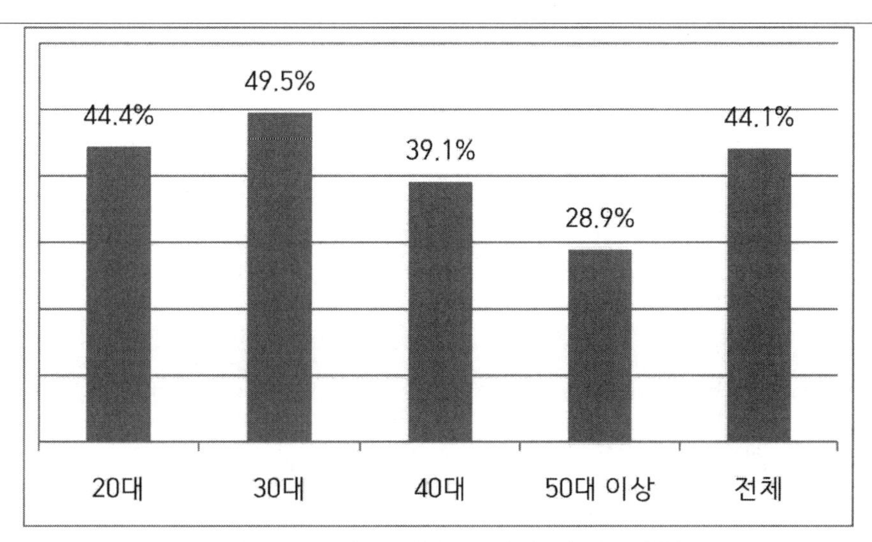

<직장 내 자발적 아웃사이더(아싸) 현황>

출처 : 『아시아경제』, 2020. 5. 24.

구분	응답률(중복 응답)
업무 끝나면 바로 퇴근하고 개인 시간 갖기	78%
사내 가십에 관심이나 신경 쓰지 않기	34%
커피, 흡연 등 휴식 시간 홀로 즐기기	32%

<대표적인 직장 내 아웃사이더(아싸) 행동>

출처 : 『아시아경제』, 2020. 5. 24.

논술답안지

※감독자 확인란

모집단위

성 명

수 험 번 호									
0	0	0	0	0	0	0	0	0	0
1	1	1	1	1	1	1	1	1	1
2	2	2	2	2	2	2	2	2	2
3	3	3	3	3	3	3	3	3	3
4	4	4	4	4	4	4	4	4	4
5	5	5	5	5	5	5	5	5	5
6	6	6	6	6	6	6	6	6	6
7	7	7	7	7	7	7	7	7	7
8	8	8	8	8	8	8	8	8	8
9	9	9	9	9	9	9	9	9	9

생년월일 (예 : 050512)					
0	0	0	0	0	0
1	1	1	1	1	1
2	2	2	2	2	2
3	3	3	3	3	3
4	4	4	4	4	4
5	5	5	5	5	5
6	6	6	6	6	6
7	7	7	7	7	7
8	8	8	8	8	8
9	9	9	9	9	9

【유의사항】

1. 답안 작성 시 문제번호와 답안번호가 일치하도록 알맞은 칸에 작성하여야 한다.
2. 답안 작성 시 필요한 경우에 수식 및 그림을 사용할 수 있다.
3. 필기구는 반드시 검은색 필기구만을 사용하여야 한다. (검은색 이외의 필기구로 작성한 답안은 모두 최하점으로 처리함)
4. 문제와 관계없는 불필요한 내용이나, 자신의 신분을 드러내는 내용이 있는 답안 및 낙서 또는 표식이 있는 답안은 모두 최하점으로 처리한다.
5. 답안은 반드시 정해진 답안작성란 안에만 작성하여야 한다. (답안작성란 밖에 작성된 내용은 채점 대상에서 제외됨)

1번 (1) 답안　**(반드시 해당 문제와 일치 하여야 함)**

40

80

120

160

200

240

이 줄 아래에 답안을 작성하거나 낙서할 경우 판독이 불가능하여 채점 불가

1번 (2) 답안 **(반드시 해당 문제와 일치 하여야 함)**

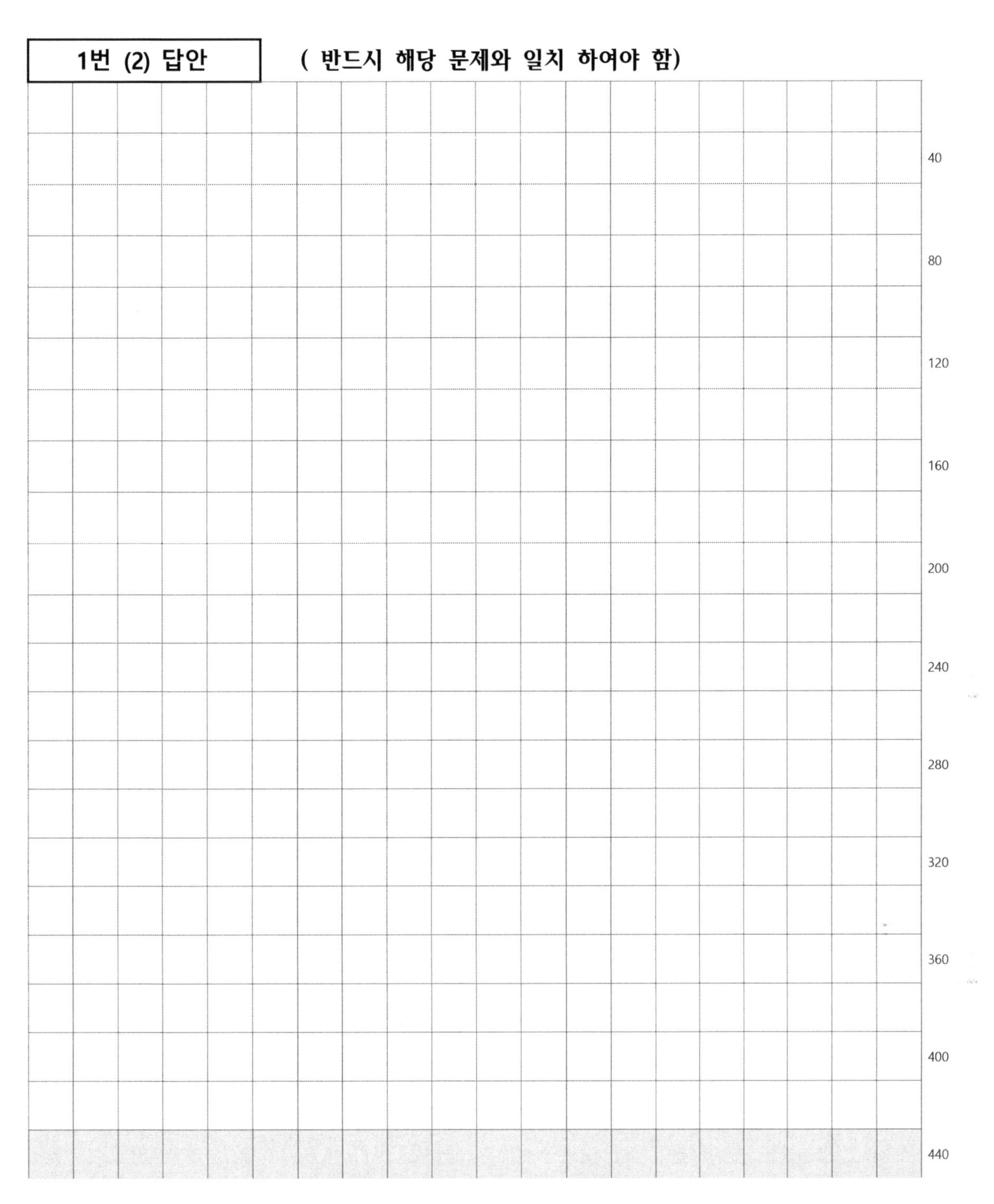

이 줄 아래에 답안을 작성하거나 낙서할 경우 판독이 불가능하여 채점 불가

2번 답안 (반드시 해당 문제와 일치 하여야 함)

40
80
120
160
200
240
280
320
360
400
440
480
520
580
620
660

3번 답안 (반드시 해당 문제와 일치 하여야 함)

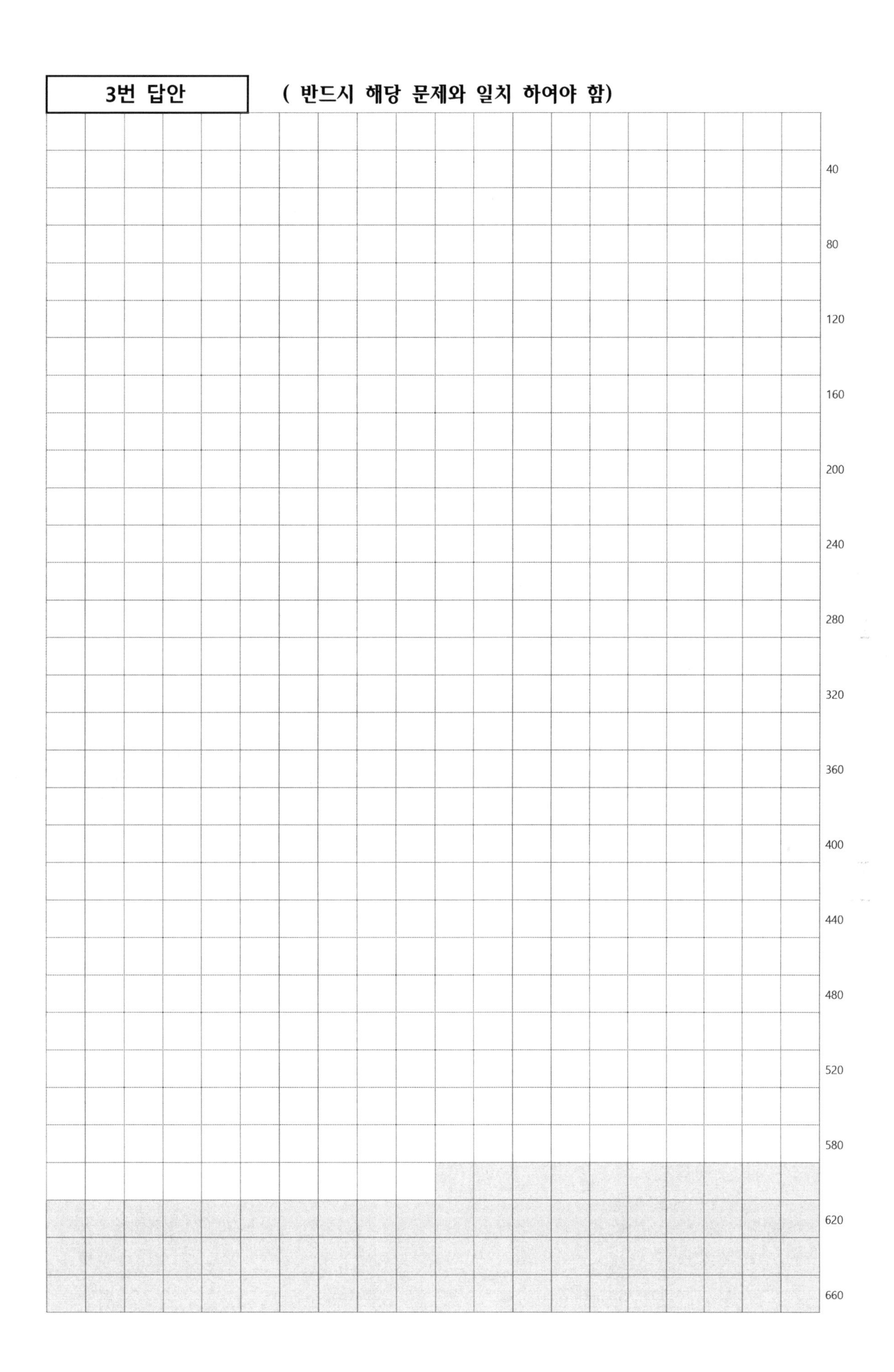

11. 2021학년도 단국대 수시 논술 (오후)

[문제 1] 다음의 제시문을 읽고 주어진 물음에 답하시오. (30점)

1) [가]에서 주제를 나타내는 단어 하나를 찾고, 그 단어를 이용하여 [가]의 내용을 요약하시오. (200자 내외) (10점)

2) [가]에서 찾은 단어를 이용하여 [나]를 요약하고 [다]를 설명하시오. (400자 내외) (20점)

[가] 지구 표면적의 백분의 구십구가 이 공포의 초록색이리라. 그렇다면 지구야말로 너무나 단조무미한 채색이다. 도회에는 초록이 드물다. 나는 처음 여기 표착(漂着)하였을 때 이 신선한 초록빛에 놀랐고 사랑하였다. 그러나 닷새가 못 되어서 이 일망무제(一望無際)의 초록색은 조물주의 몰취미(沒趣味)와 신경의 조잡성으로 말미암은 무미건조한 지구의 여백인 것을 발견하고 다시금 놀라지 않을 수 없었다.

어쩔 작정으로 저렇게 퍼러냐. 하루 온종일 저 푸른빛은 아무 짓도 하지 않는다. 오직 그 푸른 것에 백치와 같이 만족하면서 푸른 채로 있다.

이윽고 밤이 오면 또 거대한 구렝이처럼 빛을 잃어버리고 소리도 없이 잔다. 이 무슨 거대한 겸손이냐.

이윽고 겨울이 오면 초록은 실색(失色)한다. 그러나 그것은 남루(襤褸)를 갈기갈기 찢은 것과 다름없는 추악한 색채로 변하는 것이다. 한겨울을 두고 이 황막하고 추악한 벌판을 바라보고 지내면서 그래도 자살(自殺) 민절(悶絶)하지 않는 농민들은 불쌍하기도 하려니와 거대한 천치(天痴)다.

그들의 일생이 또한 이 벌판처럼 단조한 권태 일색으로 도포(塗布)된 것이리라. 일할 때는 초록 벌판처럼 더워서 숨이 칵칵 막히게 싱거울 것이요, 일하지 않을 때에는 겨우 황원(荒原)처럼 거칠고 구주레하게 싱거울 것이다.

그들에게는 흥분이 없다. 벌판에 벼락이 떨어져도 그것은 뇌성(雷聲) 끝에 가끔 있는 다반사에 지나지 않는다. 촌동(村童)이 범에게 물려 가도 그것은 맹수가 사는 산촌에 가끔 있는 신벌(神罰)에 지나지 않는다. 실로 전선주 하나 없는 벌판에서 그들이 무엇을 대상으로 흥분할 수 있으랴.

팔봉산(八峯山) 등을 넘어 철골 전선주가 늘어섰다. 그러나 그 동선(銅線)은 이 촌락에 엽서 한 장을 내려뜨리지 않고 섰는 채다. 동선으로는 전류도 통하리라. 그러나 그들의 방이 아직도 송명(松明)으로 어둠침침한 이상 그 전선주들은 이 마을 동구에 늘어선 포플러 나무와 조곰도 다를 것이 없다.

출처 : 이승원 외, 『고등학교 문학』

[나] 군대란 일반적으로 이에 복무하는 사람들을 타락시킨다. 그들을 완전한 무위, 즉 합리적이고 유익한 지적 활동을 무시하는 상황 속으로 끌어넣고 일반인의 의무에서 벗어나게 하며 그 대신 연대의 명예라든가 군복, 군기 등의 형식적인 가치만을 내세운다. 그러면서도 어떤 사람에게는 무한한 권력을 주고, 어떤 사람에게는 윗사람에 대한 절대적인 노예의 복종을 강요하는 것이다.

그러나 명문가의 부유한 장교들만이 선택되어 근무할 수 있는 근위대에서 볼 수 있듯이, 군복이나 군기 숭배, 또는 폭력이나 살인의 용인이 따르는 군대 복무의 일반적인 타락에 황족과 가까이 지낸다는 우월감이라든가 재정적인 측면의 타락이 더해질 경우, 이 환경 속에 빠진 인간들은 완전한 이기주의의 발광 상태에 이르게 되고 만다. 네흘류도프는 군대에 복무하게 되어 동료들과 마찬가지의 생활을 보내고 나서부터 이와 같은 발광 상태의 이기주의에 빠져 있었던 것이다.

아무것도 할 일이 없었다. 자기 손으로가 아니라 다른 사람의 손으로 훌륭하게 만들어지고 손질된 군복을 입고 군모를 쓰고, 역시 남의 손으로 만들어지고 손질된 칼을 차고, 역시 남의 손으로 훈련되고 사육된 말을 타고, 동료들과 같이 교련이나 사열을 하든가 말을 달리며 군도를 휘두르고 총을 쏘고, 또 이런 일들을 다른 사람에게 가르치는 것 외에는 별로 할 일이 없었다. 그런데도 높은 지위에 있는 사람들은, 젊은이도 늙은이도 황제도 그 측근들도 이 일을 좋아할 뿐 아니라 이를 칭찬하고 노고에 감사하는 것이다. 그들이 그 다음으로 훌륭하고 값어치 있게 여기는 일은 식사나 술을 하기 위해 장교 클럽이나 최고급 레스토랑에 모여 출처도 모르는 돈을 흥겹게 뿌리는 것이었다. 그러고는 극장, 무도회, 여자, 그리고 다시 말을 타고 칼을 휘두르며 달리고는 또 돈을 낭비하고 술과 도박과 여자를 되풀이했다.

출처 : 톨스토이, 『부활』

[다] 나는 당신을 위로하기 위하여 이 이야기를 전하는 것이 아닙니다. '위로'는 진정한 애정이 아닙니다. 위로는 그 위로를 받는 사람으로 하여금 스스로가 위로의 대상이라는 사실을 확인케 함으로써 다시 한번 좌절하게 하는 것이기 때문입니다.

나는 당신이 대학의 강의실에서 이 편지를 읽든 아니면 어느 공장의 작업대 옆에서 읽든 상관하지 않습니다. 어느 곳에 있건 탁*이 아닌 발을 상대하고 있다면 상관없다고 생각합니다.

만일 당신이 사회의 현장에 있다면 당신은 당신의 살아 있는 발로 서 있는 것입니다. 그리고 만일 당신이 대학의 교정에 있다면 당신은 더 많은 발을 깨달을 수 있는 곳에 서 있는 것입니다. 대학은 기존의 이데올로기를 재생산하는 '종속의 땅'이기도 하지만 그 연쇄의 고리를 끊을 수 있는 '가능성의 땅'이기도 하기 때문입니다.

당신은 그동안 못 했던 일을 하고, 만나고 싶은 사람을 만나고, 가고 싶은 곳을 찾아가겠다고 했습니다. 대학이 안겨 줄 자유와 낭만에 대한 당신의 꿈을 모르지 않습니다. 지금까지 얽매여 있던 당신의 질곡을 모르지 않습니다. 당신은 지금 그러한 꿈이 사라졌다고 실망하고 있지나 않은지 걱정됩니다.

그러나 '자유와 낭만'은 그러한 것이 아닙니다. 자유와 낭만은 '관계의 건설 공간'이란 말을 나는 좋아합니다. 우리들이 맺는 인간관계의 넓이가 곧 우리들이 누릴 수 있는 자유와 낭만의 크기입니다. 그러기에 그것은 우리들의 일상(日常)에 내장되어 있는 '안이한 연루(連累)'를 결별하고 사회와 역사와 미래를 보듬는 너른 품을 키우는 공간이어야 합니다.

그리하여 당신이 그동안 만들지 않고도 공부할 수 있게 해 준 수많은 사람들의 얼굴을 만나는 연대의 장소입니다. 우리 사회를 지탱하고 있는 발의 임자를 깨닫게 하는 '교실'입니다. 만약 당신이 대학이 아닌 다른 현장에 있다면 더 쉽게 그들의 얼굴을 만날 수 있습니다. 당신이 바로 그 사람이 될 수 있기 때문입니다.

그래서 나는 당신의 수능 시험 성적 100점은 그야말로 만점인 100점이라고 생각합니다. 그것은 올해 당신과 함께 고등학교를 졸업한 67만 5천 명의 평균 점수입니다. 당신은 친구들의 한복판에 서 있다는 것을 잊지 말아야 합니다. 중간은 풍요한 자리입니다. 수많은 곳, 수많은 사람을 만나는 자리입니다. 그보다 더 큰 자유와 낭만은 없습니다.

언젠가 우리는 늦은 밤 어두운 골목길을 더듬다가 넓고 밝은 길로 나오면서 기뻐하였습니다. 아무리 작은 실개천도 이윽고 강을 만나고 드디어 바다를 만나는 진리를 감사하였습니다. 주춧돌에서부터 집을 그리는 사람들의 견고한 믿음입니다. 당신이 비록 지금은 어둡고 좁은 골목길을 걷고 있다고 하더라도 나는 당신을 걱정하지 않습니다. 당신의 발로 당신의 삶을 지탱하고 있는 한 언젠가는 넓은 길, 넓은 바다를 만나리라고 믿고 있습니다. 드높은 삶을 '예비'하는 진정한 '합격자'가 되리라고 믿고 있습니다. 그리고 그 길의 어디쯤에서 당신과 만날 수 있기를 기대합니다.

* 탁(度) : 종이 위에 발을 올려놓고 발의 윤곽을 그림.

출처 : 한철우 외, 『고등학교 문학』

[문제 2] [가]와 [나]를 활용하여 [라]와 [마]를 설명하고, [다]의 관점에서 [마]와 [바]에 대한 자신의 입장을 논술하시오. (600자 내외) (30점)

[가] 시민 사회에서 사상이나 제도, 타인의 영향력은 지배를 통해서가 아니라 그람시(A. Gramsci)가 말한 합의를 통하여 작용한다. 따라서 전체주의적이지 않은 사회에서는, 어떤 사상이 다른 사상보다도 커다란 영향력을 갖는 것과 마찬가지로 어떤 문화 형태가 다른 문화 형태에 비하여 단연코 우월하다. 이러한 문화적 주도권의 형태는 그람시에 의해, 공업화된 서양 사회의 문화생활을 이해하는데 필수적인 개념인 헤게모니로 인정되었다. 오리엔탈리즘에 대하여 지금까지 설명해 온 지속성과 힘을 준 것이 바로 헤게모니이다. 더욱 정확히 말하자면 그것은 문화적 헤게모니가 작용한 결과이다.

출처 : 에드워드 사이드, 『오리엔탈리즘』

동양과 유럽의 관계에서 유럽은 언제나 강자의 지위를 차지하였다. 밸푸어(A. J. Balfour)가 동양 여러 문명의 '위대함'을 인정하였지만, 이것은 어디까지나 유럽의 동양에 관한 강자와 약자의 관계를 위장하거나 완화하기 위해서이다. 실제로 서양에서는 정치, 문화 나아가 종교적 차원에서조차 양자의 본질적 관계를 어디까지나 대립하는 강자와 약자의 관계로 간주하였다. 이러한 관계는 여러 가지 용어로 표현되었다. 예컨대 동양인은 '비합리적이고, 저열하고, 유치하고, 이상하다', 그리고 유럽인은 '합리적이고, 도덕적이며, 성숙하고, 정상적'이라고 인식하는 것이 그것이다. 하지만 그러면서도 동양 역시 어느 정도의 문화적 수준을 갖추었다는 사실을 곳곳에서 강조함으로써 유럽의 동양에 관한 강자와 약자의 관계는 동양의 반발을 약화하면서 생명을 얻고 유지되었다.

출처 : 손영찬 외, 『고등학교 사회 · 문화』

[나] '문화'는 지식을 지닌 사람들 (또는 적어도 스스로 지식이 있다고 확신하는 사람들)과 무식한 사람들 (또는 그들을 교육하려는 포부를 지닌 자신만만한 사람들이 무식하다고 말하는 사람들) 사이에 계획되고 예상된 합의가 존재함을 암시한다. 그것은 한쪽만 서명하고 일방적으로 지지하는 합의, 새롭게 형성된 '교육받은 계층'이 독점적으로 지휘하는 가운데 구현되는 합의로서 구체제의 잔해에서 '새롭고 개선된' 질서를 빚어낼 권리를 추구한다. 이 계층은 교육과 계몽을 통해 최근 새롭게 형성된 국민 국가에서 시민의 역할을 맡은 민중을 승격시키고 기품 있게 하는 것이 그들의 의도라고 공언한다. 새롭게 형성되어 스스로 주권 국가로 성장하는 국가, 자산 관리자의 역할을 맡으려는 그 새로운 국가와 짝을 이루어 그 나라의 수호자이자 옹호자가 되고자 하는 것이다.
'계몽적 기획'은 (경작과 유사한 활동으로 이해되는) 문화에 국민을, 국가를, 국민국가를 건설할 수 있는 기본적인 수단을 제공했으며, 그 수단을 지식 계급의 손에 쥐어 주었다. 정치적 야망과 철학적 숙고 사이를 오가며, 계몽 사업의 두 가지 목표는 곧 (공개적으로 선언되었건 암묵적으로 전제되었건 간에) 국민의 복종과 결속을 상정하는 것으로 확고하게 자리 잡는다.

잠재적인 노동자와 군인의 수가 증가하면 국력이 강해지고 안전이 보장된다고 여겨졌으므로, '대중'의 성장은 국민 국가 형성에 자신감을 더해 주었다. 그러나 국가 건설과 경제 성장이 합쳐지면 인구가 지나치게 증가하는 결과를 낳는다. 따라서 새롭게 확립된 국민 국가는 오래 지나지 않아 국경 밖에서 새로운 영토를 찾아야 할 절실한 필요성을 느낀다. 국가 영토가 자기 국경 안에 과도한 인구를 수용하는 능력을 더는 유지할 수 없기 때문이다.

멀리 떨어진 지역을 지배해 식민지로 삼는 데 성공할 가능성은 문화적 계몽이라는 발상에 강력한 자극제가 되었으며, 완전히 새로운 세계에 기독교를 전파하고 궁극적으로 전 세계를 개종시킨다는 사명을 부여했다. 그 개념은 '민중의 계몽'이라는 거울상으로서, '백인의 사명'이며 '야만인을 그들이 놓인 원시적인 상태에서 구원'하는 것으로 형성되었다.

출처 : 지그문트 바우만, 『유행의 시대』

[다] 개인들이 사회를 닮지 않아 사회 전체의 공통적인 윤리와 도덕 체계가 공유되지 못하고, 이 때문에 사회가 혼란에 빠진다는 주장은 논리적이지 못하다. 사회는 자유를 누리는 개인들로 구성되어 있으므로 개인의 자유와 권리는 그 어떤 것보다 우선적으로 보장되어야 한다. 사회가 질서와 균형을 지켜 나가는 것은 구성원들이 사회의 지배적인 도덕 체계를 잘 따르기 때문이 아니라, 서로 다른 윤리와 도덕 체계를 가진 개인들이 다른 사람들을 존중하고 서로를 배려하기 때문이다. 따라서 사회는 다른 윤리 의식과 가치를 지닌 개인들에게 특정한 가치와 도덕 체계를 가져야 한다고 강요해서는 안 된다.

마찬가지로 개인에게 사회의 지배적인 여론이나 감정에 따르도록 요구하는 것은 사회의 폭압일 수 있다는 점을 인식해야 하고, 사회에 동의하지 않는 사람들에게 사회의 생각이나 관행을 강요하는 것은 자제되어야 한다. 또한 사회가 개인의 개성 발달을 억압하면서까지 사회와 조화를 이루도록 강요하는 행위에 관한 방어막이 필요하다.

출처 : 손영찬 외, 『고등학교 사회 · 문화』

[라] 생물계에서 강자의 권리 경쟁이 발생하면 몸과 마음이 우월한 자가 열등한 자를 쓰러뜨리는 것을 피할 수 없다. 우리 인간도 모든 생물과 그 근원을 같이하며 …… 그 몸과 마음의 강약에 따라 강자의 권리 경쟁이 발생하면, 강자가 약자에게 승리하는 것이 자연의 법칙이다. …… 사회가 진보하고 발달하는 것에 따라 사람들 사이에 능력의 차이가 생기며, 다른 인종들이 모인 사회에서는 그 인종의 우열로 귀천의 차이가 생겨난다. …… 나라와 나라 사이에서 생기는 권력 경쟁도 …… 동물계에서와 마찬가지로 맹폭한 성질을 띨 수밖에 없다. …… 이는 결코 도덕에 반하고 법리를 어기는 것이 아니라 당연한 것이다.

출처 : 안병우 외, 『고등학교 동아시아사』

[마] 이 시대사조(時代思潮)는 우리 땅에도 들어와 각 방면으로 개조의 부르짖음이 들립니다. 그러나 오늘날 조선 사람으로서 시급히 할 개조는 실로 조선 민족의 개조외다.

대체 민족 개조란 무엇인가. 한 민족은 다른 자연 현상과 같이 시시각각으로 어떤 방향을 취하여 변천하는 것이니 한 민족의 역사는 그 민족의 변천의 기록이라 할 수 있습니다.

……(중략)……

남자가 상투를 버리고 여자가 쓰개를 벗어 버린 것이 어떻게 무서운 변화이오리까. 과거에만 그런 것이 아니라 지금도 나날이 변하여 갑니다. 더욱이 재작년 3월 1일 이래로 우리의 정신의 변화는 무섭게 급격하게 되었습니다. 그리고 이러한 변화는 금후에도 한량없이 계속될 것이외다.

그러나 이것은 자연의 변화외다. 또는 우연의 변화외다. 마치 자연계에서 끊임없이 행하는 물리학적 변화나 화학적 변화와 같이 자연히, 우리 눈으로 보기에는 우연히 행하는 변화외다. 또는 무지몽매한 야만 인종이 자각 없이 추이(推移)하여 가는 변화와 같은 변화외다.

문명인의 최대한 특징은 자기가 자기의 목적을 정하고 그 목적을 달성하기 위하여 계획된 진로를 밟아 노력하면서 시각마다 자기의 속도를 측량하는 데 있습니다. 그는 본능이나 충동에 따라 행하지 아니하고 생활의 목적을 확립합니다. 그리하고 그의 일거수일투족의 모든 행동은 오직 이 목적을 향하여 통일되는 것이오, 그러므로 그의 특색은 계획과 노력에 있습니다. 그와 같이 문명한 민족의 특징도 자기의 목적을 의식적으로 확립하고 그 목적을 달성하기 위하여 일정한 조직적이요 통일적인 계획을 세우고 그 계획을 실현하기 위하여 조직적이요 통일적인 노력을 함에 있습니다. 그러므로 원시 시대의 민족, 또는 아직 분명한 자각을 가지지 못한 민족의 역사는 자연 현상의 변천의 기록과 같은 기록이로되 이미 고도의 문명을 가진 민족의 역사는 그의 목적의 변천의 기록이요, 그 목적들을 위한 계획과 노력의 기록일 것이외다. 따라서 원시 민족, 미개 민족의 목적의 변천은 오직 자연한 변천, 우연한 변천이로되 고도의 문명을 가진 민족의 목적의 변천은 의식적 개조의 과정이외다.

출처 : 이광수, 「민족개조론」, 『개벽』

[바] 스웨덴은 척박한 땅과 혹독한 겨울로 인해 사람들이 돌밭을 일구다가 지치면 포기하고 떠나 버렸던 나라였다. 제2차 세계 대전 직후 당선된 45세의 총리 에를란데르(T. Erlander)는 다 함께 성장하는 경제에 대한 신념을 가지고 있었다. 일단 그는 23년 간 매주 목요일 저녁마다 기업 대표 및 노조 대표와 한자리에 모여 대화하였다. 그사이 파업은 완전히 사라졌다. 또한 그는 육아, 의료, 교육, 주거 등과 같은 문제가 국민의 발목을 잡지 않아야, 한 개인과 한 나라가 최대한 성장할 수 있다고 보았다. 그래서 아동 수당, 전 국민 무상 의료 보험, 초등학교

에서 대학원 박사 과정까지 무상 교육, 주택 수당법 등을 실현하였다. 이를 위해 그는 수년 동안 국민을 설득하였으며 모두가 수긍할 때까지 끝장 토론을 벌였고, 합의에 이르는 모든 과정을 국민에게 공개하여 국민이 자발적으로 지갑을 열게 하였다. 스웨덴은 국민이 세금을 가장 많이 내는 국가이다. 하지만 아이를 돌봐야 하는 여성들, 몸이 불편한 사람들, 노동자 등 모두가 동등한 기회를 가지며 각자의 능력을 발휘하여 오늘날 세계에서 가장 잘 사는 국가가 되었다. "국가는 모든 국민을 위한 좋은 집이 되어야 한다."라고 주장했던 에를란데르 총리는 1969년 정치 은퇴를 선언했다. 그러나 당시 그에게는 여생을 보낼 자기 집 한 채도 없었다.

출처 : 정창우 외, 『고등학교 윤리와 사상』

[문제 3] [가]의 관점에서 [나]~[라]의 문제 해결을 위한 기업의 과제를 설명하고, 이를 이용하여 [마]의 사례 각각에 대한 해결 방안을 논술하시오. (600자 내외) (40점)

[가] 기업은 생산 활동을 통해 이윤 극대화라는 목적을 추구한다. 기업은 재화와 서비스의 공급자로서, 사회에 필요한 재화와 서비스를 생산하여 공급함으로써 소비자들의 수요를 충족하는 역할을 한다. 또한 기업은 생산 요소의 수요자로서, 노동, 자본, 토지 등의 생산 요소를 생산 요소 시장에서 공급받고, 그에 대한 대가로 임금, 이자, 지대 등 가계 소득의 원천을 제공한다. 기업가는 기업을 경영하는 사람으로서, 기업의 생산성을 높이고 기술 혁신을 위해 노력하는 과정에서 소비자의 만족을 높이고 일자리를 창출한다. 기업가는 기업 활동에서 지켜야 할 윤리를 지키고 건전하게 이윤을 추구해야 한다. 또한 노동자의 권리를 존중하고 노동자에 대한 의무를 이행해야 하며, 정당하고 합법적으로 생산한 제품을 판매하여 소비자에 대한 책임을 다해야 한다. 그리고 기업은 고용 차별, 불합리한 해고, 환경 오염 등 다른 주체에게 해를 끼치는 행위를 하지 않아야 한다. 나아가 장애인 고용, 낙후된 지역에서의 공장 설립, 예술 및 교육 사업 지원 등과 같은 적극적 행위를 하여 기업의 사회적 책임을 다해야 한다.

출처 : 구정화 외, 『고등학교 통합사회』

<기업의 사회적 책임 7개 원칙>

1. 사회, 경제 및 환경에 미치는 영향에 대한 설명 책임
2. 조직의 의사 결정 및 활동의 투명성
3. 윤리적 행동
4. 이해관계자의 이해관계 존중
5. 법치 존중
6. 국제 행동 규범 존중
7. 인권 존중

출처 : 김종호 외, 『고등학교 경제』

[나]

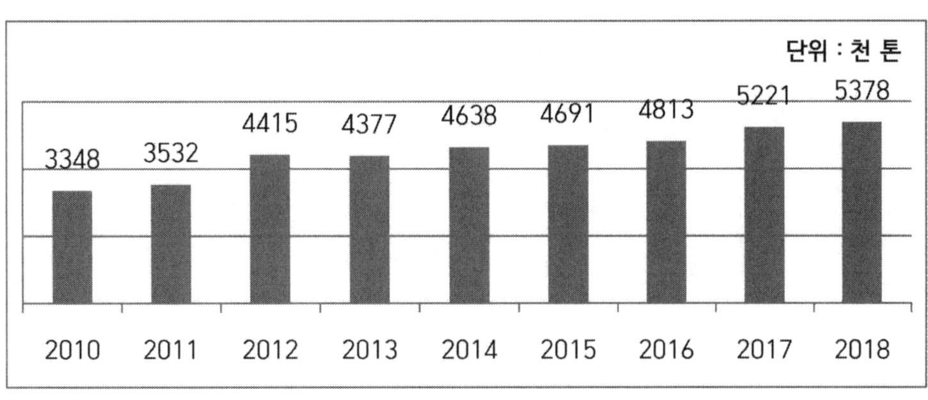

<사업장에서 배출되는 폐기물 발생 현황>

출처 : 환경부, 2019.

세계 기온 변화 및 온실가스 농도 추이

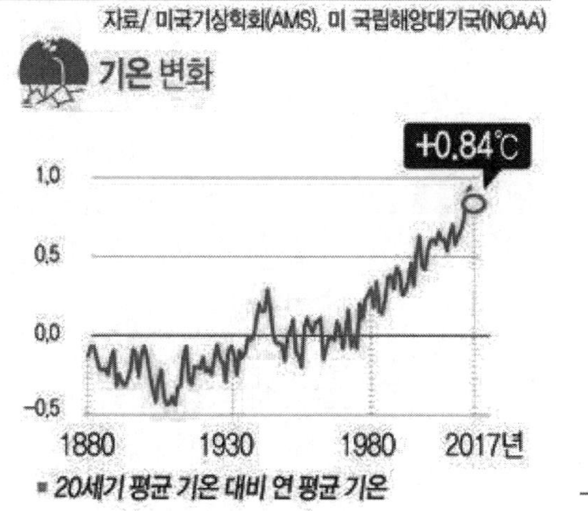

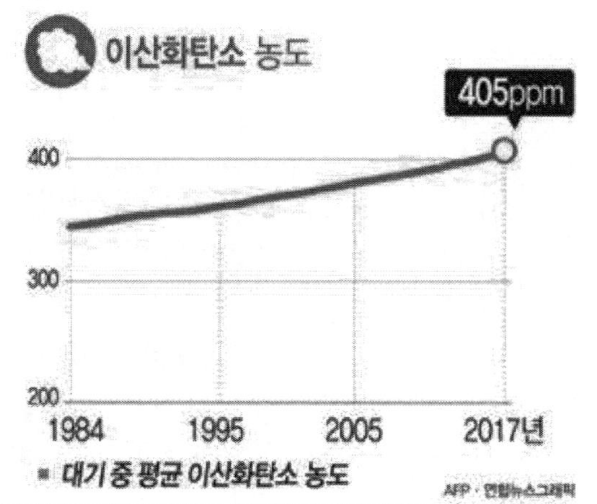

<세계 기온 변화 및 온실가스 농도 추이>

자료 제공 : 미국기상학회, 미국국립해양대기국.

출처 :『국제신문』, 2018. 8. 2.

[다]

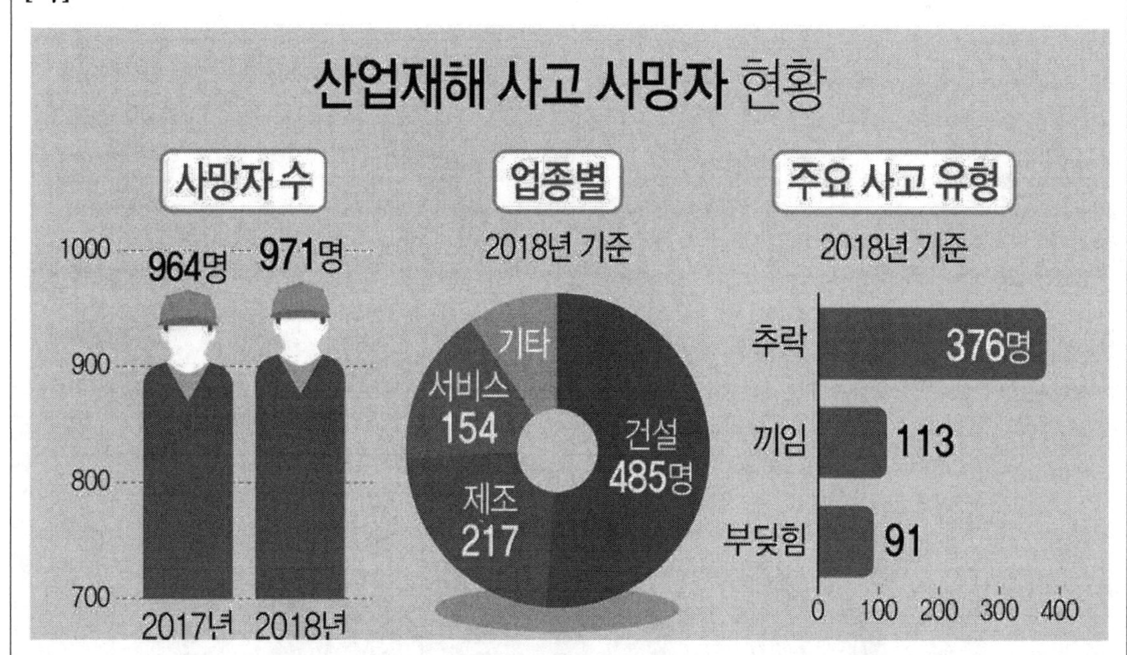

자료 제공 : 고용노동부.

<산업 재해 사고 사망자 현황>

출처 :『연합뉴스』, 2019. 5. 2.

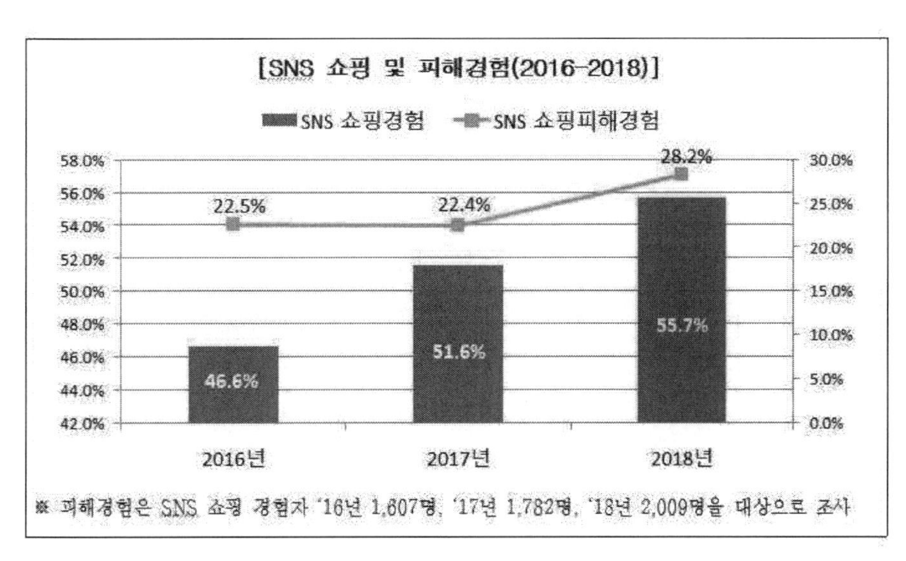

자료 제공 : 서울시.

<SNS 쇼핑 및 피해 경험>

출처 : 『연합뉴스』, 2019. 3. 31.

우리나라에서 극단적 선택으로 생을 마감한 근로자 중 서비스 및 판매 종사자의 비중이 가장 높은 것으로 나타났다. 이른바 '감정 노동' 종사자들이다. …… 감정 노동자들이 고객을 상대하는 과정에서 폭언에 시달리는 등 스트레스를 받는 경우가 많고 이 같은 스트레스가 우울증 같은 정신 질환으로 발전하기 때문으로 분석된다.

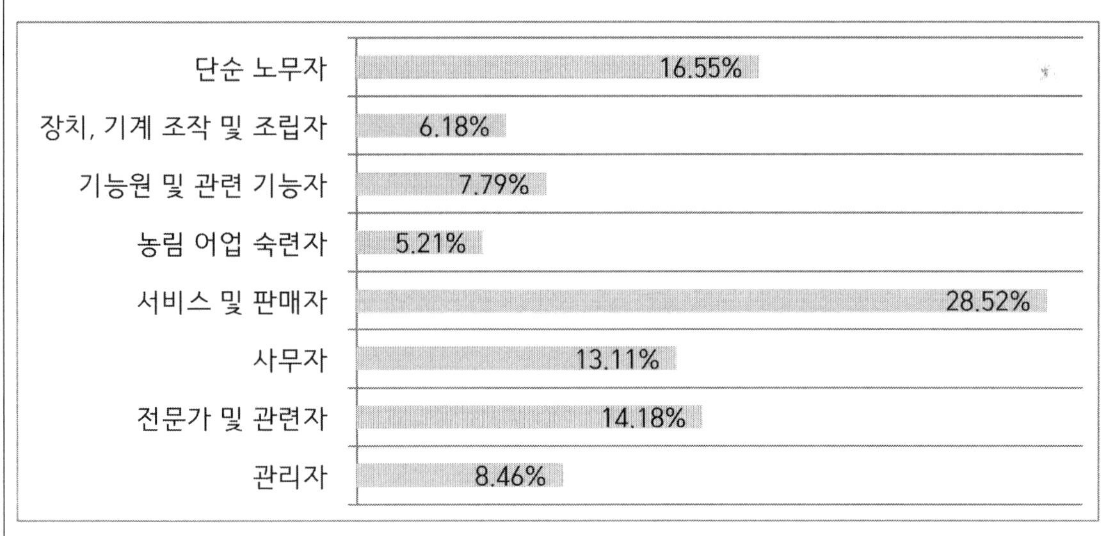

자료 제공 : 통계청.

<자살 근로자 직업별 비중>

출처 : 『한국일보』, 2018. 5. 17.

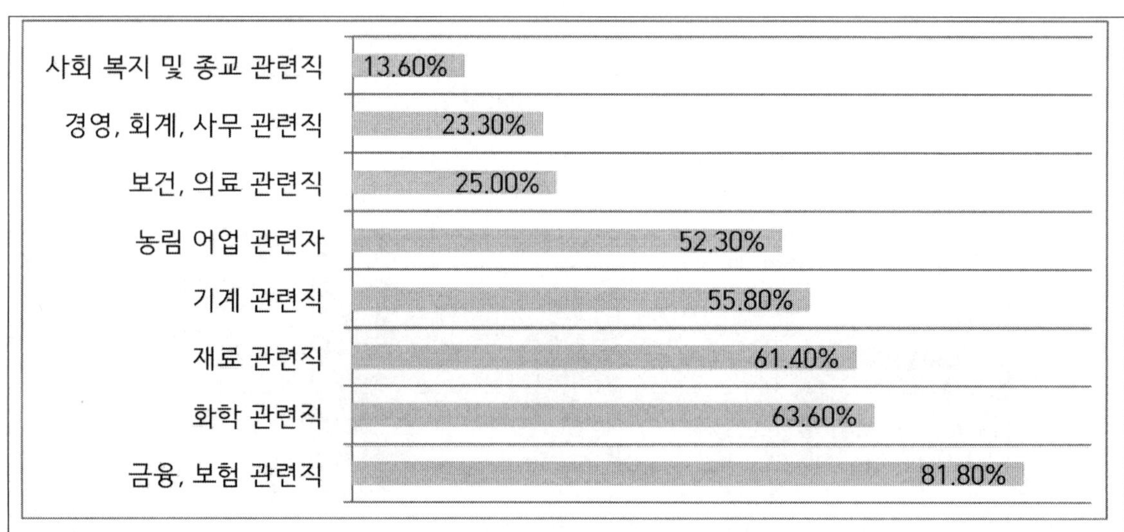

4차 산업혁명으로 '자신이 종사하는 직업에서 일자리가 줄어들 것'이라고 응답한 비율(23개 직종 재직자, 1천 6명 설문 조사 결과)

자료 제공 : 한국고용정보원.

<인공 지능, 첨단 기술로 인한 직종별 일자리 감소 전망>

출처 : 『연합뉴스』, 2016. 10. 24.

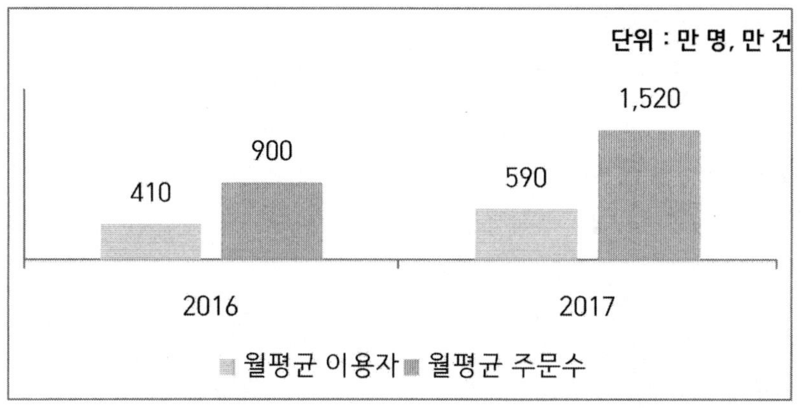

자료 제공 : 배달 전문 업체 A 회사.

<배달 전문 업체 A 회사의 성장 추이>

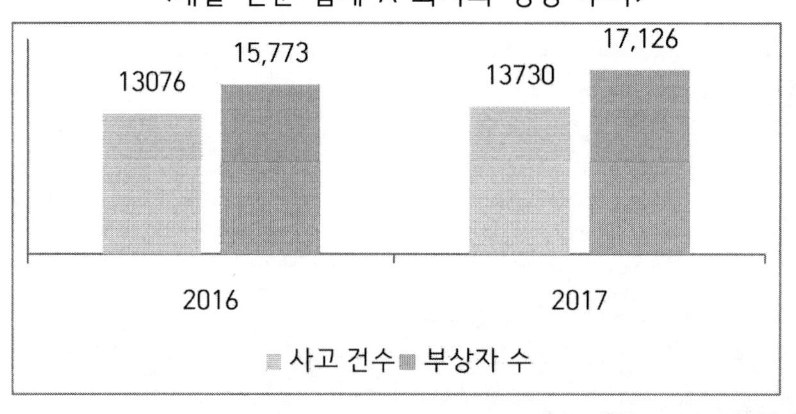

자료 제공 : 도로교통공단, 국토교통부.

<이륜차 사고 증가 추이>

출처 : 『이코노미스트』, 2019. 5. 20.

[라] 일감 몰아주기란 쉽게 말해 대기업이 특정한 하청 기업에 관련 일거리들을 몰아주는 것을 말한다. 문제는 특정 하청 기업 대부분이 대기업의 자회사라는 데 있다. 모자 관계처럼 대기업이 모(母)의 역할을 하고, 하청 기업이 자(子)의 역할을 하는 것이다. 모회사는 자회사의 많은 지분을 가지고 있다. 모회사가 자회사에 일감을 몰아주면, 자회사는 자연스레 생산과 판매량이 늘어나고, 이에 모회사의 가치 역시 추가로 상승한다. 이것이 일감 몰아주기의 원리이다.

일감 몰아주기가 문제가 되는 것은 공정한 경쟁을 방해하기 때문이다. 예를 들어, 대기업은 하나부터 열까지 모든 일을 다 처리할 수 없기에 다른 작은 기업에 하청을 주기도 한다. 그런데 이 하청의 대부분이 자회사로만 넘어가면 대기업은 자회사를 통해 부당한 이익을 취득할 수 있다. 다른 기업에는 기회조차 주지 않고서 말이다. 다른 기업이 아무리 뛰어난 기술력을 갖추고 있더라도, 대기업의 자회사가 아니라는 이유만으로 일감을 얻을 기회를 빼앗기는 것이다.

이에 따라 정부는 일감 몰아주기 규제법을 제정하였다. 일감 몰아주기 규제법은 공정 거래법에 속하는 것으로서, 이 법을 위반할 때에는 과징금을 물리고 있다.

출처 : 구정화 외, 『고등학교 통합사회』

(2018년 말 기준)

오너 일가 지분율*	20% 미만	20% 이상	30% 이상	50% 이상	100%
내부 거래* 비중(%)	12.9	9.9	11.3	11.5	24.2
회사 수(개)	1,467	215	175	126	65

* 지분율 : 주식회사는 투자자들에게 회사를 경영하여 얻은 수익 가운데 일부를 투자자의 지분에 비례해 나누어 주는데, 그 기준이 되는 비율을 지분율이라고 함.
* 내부 거래 : 대기업 내 계열 회사 간 상품·용역 거래를 의미함.

<오너 일가 지분율 구간별 내부 거래 비중 현황>

출처 : 『공정거래위원회 보도자료』, 2019.

[마]

[사례 1] A 회사의 플로리다주 탐파 영업소 직원들은 수천 명의 간호사들에게 1천 1백만 달러에 이르는 사기를 쳤다는 혐의를 받고 있었는데, 이는 A 회사 영업 사원들이 "전혀 새로운 상품이며, 오늘날 투자 상품 중에서 가장 인기가 좋은 퇴직 연금 상품"이라고 광고하여 실질적으로 생명 보험인 상품을 연금 상품으로 위장하여 판매하였다. 즉 고객들이 저축 예금으로 알고 납입하였던 돈은 사실은 보험료였다는 것이다. 이에 1993년 8월 플로리다주는 A 회사의 영업 행위에 대하여 엄중한 제재를 가했다.

출처 : 국민권익위원회, 『기업윤리 브리프스』

[사례 2] 독일 자동차기업 B 회사가 배기가스 조작 사건인 "디젤 게이트"와 관련해 집단 손해배상 소송에 참여한 독일의 소비자들에게 8억 3천만 유로(약 1조 1천 86억 원)의 보상금을 지급하기로 합의했다. …… 디젤 게이트는 B 회사가 지난 2015년 9월 1천 70만 대의 디젤 차량을 상대로 배기가스 소프트웨어를 조작했다고 시인한 사건이다. B 회사는 당시 환경 기준치를 맞추기 위해 주행 시험으로 판단될 때만 배기가스 저감 장치가 작동하도록 소프트웨어를 조작했다. 실제 주행 시에는 연비 절감을 위해 저감 장치가 제대로 작동하지 않아 산화 질소를 기준치 이상으로 배출하도록 했다.

출처 : 『연합뉴스』, 2020. 2. 29.

[사례 3]

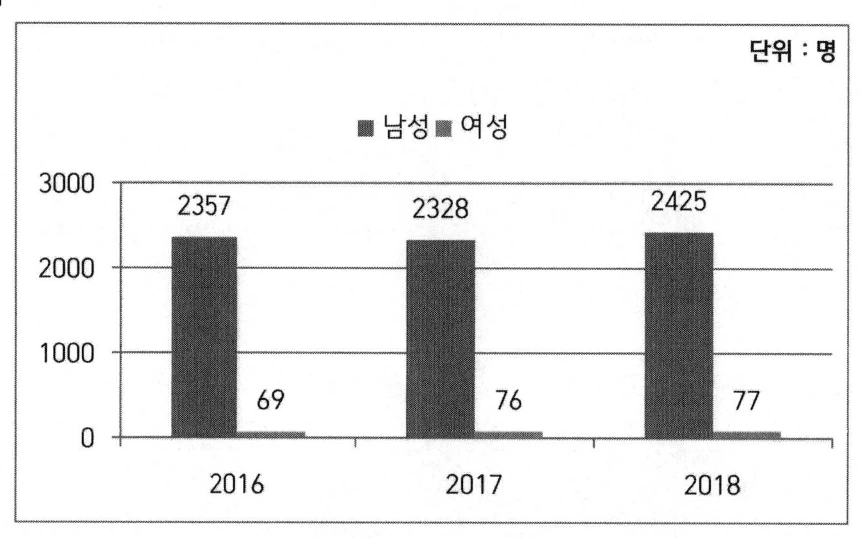

<성별 사내 이사 현황>

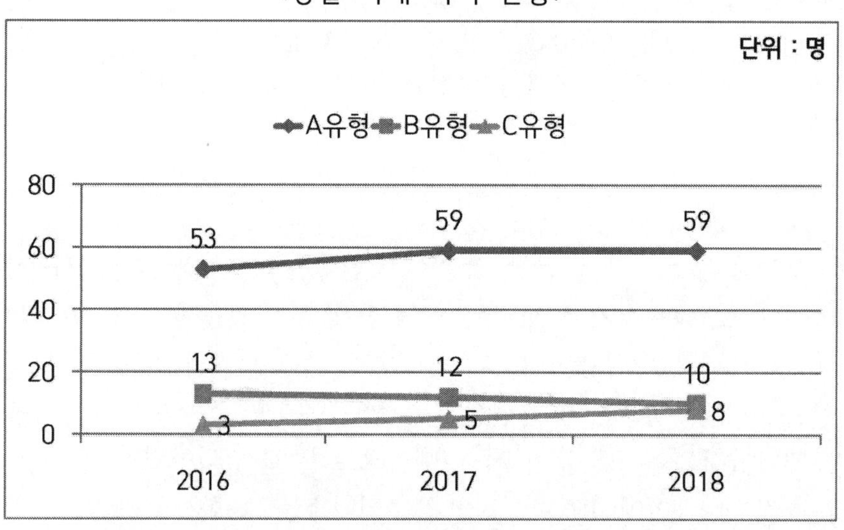

<유형별 여성 사내 이사 현황>

* A 유형 : 지배 주주(오너) 일가인 경우
* B 유형 : 대주주(투자자)와 관련된 경우
* C 유형 : 능력 · 경력을 인정받아 승진 · 스카우트된 경우

출처 : 이영호 외, 『수능완성 사회 · 문화』

DKU 단국대학교
DANKOOK UNIVERSITY

논술답안지

※감독자 확인란

모집단위

성 명

수 험 번 호

생년월일 (예 : 090512)

【유의사항】
1. 답안 작성 시 문제번호와 답안번호가 일치하도록 알맞은 칸에 작성하여야 한다.
2. 답안 작성 시 필요한 경우에 수식 및 그림을 사용할 수 있다.
3. 필기구는 반드시 검은색 필기구만을 사용하여야 한다. (검은색 이외의 필기구로 작성한 답안은 모두 최하점으로 처리함)
4. 문제와 관계없는 불필요한 내용이나, 자신의 신분을 드러내는 내용이 있는 답안 및 낙서 또는 표식이 있는 답안은 모두 최하점으로 처리한다.
5. 답안은 반드시 정해진 답안작성란 안에만 작성하여야 한다. (답안작성란 밖에 작성된 내용은 채점 대상에서 제외함)

1번 (1) 답안 **(반드시 해당 문제와 일치 하여야 함)**

40

80

120

160

200

240

이 줄 아래에 답안을 작성하거나 낙서할 경우 판독이 불가능하여 채점 불가

1번 (2) 답안 (반드시 해당 문제와 일치 하여야 함)

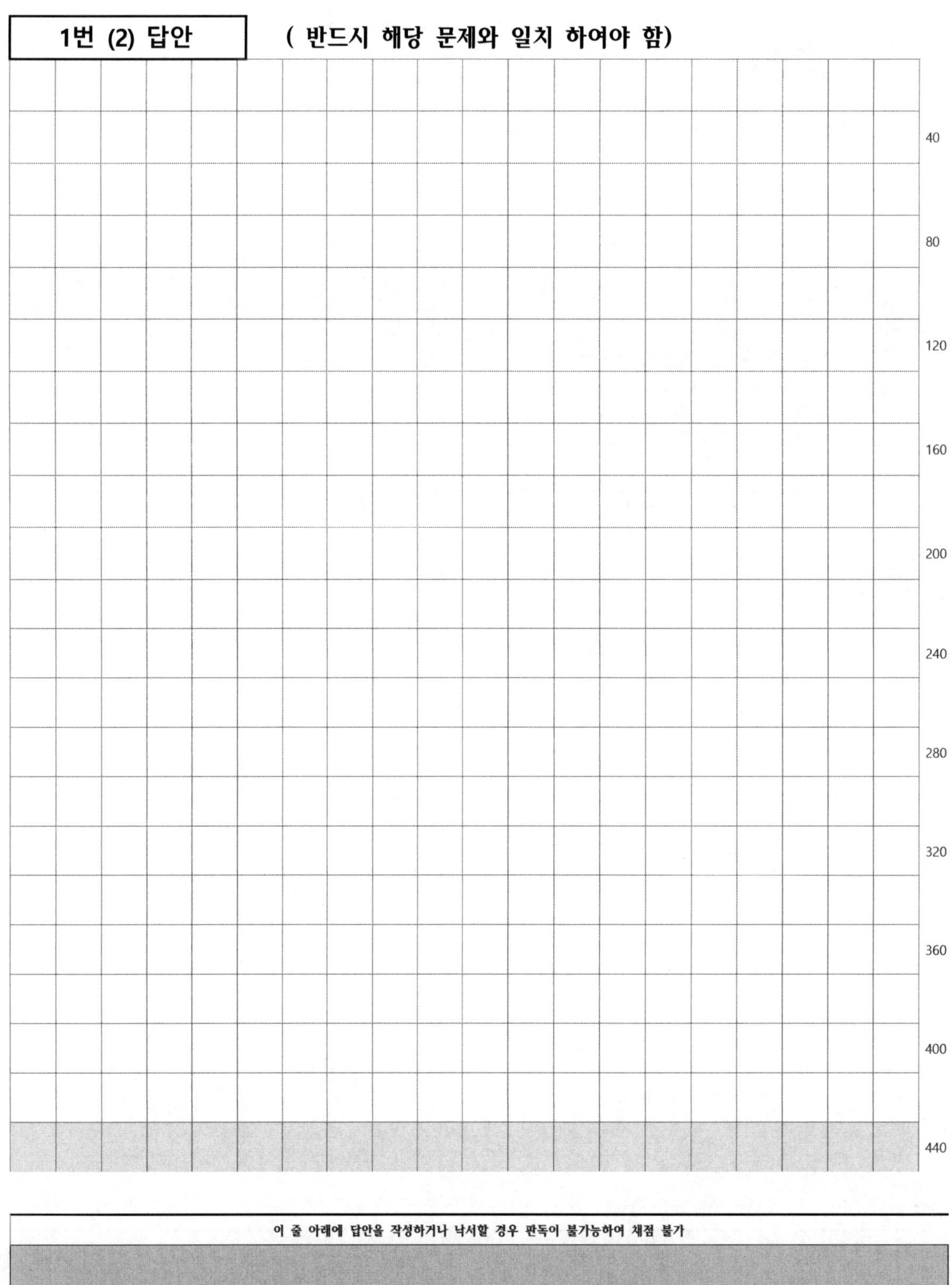

이 줄 아래에 답안을 작성하거나 낙서할 경우 판독이 불가능하여 채점 불가

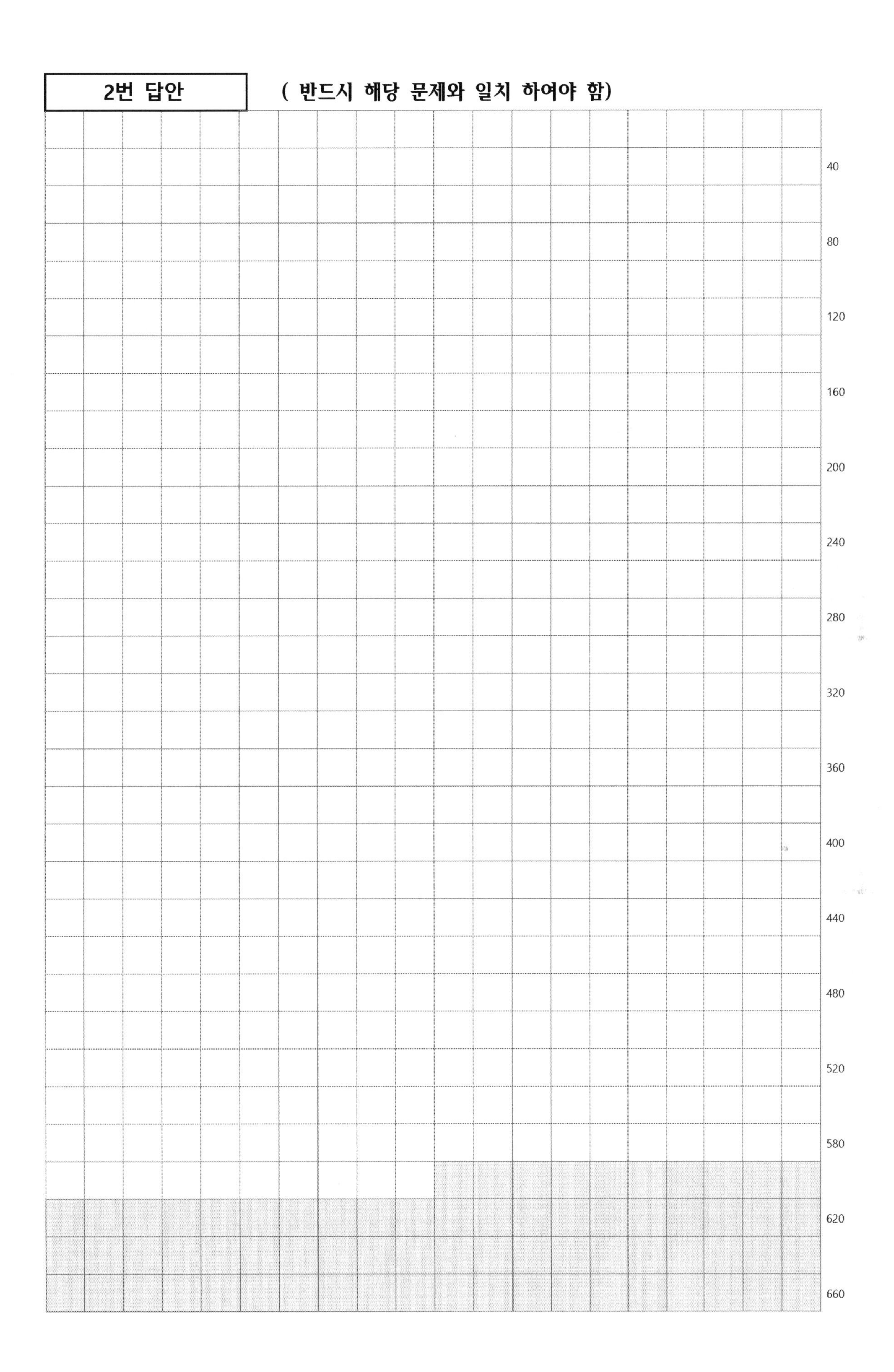
2번 답안
(반드시 해당 문제와 일치 하여야 함)
40
80
120
160
200
240
280
320
360
400
440
480
520
580
620
660

3번 답안 **(반드시 해당 문제와 일치 하여야 함)**

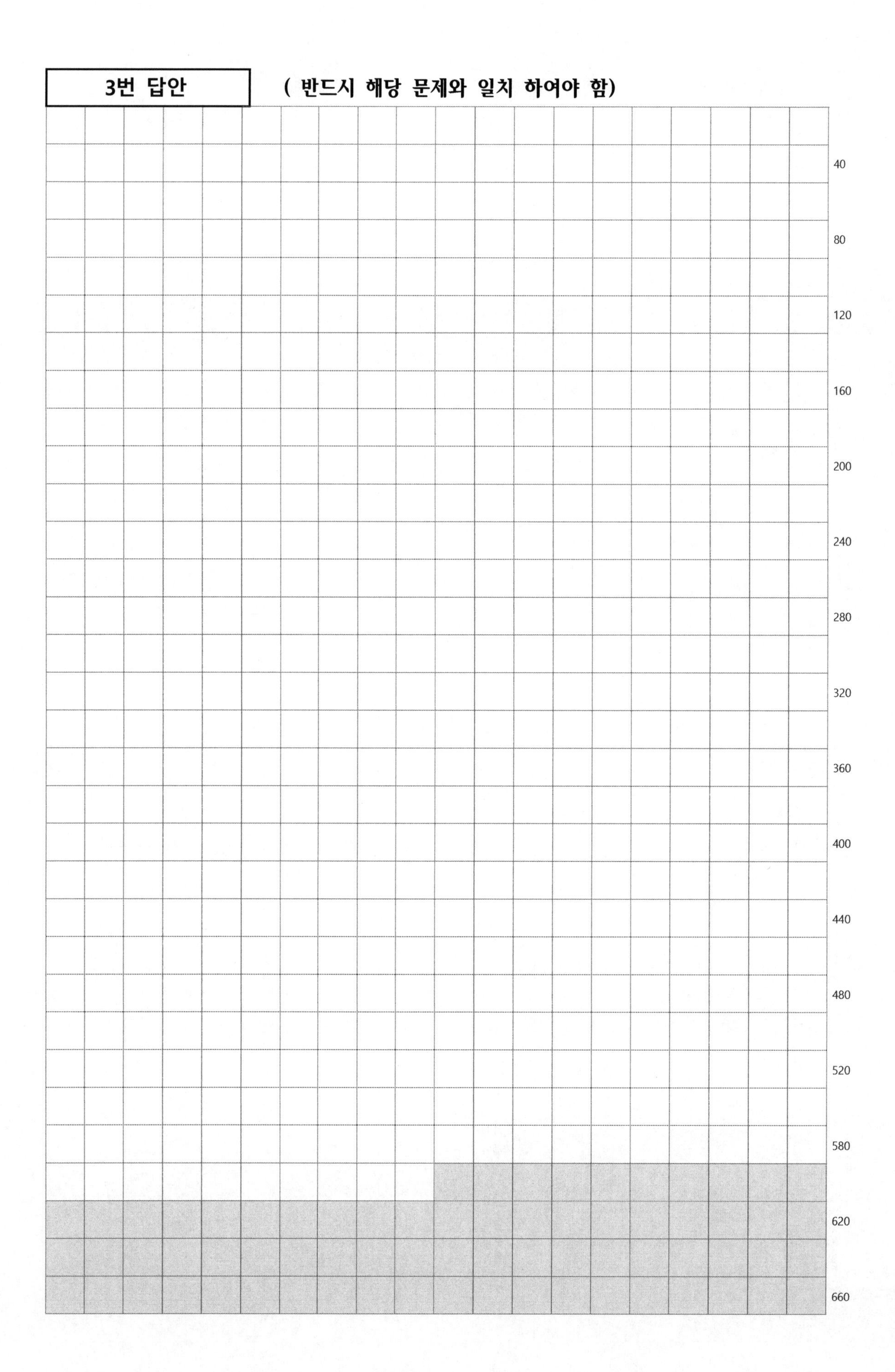

12. 2021학년도 단국대 모의 논술

[문제 1] 다음의 제시문을 읽고 주어진 물음에 답하시오. (30점)

1) [가]에서 주제를 나타내는 단어 하나를 찾고, 그 단어를 이용하여 [가]의 내용을 요약하시오. (200자 내외) (10점)

2) [가]에서 찾은 단어를 이용하여 [나]를 요약하고 [다]를 설명하시오. (400자 내외) (20점)

[가] 치몽은 한눈에 봐도 가난한 마을이다. 전기가 들어오지 않는 마을답게 변변한 세간도 없다. 사람들 옷차림도 남루하다. 그런데 얼굴 표정은 놀랄 만큼 밝다. 순해 보이고 잘 웃는다. 몸가짐은 부드러우면서 당당하다. 무엇보다 매 순간 몸과 마음을 다해 우리를 접대한다. 동네를 어슬렁거리기가 무서울 정도다. 활쏘기를 구경하려고 걸음을 멈추면 집으로 뛰어 들어가 돗자리를 꺼내오고, 집 앞을 지나다 인사라도 하면 바로 *방창과 아라 세례를 받아야 한다. 논두렁길을 걷다 보면 어린 소년이 뛰어와 옷 속에 품은 달걀을 수줍게 내민다. 이 동네 사람들은 행복해 보일 뿐만 아니라 우리를 행복하게 해 주기 위해서는 무엇이든 할 준비가 되어 있는 것 같았다. 가진 게 별로 없는데도 아무렇지 않아 보였으며 *빈한한 살림마저도 기꺼이 나누며 살아가는 듯했다. ……(중략)…… 치몽에서는 늘 몸을 움직여야만 한다. 집 바깥에 있는 화장실에 가기 위해서도, 공동 수돗가에서 물을 받기 위해서도 움직여야만 한다. 빨래는 당연히 손으로 해야 하고, 쌀도 키로 골라야 하며, 곡물은 맷돌을 돌려 갈아야 한다. 난방이 되지 않아 실내에서는 옷을 두껍게 입어야만 하며, 생활에 필요한 모든 것은 몸을 써야만 얻을 수 있다. 그런데 그 불편함이 이상하게도 살아 있음을 실감케 한다. ……(중략)…… 이 나라에서의 삶은 그야말로 사는 것이다. 텔레비전으로 보고, 인터넷으로 검색하고, 카메라로 찍는 삶이 아니라 몸을 움직여 직접 만들고 경험하는 삶이다. 그러다 보니 부탄에서 일과 놀이는 유기적으로 연결되어 있다. 그들은 노는 듯 일하고 일하듯 논다. 진정한 *호모 루덴스다. 이런 그들에게 놀이는 돈을 지불해야 얻을 수 있는 상품이 아니다. 이 나라 사람들은 아직 노동하기 위해 살지는 않는다.

*방창과 아라 : 부탄의 전통주
*빈한한(貧寒－) : 살림이 가난하여 집안이 쓸쓸한 ¶ 그는 빈한한 가정에서 태어나 어렵게 공부했다.
*호모 루덴스(Homo ludens) : '노는 인간' 또는 '유희하는 인간'이라는 뜻. 네덜란드의 역사학자 하위징아가 제창한 개념으로 유희라는 말은 단순히 논다는 말이 아니라, 정신적인 창조 활동을 가리킴

출처 : 정민 외, 『고등학교 국어』

[나] 아카키 아카키예비치는 새 외투를 맞출 수밖에 없다는 사실을 깨닫고 그만 풀이 죽어 버렸다. 무슨 돈으로 새 외투를 맞춘단 말인가? ……(중략)…… 하지만 나머지 절반인 40루블은 도대체 어디서 구한단 말인가? 궁리 끝에 아카키 아카키예비치는 적어도 1년간은 생활비를 줄여야겠다고 결심했다. 저녁은 굶고 저녁마다 마시던 차도 끊고 촛불도 켜지 않기로 했다. 만약 촛불을 켜야 할 일이 생기면 하숙집 아주머니 방에 있는 촛불을 이용하면 될 터였다. 길에서는 가급적 살

살 걷고, 돌과 석판을 밟을 때는 발끝으로 조심조심 걸어 신발 밑창이 빨리 닳지 않도록 주의하고, 속옷이 빨리 해지지 않도록 세탁소에 맡기는 횟수도 줄이고, 집에 돌아와서는 낡기는 했지만 무척 아끼는 무명 가운 하나만 입고 지내기로 했다.

솔직히 말해 처음에는 그런 궁핍한 생활을 견디기가 쉽지 않았다. 그러나 차츰 익숙해지더니 어느덧 자연스레 몸에 배게 되었고, 나중에는 저녁을 굶는 것이 완전히 습관처럼 되어 버렸다. 대신 그는 앞으로 생길 새 외투에 대한 희망을 머릿속에 그려 보며 정신적인 만족감을 얻었다. 이때부터 그는 자신의 존재가 보다 완전해진 것 같았다. 마치 결혼이라도 해서 다른 사람과 함께 사는 것 같기도 하고, 마음에 드는 여자 친구에게서 일생을 같이 지내 주겠다는 승낙이라도 받은 기분이었다. 그 여자 친구는 바로, 두꺼운 솜과 해지지 않는 튼튼한 안감을 댄 외투였다.

그는 전보다 훨씬 생기 있어 보였고, 확고한 목표를 정한 사람처럼 성격도 굳건해졌다. 그의 얼굴과 행동에서 보였던 의심과 주저의 빛이 사라졌고, 행동에 앞서 언제나 머뭇거리기만 하던 망설임이 자취를 감췄다. 때로는 눈에서 불꽃이 일었고, 머릿속에서는 옷깃에다가 담비 가죽을 달아 보는 것은 어떨까 하는 아주 대담한 생각까지 떠올랐다. 이런 생각들이 그의 주의력을 흩뜨리기도 하였다. 한번은 서류를 베껴 쓰다가 하마터면 글자를 틀릴 뻔하여 '악' 소리를 지르고 성호를 그은 적도 있었다.

출처 : 고골, 『검찰관·외투』

[다] 중학교에 들어가던 봄, 생물 첫 수업시간에 교과서를 잊고 안 가져와 집에까지 가지러 돌아간 일이 있다. 우리 집은 그때 학교에서 걸으면 십오 분 정도 되는 거리에 있었으므로, 냅다 뛰어서 왕복을 하면, 수업에는 거의 지장없이 돌아올 수 있었다. 나는 그 당시에는 아주 순진한 학생이어서—옛날 중학생들은 모두 순진했던 것 같은데—선생님이 하신 말씀대로 열심히 뛰어 집으로 가서는 교과서를 들고 물을 한 컵 꿀꺽꿀꺽 마시고서는, 다시 학교를 향해서 뛰었다. 우리 집과 학교 사이에는 강이 한줄기 흐르고 있었다. 그리 깊지도 않고, 깨끗한 물이 졸졸졸 흐르는, 그리고 거기에 낡은 다리가 걸려 정취를 더하고 있었다. 오토바이도 지나갈 수 없을 만큼 좁은 다리였다. 그 주변은 공원이고, 협죽도가 눈가리개처럼 줄지어 피어 있었다. 다리 한가운데 서서 난간에 기대어 남쪽 방향을 바라보았더니, 바다가 햇빛을 받아 반짝반짝 빛났다. 하도 눈이 부셔 나도 모르게 눈을 찡그렸다. '따끈따끈'이란 형용사가 딱 어울린다. 마치 마음이 느긋하게 풀어져 버릴 것 같이 기분 좋은 봄날 오후였다. 사방을 돌아보니, 모든 것이 지표에서 이삼 센티미터쯤 둥실 떠 있는 것처럼 보였다. 나는 한숨을 돌리며 땀을 닦은 다음, 강변의 잔디에 누워 하늘을 바라다보았다. 힘껏 달렸잖아, 잠시 쉬어도 괜찮겠지 하면서 말이다. 머리 위로는 흰 구름이 꼼짝않고 한 군데에 머물러 있

는 것 같은데, 눈 앞에 손가락을 세워 재어 보니, 조금씩 조금씩 동쪽을 향해 이동하고 있음을 알 수 있었다. 머리 밑에 밴 생물 교과서에서도 역시 봄 냄새가 났다. 개구리의 시신경과 저 신비스런 *랑겔한스 섬에서도 봄 내음이 풍겼다. 눈을 감으니 부드러운 모래톱을 어루만지며 지나가는 강물 소리가 들렸다. 봄의 소용돌이 속으로 삼켜질 듯 무르익은 사월의 오후에, 또다시 생물 수업 시간으로 돌아간다는 건 있을 수 없는 일이었다. 1961년 봄의 따스한 어둠 속에서, 나는 살며시 손을 뻗어 랑겔한스 섬의 물가를 더듬었다.

*랑겔한스섬: 췌장에 있는 내분비세포. 췌장 전체에 섬 모양으로 산재

출처 : 무라카미 하루키, 『무라카미 하루키 수필집 3』

[문제 2] [가]와 [나]를 활용하여 [다]와 [라]의 태도를 비교하고, [다]와 [라] 중 하나에 입각하여 [마]를 평가하시오. (600자 내외) (30점)

[가] 현대 사회는 과거보다 매우 복잡하고, 사람들은 그 속에서 다양한 모습으로 살아가고 있다. 그래서 현대인들은 타인에 대해 알 수 있는 기회가 많지 않아 타인에게 무관심한 경향이 있다. 그러나 인간은 홀로 살 수 있는 존재가 아니다. 우리는 자신과 타인의 행복을 함께 추구하여 공동체의 행복을 실현하기 위해 노력할 필요가 있다.

이렇게 모두가 행복해지기 위해서는 사회 구성원들이 바람직한 도덕적 가치에 대해 합의하고, 이를 행동에 옮기는 도덕적 실천이 이루어져야 한다. 우선 자신만의 이익이나 욕망을 충족하기 위해 타인과 공동체에 해를 입히는 비도덕적 행위를 하고 있지 않은지 스스로 성찰하고, 그러한 행동을 자제해야 한다. 그리고 타인의 삶에 관심을 가지려는 노력과 이웃에 대한 관용적 태도도 필요하다.

도덕적 실천은 거창한 것이 아니다. 먼저 자신과 이웃에 대해 이해하고, 다른 사람의 입장에서 상황을 바라볼 줄 아는 역지사지의 마음가짐이 필요하다. 더 나아가 사회적 약자의 고통에 공감하고 기부나 사회봉사 등의 실천을 통해 공동체 구성원 모두가 행복해지는 방법을 찾을 수 있다.

출처 : 박병기 외, 『고등학교 통합사회』

[나] 자연적 의무는 보편적이다. 인간으로서 다른 인간, 즉 이성적 존재에게 지는 의무다. 인간을 존중하고, 정당하게 행동하며, 잔인한 행동을 삼가는 등의 의무가 여기에 속한다. 이런 의무는 합의라는 절차가 필요 없다. 내가 당신을 죽이지 않겠다고 합의했을 때만 나는 당신을 죽이지 않을 의무가 있다고 말할 사람은 없다.

자연적 의무와 달리 자발적 의무는 보편적이지 않고 특수하며, 합의에서 생긴다. 내가 당신 집에 페인트칠을 해주기로 약속했다면 (이를테면 돈을 받든지, 아니면 다른 식으로라도 대가를 받기로 했다면) 나는 약속을 이행할 의무가 있다. 하지만 다른 사람의 집까지 죄다 페인트칠을 해줄 의무는 없다. 자유주의의 개념에 따르면, 우리는 모든 사람의 존엄성을 존중해야 하지만, 어느 수준을 넘어서면 우리가 약속한 것만 지키면 된다. 자유주의의 정의는 (중립적 틀에서 규정된) 타인의 권리를 존중하라고 하지만, 타인이 이익을 얻도록 행동해야 한다고는 말하지 않는다. 타인의 이익에 관여해야 하는지는 우리가 미리 약속을 했는지, 했다면 누구와 했는지에 달렸다.

……(중략)……

자연적 의무와 달리 연대 의무는 보편적이지 않고 특수하다. 그 의무에는 우리가 떠안아야 할 도덕적 책임이 있다. 이 책임은 상대를 이성적 존재가 아닌, 역사를 공유하는 존재로 인식한다. 그러나 자발적 의무와 달리, 합의에 좌우되지는 않는다. 이 책임에 담긴 도덕의 무게는 소속된 자아라는 도덕적 고민에서, 그리고 내 삶의 이야기는 다른 사람의 이야기에 포함된다는 인식에서 나온다.

……(중략)……

연대와 소속 의무는 내부만이 아니라 외부로도 향한다. 내가 사는 특정 공동체에서 나오는 특별한 의무 가운데 일부는 같은 공동체 사람에 대한 의무다. 그러나 나머지는 내 공동체가 역사적으로 도덕적 책임을 져야 하는 사람들에 대한 의무다.

출처 : 마이클 샌델, 『정의란 무엇인가』

[다] 과거 전쟁에서 300만 동포가 목숨을 잃었습니다. 조국의 장래를 걱정하고 가족의 행복을 바라며 싸움터에서 돌아가신 분들. 종전 후, 극한(極寒)의 또는 작열하는 머나먼 타향에서 굶주림과 병에 시달리다 돌아가신 분들. 히로시마와 나가사키 원폭 투하, 도쿄를 비롯한 각 도시에서의 폭격, 오키나와 지상전 등으로 많은 시민이 무참히 희생됐습니다.

전쟁이 벌어진 나라에서도 젊은이들의 목숨이 수없이 사라졌습니다. 중국, 동남아, 태평양 섬 등 전장이 된 지역에서는 전투뿐 아니라 식량난 등으로 많은 무고한 사람들이 고난에 빠지고 희생됐습니다. 전쟁터의 그늘에서 명예와 존엄에 깊은 상처를 입은 여성들이 있었던 것도 잊어서는 안 됩니다.

일본이 아무런 죄 없는 사람들에게 헤아릴 수 없는 손해와 고통을 준 것은 사실입니다. 역사란 실은 돌이킬 수 없는, 가혹한 것입니다. 개개인에게 각자의 인생이 있고 꿈이 있고 사랑하는 가족이 있었습니다. 이 당연한 사실을 되새기면서 지금 다시 할 말을 잃고 단장(斷腸)의 마음을 금할 수 없습니다.

이런 희생 위에 현재의 평화가 있습니다. 이것이 전후 일본의 원점입니다. 두 번 다시 전쟁의 참화를 되풀이해서는 안 됩니다. 사변, 침략, 전쟁, 어떠한 무력의 위협과 행사도 국제 분쟁을 해결하는 수단으로 두 번 다시 써서는 안 됩니다. 식민지 지배와 영원히 결별하고 모든 민족의 자결권이 존중되는 세계가 돼야 합니다.

전쟁에 대한 깊은 회오(悔悟)의 마음과 함께 일본은 그렇게 맹세했습니다. 자유롭고 민주적인 나라를 만들어 법의 지배를 중시하고 오로지 부전의 맹세를 견지해 왔습니다. 70년에 걸친 평화국가로서의 행보에 우리는 조용한 자부심을 가지면서 이런 변하지 않는 방침을 앞으로 관철해 가겠습니다.

일본은 지난 전쟁에서의 행동에 대해 거듭 통절한 반성과 마음으로부터의 사죄를 표명해 왔습니다. 그런 생각을 실제 행동으로 보여주기 위해 인도네시아, 필리핀 등의 동남아 국가, 대만, 한국, 중국 등 이웃 사람들이 걸어온 고난의 역사를 가슴에 새기고 전후 일관되게 평화와 번영을 위해 힘을 다해왔습니다.

이러한 역대 내각의 입장은 앞으로도 흔들림이 없을 것입니다. 다만 우리가 어떤 노력을 다하더라도 가족을 잃은 분들의 슬픔, 전화로 도탄의 고통을 맛본 사람들의 아픈 기억은 앞으로도 절대 아물지는 않을 것입니다.

우리는 마음에 새겨야 합니다. 전후 600만 명이 넘는 일본인이 아시아 각지에서 무사히 귀환할 수 있었고 일본 재건의 원동력이 된 사실을. 중국에 두고 온 3000명 가까운 일본 어린이들이 무사히 성장하고 다시 조국 땅을 밟게 된 사실을. 미국, 영국, 네덜란드, 호주 등에 있던 포로들이 일본을 찾아 전사자들을 위한 위령을 계속해 주고 있는 사실을. 전쟁의 고통을 겪은 중국인 여러분과 일본군에 의해 참기 어려운 고통을 받은 전쟁 포로들이 그토록 관대하려면 얼마만큼 갈등하고 어느 정도의 노력이 필요했는지. 그러한 것을 우리는 생각하지 않으면 안 됩니다.

관용의 마음으로 일본은 전후 국제사회에 복귀할 수 있었습니다. 전후 70년을 계기로 일본은 화해를 위해 힘을 써 준 모든 나라, 모든 분들께 진심으로 감사의 마음을 표합니다. 일본에서는 전후 세대가 인구의 80%를 넘었습니다. 전쟁과는 아무런 관련이 없는 우리의 아들과 손자 등 미래 세대의 아이들에게 사과를 계속할 숙명을 짊어지게 해서는 안 됩니다.

출처 : 『서울신문』, 2015. 8. 15.

[라] 양심을 꺼리고 책임을 외면하며 회피하고 침묵하는 방식에는 여러 가지가 있습니다. 전쟁이 종결되어 홀로코스트라는 이루 형언할 수 없는 진실이 모두 밝혀졌을 때, 우리 가운데 아주 많은 사람들은 우리는 그에 대해 아무 것도 알지 못했다고 혹은 단지 짐작만 했었다고 주장했습니다.

한 민족 전체의 유죄 혹은 무죄란 존재하지 않습니다. 죄가 있다면 무죄와 마찬가지로 집단적인 것이 아니라, 개인적인 것입니다. 인간의 죄 가운데는 밝혀진 것도 있고 여전히 숨겨진 것도 있습니다. 인간 스스로가 자백한 죄도 있고 부인한 죄도 있습니다. 그 시기를 온전한 의식을 갖고 지낸 사람이라면 오늘날 조용히 스스로 자신의 혐의에 대해 물어야 할 것입니다.

오늘날 우리 국민의 대다수는 그 당시 어린이였거나 혹은 태어나지도 않았습니다. 이들은 자신이 자행하지 않은 범죄에 대해 자신의 죄를 고백할 수 없습니다. 양식이 있는 사람이라면 이들이 단지 독일인이라는 이유만으로 그에 대한 죄를 뒤집어씌우지는 않을 것입니다. 그렇지만 그 선조(先祖)들은 이들에게 심각한 유산을 남겨놓았습니다.

우리 모두는 죄가 있건 없건 간에, 또한 젊으나 늙으나, 이 과거를 받아들여야 합니다. 우리 모두는 그 과거의 결과를 넘겨받았고 그에 대한 책임을 갖고 있습니다. 청년층과 노년층은 이에 대한 기억을 생생하게 붙잡고 있는 것이 왜 그렇게 중요한지를 깨닫는 데 서로 도움을 주어야 하고, 또 줄 수 있습니다.

이것은 과거를 극복하려는 것이 아닙니다. 이 일은 사람들이 할 수 없습니다. 과거는 나중에 바뀌어지는 것도 아니요, 또 아예 없었던 일이 될 수도 없습니다. 그렇지만 과거에 대해 눈을 감는 사람은 현재를 볼 수 없는 사람입니다. 비인간적인 일을 기억하고 싶지 않은 사람은 다시금 그러한 위험성에 감염될 소지가 많은 사람입니다.

우리나라에서는 새로운 세대가 정치적 책임을 떠맡아가고 있습니다. 젊은이들은 그 당시 일어났던 일에 대해 책임이 없습니다. 그렇지만 그들은 그것이 역사에 작용한 결과에 대해서는 책임이 있습니다. 우리 독일의 나이든 사람들이 젊은 사람들에 대해 지녀야 할 책임이란 꿈을 성취하도록 하는 것이 아니라 올바르게 자라도록 하는 것입니다.

출처 : 김양호, 『세계의 명연설』

[마] 일본 정부는 침략 전쟁 과정에서 일본군 '위안부'를 강제 동원하였으나, 오늘날까지도 이를 부정하는 주장만을 되풀이하고 있다. 또한 일본에서는 보수 세력을 중심으로 과거 식민지 지배와 침략 전쟁을 미화하는 역사관을 내세우며 이를 반영한 역사 교과서를 만들어 통과시켰다. 지금도 제2차 세계 대전의 전범을 안치한 야스쿠니 신사에는 총리를 비롯한 일본의 보수 정치인들의 참배가 이어지고 있다.

출처 : 이진석 외, 『고등학교 통합사회』

[문제 3] [가]를 바탕으로 [나]와 [다]를 연관지어 설명하고, 이를 활용하여 [라]에 나타난 문제를 해결하기 위한 개인과 사회의 방안을 논술하시오. (600자 내외) (40점)

[가] 성적, 경제수준, 부모와의 관계가 어린이·청소년의 삶의 만족도에 미치는 영향

■ 아버지와의 관계와 성적에 따른 삶의 만족 차이

(단위 : %)

		아버지와 관계가 좋지 않은 경우	아버지와 관계가 좋은 경우
성적	上	54.1	80.1
	中	47.7*	75.6*
	下	39.1	67.0

■ 어머니와의 관계와 경제 수준에 따른 삶의 만족 차이

		어머니와 관계가 좋지 않은 경우	어머니와 관계가 좋은 경우
경제 수준	上	49	81
	中	34*	73*
	下	29	58

*성적(경제 수준)이 '중간(中)' 수준일 때 아버지(어머니)와 관계가 좋지 않으면 47.7(34)%만 삶에 만족하지만, 아버지(어머니)와 관계가 좋으면 75.6(73)%가 삶에 만족한다는 의미임

출처 : 『연합뉴스』, 2016. 5. 2.

[나]

■ OECD 국가 연평균 노동시간(2017년)

(단위 : 시간)

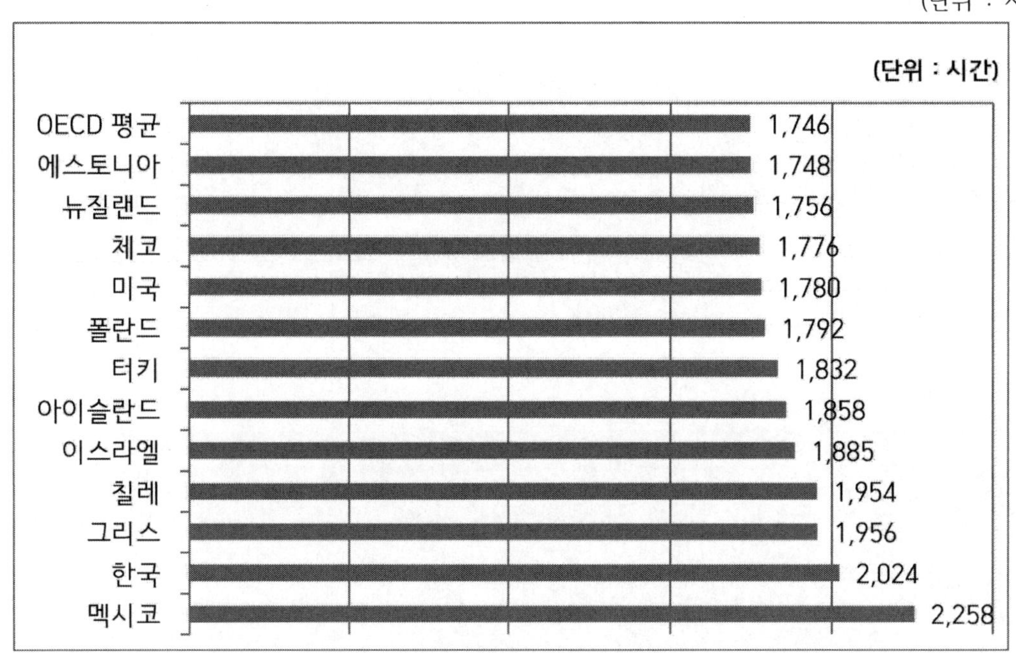

출처 : KBS 뉴스 , 2019. 4. 30.

■ 나라별 직무 스트레스 비율*

(단위 : %)

한국	미국	일본	OECD 평균
87	79	72	78

* 직무 스트레스 비율은 '일할 때 스트레스를 느낀다.'고 응답한 직장인의 비율을 의미함

출처 : SBSCNBC , 2014. 1. 15.

■ 전체 부부 중 맞벌이 부부 비중

(단위 : %, 매년 10월 기준)

연도	2013	2014	2015	2016	2017	2018
비중	43.3	44.2	44.1	45.5	44.6	46.3

출처 : 통계청, 『지역별 고용조사』

[다]

■ OECD 청소년 설문 '삶에 만족한다'

(단위 : %)

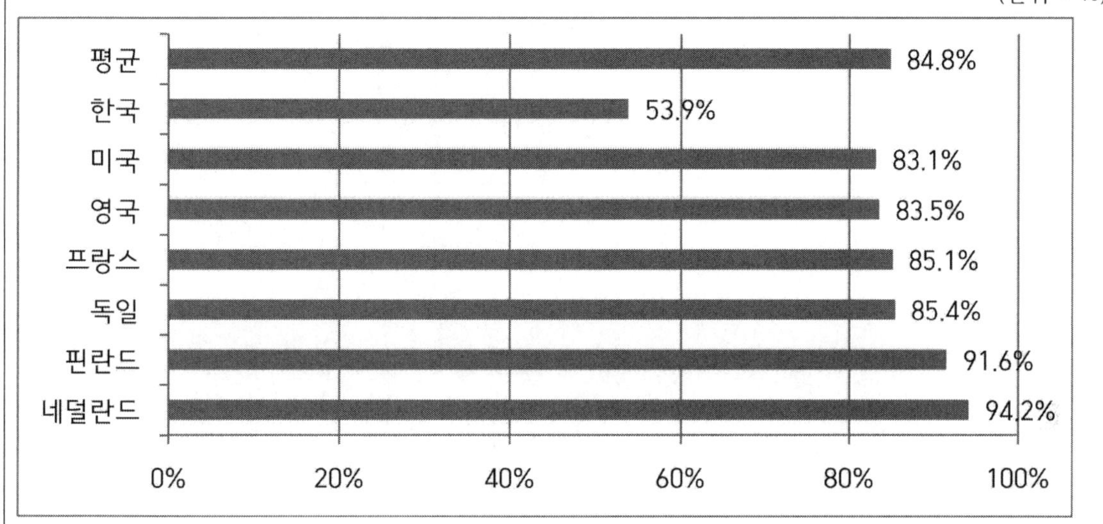

출처 : 한국방정환재단·연세대학교 사회발전연구소, 『2010 한국 어린이·청소년 행복 지수의 국제 비교』

■ 어린이·청소년 행복 지수 국제 비교 - 물질적 행복 순위(경제협력개발기구 20개국 기준)

순위	국가	점수
1	핀란드	120
2	덴마크	114
3	대한민국	112
4	독일	110
5	스웨덴	108

■ 어린이·청소년 행복 지수 국제 비교 - 주관적 행복 순위(경제협력개발기구 22개국 기준)

순위	국가	점수
1	에스파냐	118
2	스위스	113
2	오스트리아	113
4	덴마크	109
…	…	…
22	대한민국	82

(한국방정환재단·연세대학교 사회발전연구소, 2016)

출처 : 정창우 외, 『고등학교 통합사회』

[라] 여자 중·고생의 4명 중 1명, 남자 중·고생의 5명 중 1명이 우울증을 앓고 있는 것으로 나타났다. 우울증과 자살 생각에 대한 비율은 고등학생보다 중학생에서 더 높게 나타났다.

안지연 경인여대 간호학과 교수팀은 질병관리본부 자료를 토대로 전국 중、고생 6만8043명(남학생 3만5204명, 여학생 3명2839명)의 우울증과 자살사고(思考) 등을 분석한 결과, 우울증을 앓고 있는 남학생은 19.7%, 여학생은 27.8%로 집계됐다. 자살사고율은 남학생이 9.6%, 여학생은 13.9%로 나타났다.

우울증과 자살사고율은 남녀 모두에서 중학생이 고등학생보다 높았다. 중학생의 우울증 유병율은 고등학생보다 1.1~1.2배 높았다. 중학생 자살사고율도 고등학생보다 1.3~1.6배였다.

가장 큰 영향을 미친 것은 스트레스와 불행감이었다. 스트레스를 적게 받는 남학생 대비 스트레스가 심한 남학생의 우울증 발생 위험은 6.7배(여학생은 7배)에 달했다. 스스로를 '불행하다'고 느끼면 '행복하다'고 여기는 남학생보다 우울증 위험이 3.2배(여학생은 3.4배) 높았다.

안 교수팀은 논문에서 "중학생의 우울증·자살사고 위험도가 고등학생보다 높으므로 청소년 정신 건강 관리는 중학생에 더 초점을 맞춰야 한다"며 "정신 건강 측면에선 이차 성징에 따른 신체적 변화와 청소년기 발달과업(정체성·인생 목표·또래 관계 등) 성취가 중첩되는 시기인 중학생이 더 취약하다"고 강조했다.

출처: 『시사저널』, 2017. 4. 25.

DKU 단국대학교 DANKOOK UNIVERSITY

논술답안지

※감독자 확인란

모집단위

성 명

수 험 번 호

생년월일 (예 : 050512)

【유의사항】
1. 답안 작성 시 문제번호와 답안번호가 일치하도록 알맞은 칸에 작성하여야 한다.
2. 답안 작성 시 필요한 경우에 수식 및 그림을 사용할 수 있다.
3. 필기구는 반드시 검은색 필기구만을 사용하여야 한다. (검은색 이외의 필기구로 작성한 답안은 모두 최하점으로 처리함)
4. 문제와 관계없는 불필요한 내용이나, 자신의 신분을 드러내는 내용이 있는 답안 및 낙서 또는 표식이 있는 답안은 모두 최하점으로 처리한다.
5. 답안은 반드시 정해진 답안작성란 안에만 작성하여야 한다. (답안작성란 밖에 작성된 내용은 채점 대상에서 제외함)

1번 (1) 답안 **(반드시 해당 문제와 일치 하여야 함)**

40

80

120

160

200

240

이 줄 아래에 답안을 작성하거나 낙서할 경우 판독이 불가능하여 채점 불가

1번 (2) 답안 **(반드시 해당 문제와 일치 하여야 함)**

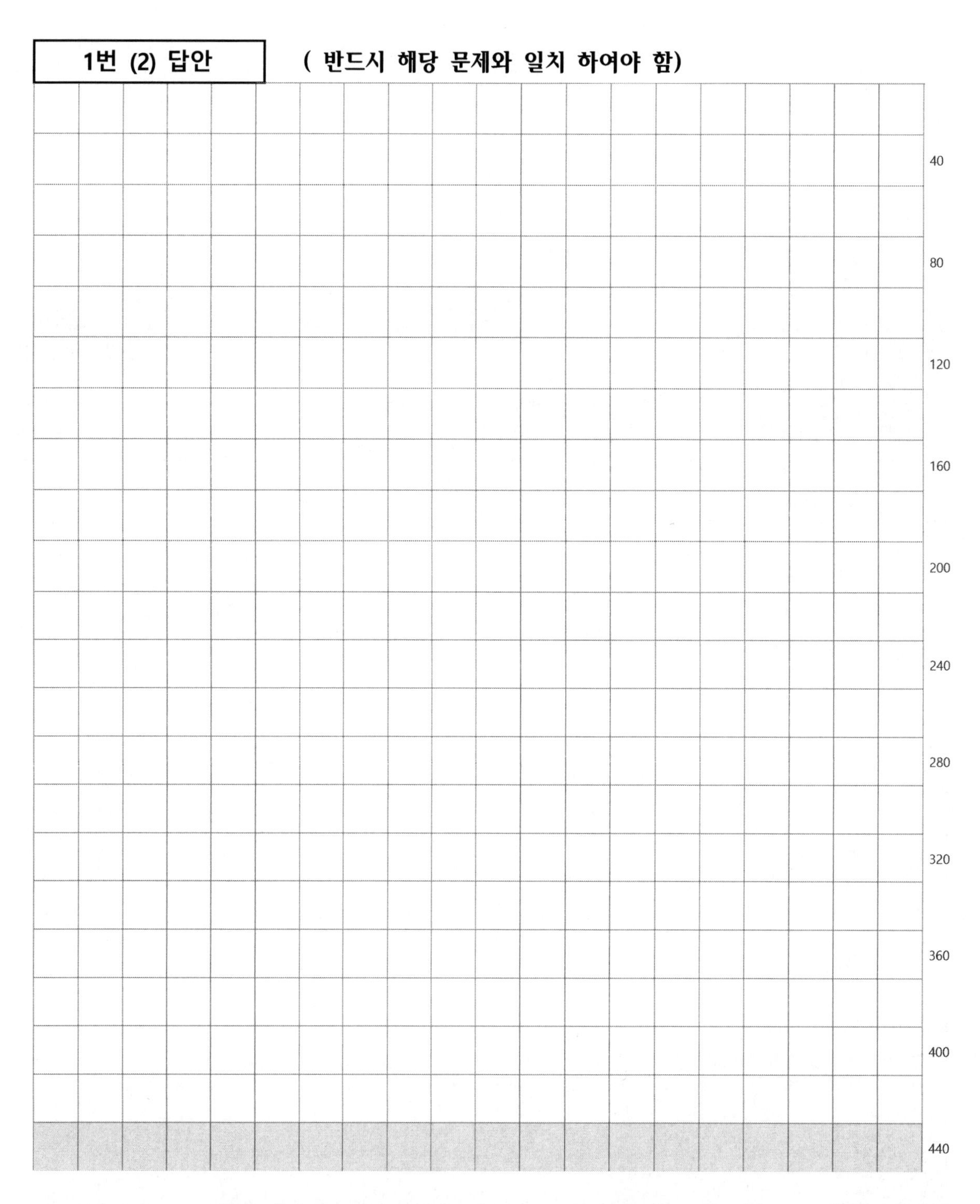

이 줄 아래에 답안을 작성하거나 낙서할 경우 판독이 불가능하여 채점 불가

2번 답안 **(반드시 해당 문제와 일치 하여야 함)**

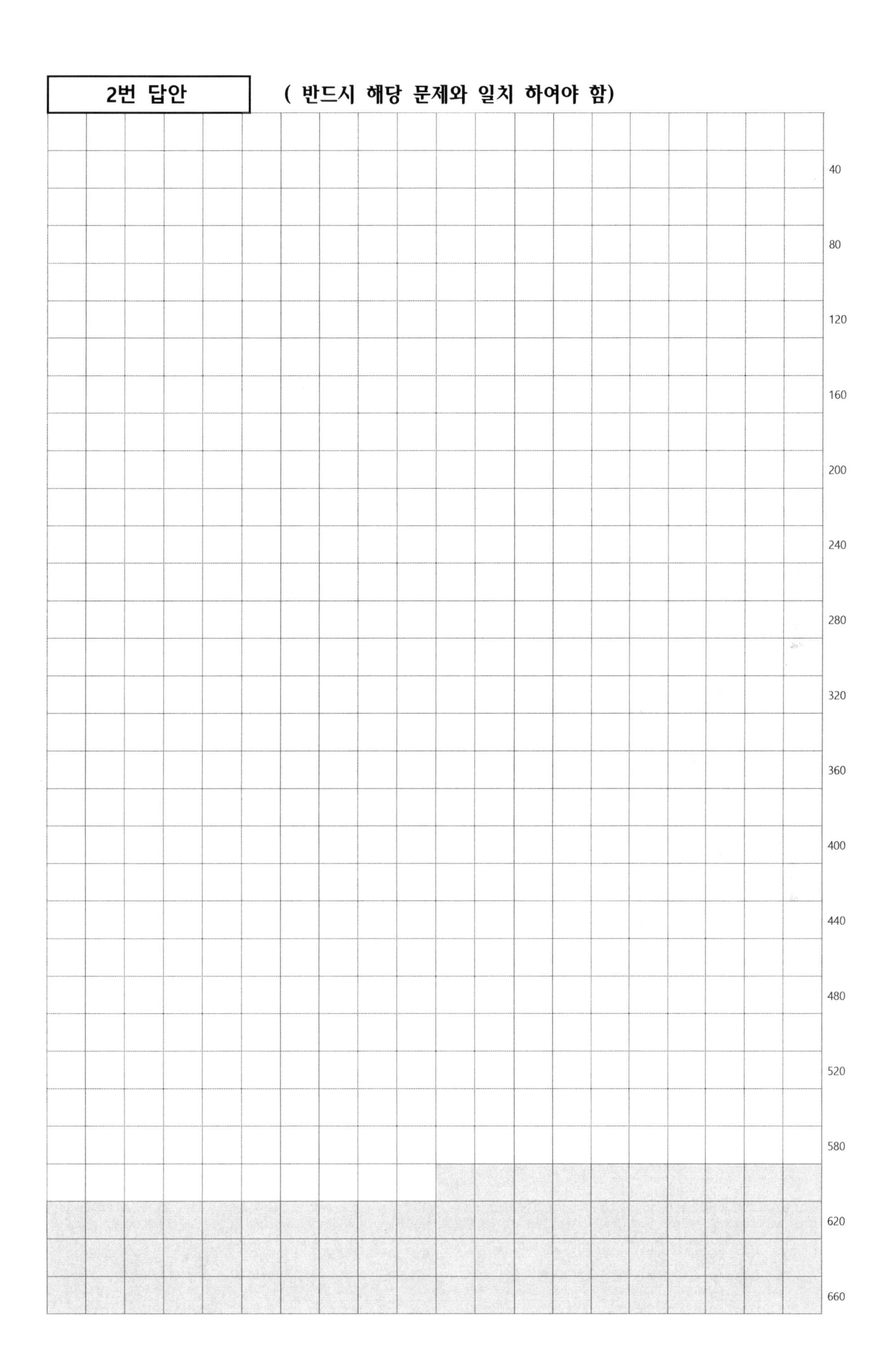

3번 답안 (반드시 해당 문제와 일치 하여야 함)

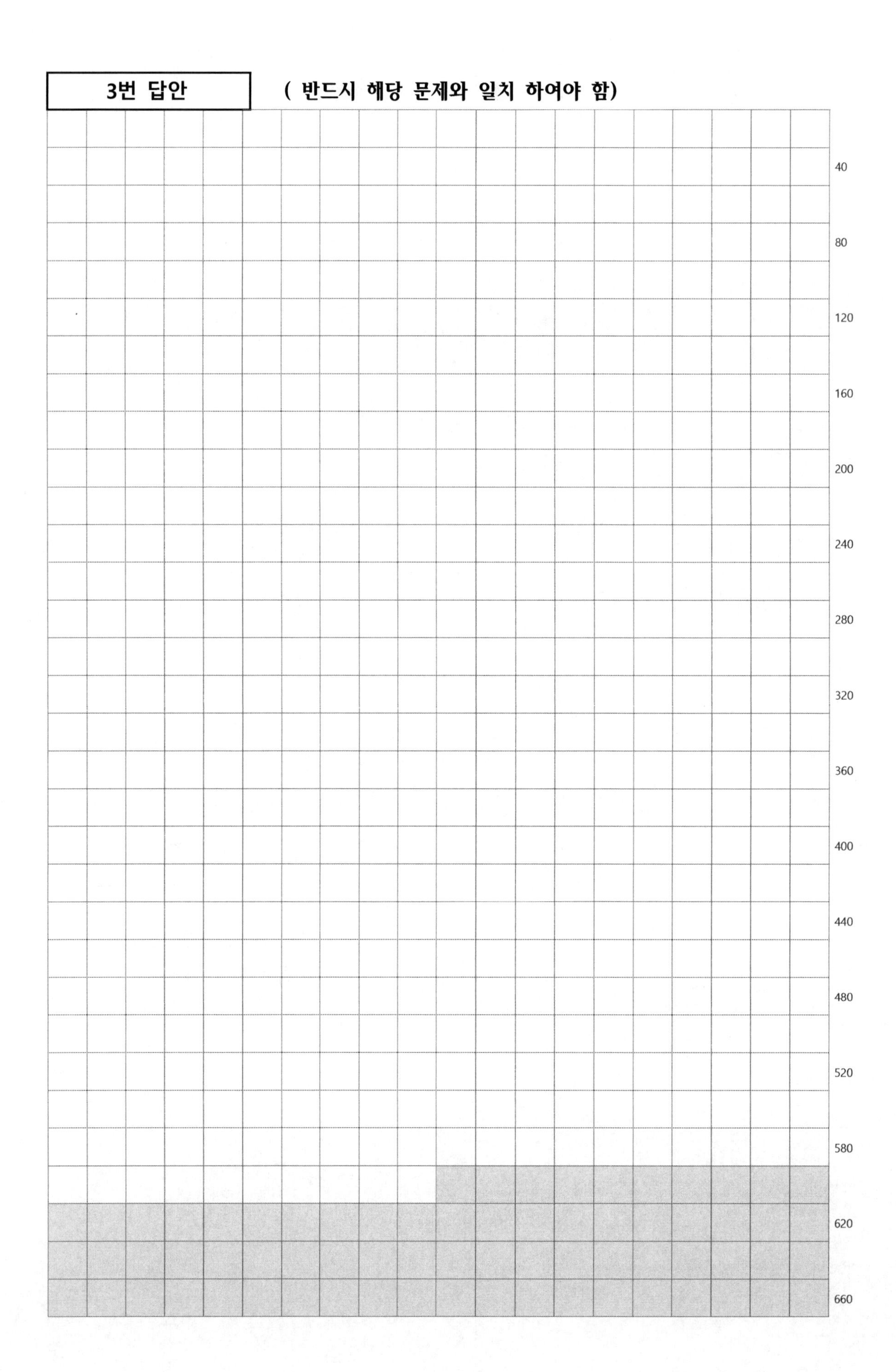

VI. 예시 답안

1. 2024학년도 단국대 수시 논술 (오전)

[문제 1] 다음의 제시문을 읽고 주어진 물음에 답하시오. (30점)

1) [가]에서 주제를 나타내는 단어 하나를 찾고, 그 단어를 이용하여 [가]의 내용을 요약하시오. (200자 내외) (10점)

2) [가]에서 찾은 단어를 이용하여, [나]를 요약하고 [다]를 설명하시오. (400자 내외) (20점)

1번)

[가]의 주제를 나타내는 단어는 선동이다. 권력은 때로 일부러 위험 세력을 조작해 사람들을 선동하려 한다. 근대 국가는 일반 민중들이 국가 기구에 복종하도록 만들기 위해 위험 세력을 조작했는데, 이것은 마녀사냥이 결과적으로 행한 역할이다. 히틀러는 유대인을, 파시스트들은 공산주의자들을 사회 전체를 근본적으로 위협하는 불순한 세력으로 만들어 국민들을 선동하였다.

2번)

[나]에서 외스타슈는 영국에 항복하는 과정에서 칼레의 시민에게 당당한 죽음의 희생을 선동하였다. 칼레에서 가장 부유하고 영향력 있는 사람이었던 외스타슈가 영국 왕 에드워드 3세의 항복 조건에 맞서 당당한 죽음으로 자신을 희생함으로써 칼레 시민들의 목숨을 지키자고 선동하자 다른 지도층 인사들도 다투어 나섰다.

[다]는 드레퓌스 사건에 대한 언론의 선동을 보여 주는 글이다. 프랑스의 언론은 드레퓌스 사건을 제멋대로 과장해서 보도하거나, 해결되지 않은 일련의 반역 행위의 책임까지 드레퓌스에게 돌리며 그를 반역자이자 국제적 유대인 조직의 스파이로 몰아갔다. 이 글은 사건의 진실을 파헤치고 밝히기보다는 자신들이 원하는 방향으로 대중을 선동하려고만 하는 언론의 편향적인 모습을 보여 주는 사례에 해당한다.

[문제 2] [가]의 관점에서 [나]를 설명하고, [다]의 관점에서 [라]를 평가하고 근거를 제시하시오. (600자 내외) (30점)

[가]는 사회적, 경제적 환경의 차이에 의해 능력과 업적에 차이가 나타나므로 이를 기준으로 분배하는 것은 불평등, 불공정하다고 본다. 이 견해는 다양한 복지 제도와 사회 안전망을 마련하는 근거가 된다. [나]에 의하면 흑인 실업률이 백인 실업률의 2배 수준이며, 자동화와 AI로 인해 흑인들이 더 많은 피해를 입을 것이므로 [가]의 관점에서 [나]는 불평등, 불공정한 현상이다.

[라]에서는 흑인 학생들만을 대상으로 대학 견학, 민권 수업, 인권 행사를 진행하였다. [다]의 소수자 우대 정책에 찬성하는 견해에 의하면 이 견학, 수업, 행사는 정당하다. 과거에 차별을 받았던 소수 집단이나 그 후손에게 차별을 보상하여 과거의 잘못을 교정할 수 있으며, 이를 통하여 사회적 약자의 처지를 개선하고 사회적 다양성과 공동선을 실현하며 사회적 격차를 줄일 수 있기 때문이다. 소수자 우대 정책에 반대하는 견해에 의하면 이 견

학, 수업, 행사는 부당하다. 보상받는 자는 과거에 차별을 받았던 당사자가 아닐 수 있고, 보상하는 사람들도 과거 차별을 가했던 당사자가 아닐 수 있으며, 소수자 우대 정책이 사회적 약자의 자존감을 상하게 하고, 다수 집단의 분노를 일으킬 수 있기 때문이다.

[문제 3] [가], [나], [다]를 서로 연관 지어 설명하고, [라]를 활용하여 [마]를 해결하기 위한 방안을 서술하시오. (600자 내외) (40점)

[가]는 한국은행이 코로나19 당시 경기 침체에 대한 대응으로 기준 금리를 인하함에 따라 통화량이 증가했고, 코로나19 이후 경기 과열에 대한 대응으로 기준 금리를 인상했음을 나타낸다. [나]는 늘어난 통화량이 주식이나 부동산 등의 자산 시장에 흘러들어 해당 자산의 가격이 상승했음을 나타낸다. [다]는 많은 사람이 시세차익을 노리고 증권사로부터 돈을 빌려 주식에 투자하거나, 은행이나 금융 기관으로부터 주택 담보 대출을 받아 부동산을 구매했음을 나타낸다. 그 결과 가계 대출 잔액이 증가하였고, 최근 이자율이 상승함에 따라 대출 받은 사람의 대출금 상환 부담이 더욱 커지게 되었다.

[다]의 원인이 되는 [마]는 금융 이해력이 낮은 개인의 무분별한 투자, 물질적인 풍요를 과시하고 부러워하는 사회적 분위기, 부동산 시장의 안정화를 위한 정부의 정책 실패를 나타낸다. 따라서 [다]와 같은 상황의 재발을 막기 위해, 개인은 금융 이해력을 높여 수익성과 안전성을 고려하여 투자하여야 하고, 물질적 풍요가 반드시 행복한 삶을 의미하지 않음을 이해하며 무리한 대출과 과소비를 지양하여야 한다. 정부는 시장 질서를 고려한 효과적인 정책을 마련해 자산 시장의 안정화를 도모하여야 한다.

2. 2024학년도 단국대 수시 논술 (오후)

[문제 1] 다음의 제시문을 읽고 주어진 물음에 답하시오. (30점)

1) [가]에서 주제를 나타내는 단어 하나를 찾고, 그 단어를 이용하여 [가]의 내용을 요약하시오. (200자 내외) (10점)

2) [가]에서 찾은 단어를 이용하여, [나]를 요약하고 [다]를 설명하시오. (400자 내외) (20점)

1번) 예시 답안

[가]의 주제를 나타내는 단어는 이해이다. 인간의 성향은 양면적이라서 상반되게 이해한다. 나의 기준에 따라 장점이 단점이 되기도 하고 단점이 장점이 되기도 한다. 이처럼 제각각의 입장에서 남을 보니 서로 흉보는 시끄러운 세상이 된다. 그런데 남이 나에게 행한 일이 부당해 보이더라도 남의 입장을 나의 입장으로 이해한다면, 나의 마음이 풀어지면서 남을 용서하려는 마음이 생긴다.

2번) 예시 답안

[나]에 등장하는 장님은 장님이 아닌 사람과 사물에 대한 이해에서 차이를 보인다. 장님은 장님이 아닌 사람이 감각 기관을 통한 일시적이고 자의적인 느낌으로 사물의 겉모습을 이해한다고 본다. 예컨대 감각 기관의 주관적인 느낌을 통해 해가 어떠하다고 말하면서 해를 분명한 실체로 이해한다는 것이다. 이에 반해 장님은 감각 기관에서 자유로워 순수한 추상으로 해를 이해한다.

[다]는 공정 무역 인증 제도의 실효성 문제를 지적한다. 이 제도의 원래 목적은 가난한 나라의 노동자에게 더 높은 임금을 보장하는 것이지만, 그 원래의 목적이 제대로 실현되지 못하고 있다. 무조건 가난한 나라에 수익이 돌아가지는 않고, 실제로 노동자의 임금에 반영되지 않는 등의 문제가 있다. 그러므로 공정 무역 인증 제품을 소비하는 사람은 그 실효성를 제대로 이해할 필요가 있다.

[문제 2] [가]를 활용하여 [나]와 [다]를 설명하고, [라]의 두 관점에서 각각 [마]를 평가하시오. (600자 내외) (30점)

[가]에 의하면 국제 문제는 개별 국가나 국제 사회 전반에 악영향을 미치는 문제이다. 국가들은 그 해결을 위하여 협력하거나 자국의 이익을 위하여 갈등한다. [나]는 국가들이 국제 사회 전반에 영향을 미치는 지구 온난화 등 기후 문제를 해결하기 위하여 파리 기후 변화 협약을 채택하여 협력하는 모습을 보여 준다. [다]는 불법 이민자 문제가 국제 사회에 영향을 미치는 중요한 문제이지만 국가들은 자국의 입장을 우선시하여 협력하지 않고 갈등하는 모습을 보여 준다.

[라]는 해외 원조에 관한 국제주의와 세계 시민주의를 소개한다. 롤스와 싱어는 모두 해외 원조에 관한 윤리적, 도덕적 의무가 존재한다고 주장한다. 두 견해는 주로 해외 원조에 관한 것이지만 국제 문제를 대하는 태도에 차이가 있다. 롤스는 원조의 목적이 사회의 구조와 제도의 개선에 있다고 주장한다. 롤스의 견해에 의하면 리비아의 사회 구조와 제도의 개선을 목적으로 하지 않은 [마]의 무력 개입은 국제 문제의 해결에 충분하지 않다. 싱어는 고통을 겪는 인간을 차별하지 말고 공평하게 원조해야 한다고 주장한다. 싱어의 견해에 의하면 국제연합 등 국제 사회가 무력을 사용하여 리비아에서 발생한 인권 침해를 저지한 [마]의 행위는 정당하다.

[문제 3] [가], [나], [다]를 연관 지어 설명하고, [라]를 활용하여 [다]를 해결하기 위한 방안을 서술하시오. (600자 내외) (40점)

[가]는 최근 SNS 이용률이 점차 높아지고 있으며, 특히 젊은 세대의 SNS 이용률이 높음을 보여준다. [나]는 SNS 사용의 긍정적 측면이다. SNS는 느슨한 연결의 힘을 통해 다양한 인간 관계 형성 및 개인의 사회화에 도움을 주며, 쌍방향 소통이 가능한 새로운 미디어로서의 기능을 담당한다. 또한 정치 참여를 확대하는 새로운 수단이 된다. 반면 [다]는 SNS 사용의 부정적 측면이다. 지나치게 SNS에 몰입할 경우 스마트폰에 과의존하게 되고, 비대면 소통 증가로 인한 외로움, 인간 소외 등의 문제가 발생하며, 가짜 뉴스, 사이버 범죄도 증가한다. 특히 이러한 부정적 측면은 SNS를 더 많이 이용하는 젊은 세대에게 매우 심각한 문제이다.

개인은 인터넷, 스마트폰의 지나친 사용 시간을 줄여 삶의 만족도 개선을 위해 노력해야 하고, 가상 공간에서 필요한 정보 윤리를 지켜야 한다. 이를 위해 정부는 특별히 청소년을 대상으로 디지털 환경에서 정보를 이해하고 활용하는 능력을 향상시키는 교육을 강화할 필요가 있다. 또한 정부는 해외의 외로움부 설치, 잊힐 권리 법안 사례 등과 같이 SNS로 인해 새롭게 발생하는 사회 문제를 해결하기 위한 방안도 적극 마련해야 한다.

3. 2024학년도 단국대 모의 논술

[문제 1] 다음의 제시문을 읽고 주어진 물음에 답하시오. (30점)

1) [가]에서 주제를 나타내는 단어 하나를 찾고, 그 단어를 이용하여 [가]의 내용을 요약하시오. (200자 내외) (10점)

2) [가]에서 찾은 단어를 이용하여 [나]를 요약하고 [다]를 설명하시오. (400자 내외) (20점)

1번) 예시 답안

[가]의 주제를 나타내는 단어는 감시이다. 정보와 데이터를 처리하는 기술이 발전하고 컴퓨터와 인터넷을 활용하는 정보 사회에서는 개인의 과거를 조회하고, 개인의 신상 정보가 기업에 유출되며, 작업자의 업무 시간과 작업의 진행 과정 심지어 그의 행동까지 감시당하는 부작용이 생겨났다. 이처럼 정보 사회에서는 데이터 감시라는 새로운 유형의 감시가 만들어졌다.

2번) 예시 답안

[나]는 생산 조직의 통제를 위한 감시의 역할을 설명한 글이다. 생산 조직의 규모가 커지고 복잡해짐에 따라 통제의 필요성은 높아지는데, 생산 과정 전반에 관여하는 감시를 통해 통제가 가능해진다. 생산 조직의 대표는 생산 과정에서 돈과 노동 시간을 헛되게 낭비하지 않도록 하는 감시의 역할을 사유 재산이나 이윤과 분리할 수 없는 중요한 요소로 인식한다.

[다]는 교내 식품 안전을 감시하는 제도를 도입하자고 건의한 글이다. 학교의 매점은 안전하고 영양가 있는 식품을 공급해야 하는데 학생들에게 유해하고 불량한 식품을 판매하고 있다. 또한 제2의 가정인 학교가 학생들의 건강을 책임지는 것은 당연하다. 교내 식품 안전 지킴이 제도를 도입하여 학교 매점에서 판매하는 식품을 감시할 필요가 있다.

[문제 2] [가]와 [나] 각각의 관점에서, [다]에 나오는 과학 기술자의 책임에 대해 설명하고 [라]를 평가하시오. (600자 내외) (30점)

[가]는 과학 기술의 가치 중립성을 주장하는 입장이다. 이에 따르면 과학의 목적은 진리 탐구이기 때문에 윤리적 평가로부터 자유로워야 한다. [나]는 과학 기술의 가치 중립성을 부정하는 입장이다. 이 입장은 과학 기술이 인간의 삶과 불가분의 관계에 있으므로 윤리적 통제를 받아야 한다고 주장한다. [가]의 관점은 [다]에서 말하는 과학 기술자의 내적 책임은 인정하지만 외적 책임은 부정할 것이다. 내적 책임은 객관적인 진리 탐구를 위해 필요하지만, 외적 책임은 진리 탐구의 자유를 제약하기 때문이다. 반면 [나]의 관점은 과학 기술자의 내적 책임과 외적 책임을 모두 인정할 것이다. 과학 기술은 윤리적 가치와 무관하지 않기 때문이다.

[라]는 최첨단 인공지능 시스템 개발을 일시 중단하라는 유명 인사들의 주장을 소개한다. 이들은 인공지능의 통제되지 않은 개발은 인간의 복지와 안전에 부정적인 영향을 미칠 위험이 있다고 우려한다. [가]의 입장에서는 이러한 우려로 인해 인공지능 개발 연구를 제약해서는 안 되므로 인공지능 개발 연구를 통제하자는 [라]를 비판할 것이다. 반대로 [나]의 입장에서는 인공지능 개발이 사회에 미칠 영향이 크기 때문에 [라]에 동의할 것이다.

[문제 3] [가]의 관점에서 [나]와 [다]를 연결 지어 설명하고, [라]를 활용하여 [마]를 해결하기 위한 방안을 서술하시오. (600자 내외) (40점)

[가]는 빈곤의 정의와 유형에 관한 설명이다. [나]는 소득 수준에 따른 교육 기회의 차이, 정규직에 비해 상대적으로 소득이 적은 비정규직의 만연화, 그리고 60대 이상 노령 인구의 상대적 증가를 나타낸다. [다]는 사회계층 간에 소득격차가 커지고, 절대적 빈곤율이 꾸준히 증가하는 한편, 상대적 빈곤율도 OECD 주요국과 비교하여 상당히 높다는 것을 보여 준다. 따라서 [나]는 [다]에 나타난 빈부 격차의 원인이 된다.

그 결과 [마]에 나타난 폐지 줍는 노인이 경험하는 절대적 빈곤과 교육비를 감당하기 어려워하는 가정에서 아이를 낳지 않는 상대적 빈곤 혹은 주관적 빈곤의 모습을 우리 주변에서 목격할 수 있게 된다. 이와 같은 빈곤의 모습은 [라]에 나타난 바와 같이 노력하지 않는 무기력한 인간이라는 개인적 요인뿐만 아니라 사회 제도적 차원의 지원 정도에 영향을 받는다. 따라서 [마]를 해결하기 위해서는 개인은 빈곤에서 벗어나고자 하는 의지를 다지고, 적극적으로 일자리를 찾고, 노동 능력을 높이기 위해 노력해야 한다. 사회는 빈곤층에게 일자리를 제공하고, 직업 능력의 개발을 지원해야 한다. 또한 빈곤층이 최소한의 생활을 해 나갈 수 있도록 기초 생활비, 의료비, 교육비 등의 사회 보장 정책도 수립하여 시행하여야 한다.

4. 2023학년도 단국대 수시 논술 (오전)

[문제 1] 다음 제시문을 읽고 주어진 물음에 답하시오. (30점)

1) [가]에서 주제를 나타내는 단어 하나를 찾고, 그 단어를 이용하여 [가]의 내용을 요약하시오. (200자 내외) (10점)

2) [가]에서 찾은 단어를 이용하여 [나]를 요약하고 [다]를 설명하시오. (400자 내외) (20점)

1번)

[가]의 주제를 나타내는 단어는 공감이다. 좋은 소설을 읽으면 마음이 열리고 소설의 주인공에 공감하게 되는데, 이러한 공감은 연주자에게 좋은 영감을 주어 연주에 도움이 된다. 톨스토이는 예술이란 예술가가 느낀 것을 다른 사람이 느낄 수 있도록 표현한 것이라고 말했는데, 연주자인 나 또한 음악을 통해 느낀 감동을 다른 사람들이 공감하게 해 주고 싶다.

2번)

[나]는 사실만을 서술한 이순신의 문장을 통해 그의 감정과 처지에 공감한 글이다. 비통한 패전 소식이 전해 왔지만 또 패전할 수 없기에 애통한 마음을 억누르고 혼자 앉아 있었다는 물리적 사실만을 진술하는 이순신의 감정에 공감한다. 군율과 날씨가 무엇보다도 중요하기에 군율을 어긴 부하를 죽인 사실을 담담하게 써 버리고 바로 바람이 불었다는 사실만을 써 버린 이순신의 처지에 공감한다.

[다]는 대상에 관심과 애정을 가지고 공감하여 찍은 사진이 감동과 여운을 준다는 내용의 글이다. 사진사는 사진을 찍기 위해 많은 노력을 들여 할머니에 깊게 공감했기 때문에 사진 속 할머니 미소의 의미가 분명해지고 할머니의 심성을 연상하게 된다. 피사체로만 생각하지 않고 사진 속 인물에 공감하여 그 사람의 삶을 보여 주는 사진은 강한 여운을 준다.

[문제 2] [가]의 공리주의 입장에서 [나]와 [다]를 모두 비판하고, [라]의 강 노인이 땅을 대하는 태도에서 [나]와 [다] 각각의 관점이 드러난 부분을 찾아 그 이유를 논술하시오. (600자 내외) (30점)

[나]의 인간 중심주의는 자연보다 인간의 이익이나 행복을 우선시하며 인간을 자연보다 우월한 존재로 간주한다. 하지만 [가]의 공리주의는, 쾌락은 양에서만 차이가 날 뿐 동등하다는 평등주의에 따라서 윤리의 범위를 노예, 여성, 동물에까지 확대했다. 이 관점에서 볼 때 인간을 자연보다 우월한 존재로 간주해야 할 근거가 없다. [다]의 대지 윤리는 생명 공동체의 통합과 안정, 아름다움에 기여하는 정도를 도덕적 올바름의 기준으로 삼는다. 하지만 [가]의 공리주의에 따르면, 공동체는 공동체 구성원들의 집합에 불과하다. 따라서 공동체의 이익이 개인들의 이익보다 우선하지 않는다.

[라]에서 강 노인이 땅에서 농사를 짓지 않는다면 쌀과 채소를 사서 살아갈 수 없을 것이라고 여기는 부분은 [나]의 인간 중심주의적 태도를 보여준다. 땅을 자기 가족의 삶을 위한 도구로 보고 있기 때문이다. 하지만 [라]의 마지막 부분에서 강 노인이 고추 모종에 물을 줘서 목을 축여 줘야겠다고 마음먹는 장면은 강 노인이 [다]의 대지 윤리의 관점을 지니고 있음을 보여준다. 메마른 작물의 모습을 안타까워하는 마음에서 식물이 살아갈 권리를 존중하는 태도를 엿볼 수 있기 때문이다.

[문제 3] [가]의 관점에서 [나]의 내용을 서로 연관 지어 설명한 후, 우리나라 전기차 산업이 직면한 [다]의 각 상황을 해결하기 위한 방안을 [라]의 자료 하나씩을 활용하여 서술하시오. (단, [다]의 각 상황에 대응하는 [라]의 자료는 서로 달라야 함.) (600자 내외) (40점)

[나]는 최근 전기차 시장의 성장과 함께 배터리 시장이 급격하게 성장하고 있음을 보여준다. 그런데 중국이 배터리 핵심 광물 제련 시장을 주도하고 있기 때문에 [가]의 보호무역주의 관점에서 미국이 인플레이션 감축법으로 중국을 견제하고 있음을 알 수 있다.

<상황 1>은 우리나라가 미국, 중국에 대한 무역 비중이 높아 최근 발생하는 경제적 갈등에 매우 큰 영향을 받을 수 있음을 보여 준다. 따라서 우리는 <자료 2>에 제시된 바와 같이 이념이나 명분보다 실리를 중시하는 적극적인 외교 활동을 통해 우리나라 전기차 산업이 당면한 문제를 해결해야 한다. <상황 2>는 우리나라 전기차 회사가 IRA 세금 공제 혜택을 받지 못하기 때문에 미국 내 시장 점유율 및 가격 경쟁력이 더욱 떨어질 수 있음을 보여 준다. 따라서 우리나라 전기차 회사는 <자료 1>에 제시된 바와 같이 신제품, 신기술 개발 등의 혁신을 통해 새로운 수익의 기회를 찾아 나서야 한다. <상황 3>은 최근 광물 가격이 상승하고 우리나라의 광물 자원 투자가 매우 저조함을 보여 준다. 따라서 정부는 <자료 3>에 제시된 미국, 일본, 중국의 사례처럼 아프리카와 같이 풍부한 자원을 확보한 국가에 더욱 적극적으로 투자하고 채굴권 확보 등을 위한 정책을 마련할 필요가 있다.

5. 2023학년도 단국대 수시 논술 (오후)

[문제 1] 다음 제시문을 읽고 주어진 물음에 답하시오. (30점)

1) [가]에서 주제를 나타내는 단어 하나를 찾고, 그 단어를 이용하여 [가]의 내용을 요약하시오. (200자 내외) (10점)

2) [가]에서 찾은 단어를 이용하여 [나]를 요약하고 [다]를 설명하시오. (400자 내외) (20점)

1번)

[가]의 주제를 나타내는 단어는 공감이다. 판사가 재판 당사자들의 말과 글에 더욱 공감하면 분쟁 해결의 실마리를 찾을 수 있어 더 좋은 결론이 나올 수 있다. 판사의 머리와 마음속에 감동과 진실의 말과 글을 채운다면, 재판 당사자들의 말과 글에서 놓치지 말아야 할 것을 볼 수 있어서 공감의 폭이 더 넓어지고, 이를 통해 더 좋은 결론이 나오고 법원의 신뢰도 더 쌓일 것이다.

2번)

[나]는 북으로 상징되는 성규 할아버지의 삶에 공감하는 성규와 공감하지 못하는 성규 아버지 사이의 갈등을 보여 준다. 북을 연주하느라 가족을 버린 할아버지의 삶에 아버지는 공감하지 못하여 할아버지와 갈등이 발생한다. 이에 반해 성규는 예술인으로서의 할아버지 생애에 공감하여, 북을 뺏는 건 할아버지의 한을 배가시키고 생의 마지막 의지를 짓밟는 것이라고 생각한다. 이로 인해 성규와 아버지 사이에 또 다른 갈등이 발생한다.

[다]는 어린이의 이야기에 공감하지 못하는 어른들의 의식을 비판하여, 현실적인 이익과 가치를 중심으로 세상을 바라보고 수치화하는 것을 좋아하는 어른들의 태도를 진정성 없다고 비판한 글이다. 진정성은 인생을 이해하는 사람에게서 느낄 수 있다. 따라서 저자는 이런 어른이 되기보다는 친구를 추억하고 잊지 않는 사람이 되고자 한다.

[문제 2] [가]와 [나]를 활용하여 [다]를 설명하고, [가]와 [나] 각각의 관점에서 [라]에 대한 평가를 논술하시오. (600자 내외) (30점)

[가]의 스토아 철학에 의하면 우주의 모든 것이 이성에 의해 연결되어 있으므로 이성과 자연법에 따르는 삶을 지향하여야 한다. [나]에서 제시된 듀이의 실용주의에 의하면 인간은 문제를 해결하기 위해 고정된 진리나 지식에 갇히지 않고 실천적이며 유용한 해결 방법을 찾아야 한다.

[다]에 기술된 세계 곳곳의 대량 학살 등 인권 침해는 자연법과 이성이라는 인간 본성에 반하므로, [가]의 평등과 형제애로 서로 연결된 인간들이 연대하여 적극적으로 개입할 수 있다. [다]의 유엔 평화유지활동 역시 개별 국가의 주권에 대한 기존의 사고를 전환·개선한 것이므로 [나]의 듀이의 실용주의적 관점에서 정당화된다.

[라]에서 박정희 정권의 개발독재는 민주주의와 인권을 희생하여 경제를 발전시켰다. [가]에 의하면 경제적 풍요가 이성에 의한 덕과 무관하고, 지배 권력을 지속하기 위해 인권을 희생시켰다는 점은 자연법 질서에 반하므로 비판된다. 반면 [나]의 듀이의 실용주의 관점에 의하면 빈곤의 극복과 경제적 풍요는 새로운 목표가 될 수 있으므로, 실천과 유용성 측면에서 산업 구조를 근대화하고 자립 경제를 확립하기 위해 실시한 국가 주도형 경제 발전 방식을 긍정적으로 평가할 수 있다. 그러나 듀이의 실용주의는 지성적 방식의 문제 해결 조건인 민주주의를 강조하므로 [라]의 민주주의 훼손은 비판된다.

[문제 3] [가]를 활용하여, [나]와 [다]를 연관 지어 설명하고 [라]를 해결하기 위한 방안을 서술하시오. (600자 내외) (40점)

[나]는 시대의 변화, 과학기술의 발전, 그리고 인구의 변화를, [다]는 이에 따른 세대 간의 차이와 세대 간 소통의 부족을 보여 준다. 즉 사회의 급격한 변화로 인해 각 세대는 생애주기에서 서로 다른 사건을 겪었다. 또한 산업화 시대에서 정보화 시대로 바뀌면서 개인화와 탈관료제화가 이루어지는 한편, 세대 간 디지털 정보 격차가 발생했다. 이는 정치 성향, 결혼관 등에서 세대별로 서로 다른 가치관을 갖게 되는 큰 요인이 되었다. 그리고 핵가족과 1인 가구의 증가는 세대 간 소통의 부족을 가져오는 한 요인이 되었다.

그 결과 [라]에서처럼 세대 갈등이 가정과 사회에서 다양한 모습으로 나타나고 있다. 즉 가정 내에서는 세대 간 가치관의 차이에 따른 갈등, 정치적으로는 세대 간 정치 성향의 차이에 따른 갈등, 경제적으로는 기회 혹은 자원의 분배 차이에 따른 갈등, 직장 내에서는 세대 간 문화의 차이에 따른 갈등 등이 나타난다. 이를 해결하기 위해서 먼저 개인은 상대방에 대한 역지사지의 자세로 자신과 다른 견해나 입장을 '틀림'이 아닌 '차이'로 인식하고 수용하는 자세가 필요하고, 다음 사회 역시 세대 갈등을 공적 영역으로 수렴하여 공론화하고 제도화하는 등의 노력이 필요하다.

6. 2023학년도 단국대 모의 논술

[문제 1] 다음 제시문을 읽고 주어진 물음에 답하시오. (30점)

1) [가]에서 주제를 나타내는 단어 하나를 찾고, 그 단어를 이용하여 [가]의 내용을 요약하시오. (200자 내외) (10점)

2) [가]에서 찾은 단어를 이용하여 [나]를 요약하고 [다]를 설명하시오. (400자 내외) (20점)

1번)

[가]의 주제를 나타내는 단어는 조화이다. 오케스트라와 같은 조직체는 조화가 중요하다. 오케스트라의 모든 연주가들은 서로 간의 신뢰를 바탕으로 각자가 맡은 역할과 기능이 조화를 이루어 전체 효과에 종합적으로 나타나도록 노력한다. 그렇기 때문에 작은 역할을 맡은 연주가일지라도 맡은 바 역할을 기쁜 마음으로 수행하여 조화로운 오케스트라 연주를 위해 기여한다.

2번)

[나]는 전통과 새로움, 과거와 현재가 조화를 이루는 도시의 풍경을 제시한 글이다. 파리에 있는 예술의 다리의 경우는 과거에 공예품을 제조하던 역사성을 살리면서 기존 건물을 보존한 채 예술의 거리로 새롭게 변화시켜 전통과 새로움의 조화를 이루었다. 한편 베이징에 많이 있는 오래된 가게들의 경우는 원래의 모습 그대로 보존하여 과거와 현재의 조화를 꾀하였다.

[다]에서는 사람과 만물은 어느 한쪽이 귀하거나 천하지 않고 동등한 가치를 지닌 존재이기 때문에 서로 조화를 이루어야 함을 알 수 있다. 사람은 자랑하는 마음이 있기 때문에 만물을 천하게 여기지만, 실제로는 사람이 만물의 도움을 받지 않은 것이 없다. 그러므로 사람과 만물을 동등하게 바라보는 하늘의 관점처럼, 사람은 만물을 동등하게 인식하여 만물과 조화롭게 살아야 한다.

[문제 2] 다음의 제시문을 읽고 [가]를 활용하여 [나]와 [다]를 설명하고, [나]와 [다] 각각 의 관점에 따라 [라]에 대해 논술하시오. (600자 내외) (30점)

제시문 [나]는 예술이 감정 소통의 수단이자 인류 진보의 수단이라고 말한다. 그래서 예술은 선량한 감정을 발달시키고 이 감정을 많은 사람들에게 전달하여 인류의 행복 증진에 이바지하려는 목적을 가진다. 이는 제시문 [가]에서 말하는 도덕주의 입장에 가까우며, 예술이 감정을 정화하고 도덕적 감수성을 함양하며, 인간과 사회 변화의 계기가 된다는 의견으로 볼 수 있다. 제시문 [다]는 예술을 철학, 윤리, 종교로부터 독립된 것으로 보면서, 예술만이 인간의 생생한 현실적 삶을 설명할 수 있다고 주장한다. 따라서 [다]는 [가]의 예술 지상주의 입장을 취하며, 인간의 삶을 통찰할 수 있게 해주는 예술의 효과에 주목한다.

[나]의 관점에서 볼 때, 제시문 [라]에서는 농부들이 육체 노동으로 양식을 얻는 정직한 삶을 산다는 점이 중요하다. 이는 예술을 통해 사람들이 농부의 정직한 삶에 감화되기를 바라는 도덕주의 입장과 가깝다. [다]의 관점에서 볼 때, [라]에서는 농부의 생생한 현실의 삶을 담고 싶어 한다는 점이 중요하다. 농부의 삶은 더럽거나 천한 것이 아니라 자연스러운 것으로 보아야 한다는 것이다. 이는 [다]가 말하는 것처럼 예술이 인간의 삶을 정당화한다는 입장을 택하는 것이다.

[문제 3] [가], [나], [다]를 서로 연관 지어 설명하고, [다]의 각 문제에 가장 적절한 [라]의 설명 하나를 찾아, [다]의 각 문제를 해결하기 위한 방안을 제안하시오. (단 각각의 문제에 대응하는 [라]의 설명은 서로 달라야 함.) (600자 내외) (40점)

[가]는 교통 혼잡, 자동차 등록 수 증가, 렌터카 이용 관광객 증가, 렌터카 사고 비율 증가 등으로 최근 A시의 교통 문제가 심각해지고 있음을 보여 준다. A시는 이를 해결하기 위해 [나]의 렌터카 총량제를 실시하였다. 하지만 렌터카 총량제는 [다]에 제시된 바와 같이 렌터카 공급 부족으로 인한 가격 폭등, 렌터카 자율 감축에 대한 저조한 참여율, 렌터카 총량제로 인한 사회적 갈등이라는 또 다른 문제를 야기한다.

문제 1을 해결하기 위해 설명 2를 참고할 수 있다. A시의 경우 렌터카의 대체재가 부족하고, 짧은 기간 수요가 집중되는 특징으로 인해 수요의 가격 탄력성이 낮을 수밖에 없다. A시는 렌터카 총량제의 숫자를 재조정하거나, 대체 가능한 교통 수단을 적극적으로 마련해야 한다. 문제 2를 해결하기 위해 설명 3을 참고할 수 있다. A시는 렌터카 업체들의 자율적 감축을 기대하기보다 업체의 편익을 더욱 증가시키거나 비용을 더욱 감소시키는 등의 경제적 유인을 통해 합리적 선택을 유도해야 한다. 문제 3을 해결하기 위해 설명 1을 참고할 수 있다. 자본주의 사회에서 자신이 속한 집단의 이익을 추구하는 것은 자연스러운 현상임을 이해하고 보다 적극적인 소통을 통해 사회 통합을 유도해야 한다.

7. 2022학년도 단국대 수시 논술 (오전)

[문제 1] 다음의 제시문을 읽고 주어진 물음에 답하시오. (30점)

1) [가]에서 주제를 나타내는 단어 하나를 찾고, 그 단어를 이용하여 [가]의 내용을 요약하시오. (200자 내외) (10점)

2) [가]에서 찾은 단어를 이용하여 [나]를 요약하고 [다]를 설명하시오. (400자 내외) (20점)

1번)

[가]의 주제를 나타내는 단어는 역설이다. 사랑의 역설적 표현 방식을 설명한 이 글에서 추사 김정희는 먼저 죽은 아내를 위한 시를 지어 자신이 아내보다 먼저 죽는 복수를 희망한다. 이렇게 속마음과 다르게 말함으로써 상대에게 가슴속의 진정한 마음을 전한다. 역설의 표현은 독자로 하여금 통념을 전복시켜 신선함을 느끼게 할 뿐만 아니라 그 이유를 곰곰 생각하게 하여 더 큰 감동을 얻도록 한다.

2번)

[나]는 클림트의 <철학>과 <의학> 그림에서 보이는 역설의 표현 방식을 설명한 글이다. <철학> 그림에서는 철학이나 지식의 상징을 위대함이나 합리성으로 표현하지 않고, 흐릿하고 몽환적이며 인간을 외면하는 듯하게 역설적으로 표현했다. <의학> 그림에서는 사람을 살리고 질병을 치료하는 의학의 목적과 관련한 것들을 표현하지 않고, 역설적으로 죽음이 강조되도록 표현했다.

[다]는 인간의 지혜와 능력이 아니라 오히려 우직한 어리석음이 역설적으로 세상을 변화시킴을 주장한다. 우직한 온달과 주체적인 평강 공주 이야기에는 사회와 자신을 뛰어넘는 비약이 담겨져 있다. 현대 사회는 경쟁적 능력을 중시하고 여기에 안주하려고 하지만, 역설적으로 세상은 오히려 어리석은 사람들의 우직함으로 변화해 나가고, 이러한 우직한 어리석음이야말로 지혜와 능력의 바탕이고 내용이다.

[문제 2] [가]와 [나]의 관점에서 [다]의 뱅크시를 각각 평가하고, [라]의 입장에서 [다]를 설명하시오. (600자 내외) (30점)

[가]는 예술의 심미적 기능과 도덕성을 강조하며, 예술을 통해 젊은이의 혼(또는 정신)을 건강하게 길러야 한다고 주장한다. [나]는 예술 작품을 대하는 개인적인 기준이 다르므로 단순히 감상자의 만족을 예술이 추구하는 미의 가치로 삼기는 어렵다고 보고 있다. 심미적 경험을 실현하는 예술은 실용성이 아니라 유희적이거나 충동적이기 때문이다. [다]에서 뱅크시는 예술을 제대로 감상하지 않고 겉치레로 여기는 사람들을 비판한 것으로 보인다. [가]의 관점에서 [다]의 뱅크시의 작품 전시와 판매 행위는 미적 체험을 통한 건전한 인격 형성에 기여하지 않는다는 점에서 부정적이다. 반면 [나]의 관점에서 [다]의 뱅크시의 행위는 창조적 상상력을 통한 상징화 작업을 통해 감상자에 따라 다양한 심미적 경험과 유희를 제공한다는 점에서 긍정적이다.

[라]의 좋은 문화는 개인적 취향에 따라 주체적으로 판단하고 향유와 실천을 통해 우리의 삶과 사회를 보다 나은 방향으로 고양할 수 있는 문화이다. [다]에서 뱅크시는 주체적인 작품 감상 능력 없이 외부의 영향에 의한 판단을 자신의 목소리로 착각하는 사람들에게 자기반성을 요구하고 있는 것으로 보인다. 이러한 맥락에서 뱅크시의 행위는 문화적 주체로서 자신의 개성 발견을 추구하며, 보다 나은 사회를 지향하는 좋은 문화를 강조한 것으로 볼 수 있다.

[문제 3] [가]를 바탕으로 [나]의 문제를 모두 설명하고, [다]를 이용하여 [라]의 세 가지 상황에 대한 바람직한 대응 방안을 모두 서술하시오. (600자 내외) (40점)

[가]는 기업가 정신, 혁신 수준이 경제 성장과 긍정적인 관계에 있음을 설명한다. [나]는 우리나라가 주요 선진국에 비해 혁신의 성공 사례가 적고 정체되어 있으며, 잠재 성장률 역시 점차 둔화되고 있음을 보여 준다.

[라]의 상황 1은 정부의 지나친 규제가 혁신 성장을 방해할 수 있음과 동시에, 일부 대기업의 독과점을 규제하지 못하면 혁신의 생태계가 파괴될 수 있음을 말한다. 상황 2는 스타트업의 성장 이후 관료적인 기업 문화가 들어오면 새로운 혁신을 방해하고 젊은 세대의 진입을 방해할 수 있음을 말한다. 상황 3은 최근 스타트업의 지역, 업종 쏠림 현상을 보여 준다.

[다]를 근거로 상황 1을 해결하기 위해 정부는 제도 개혁, 불필요한 규제 완화 등을 통해서 스타트업의 혁신을 돕는 동시에 소수 기업의 독과점을 규제하고 공정한 경쟁을 유도하는 균형적인 정책을 실행해야 한다. 상황 2를 해결하기 위해 스타트업은 탈관료제를 통해 조직원들의 자율성과 창의성을 적극적으로 유도하는 조직 문화를 형성해야 한다. 상황 3을 해결하기 위해 정부는 보조금 지급, 세금 혜택 등 경제적 유인을 제공함으로써 스타트업 스스로의 합리적 선택으로 다양한 지역과 업종에 진출하도록 유도해야 한다.

8. 2022학년도 단국대 수시 논술 (오후)

[문제 1] 다음의 제시문을 읽고 주어진 물음에 답하시오. (30점)

1) [가]에서 주제를 나타내는 단어 하나를 찾고, 그 단어를 이용하여 [가]의 내용을 요약하시오. (200자 내외) (10점)

2) [가]에서 찾은 단어를 이용하여 [나]를 요약하고 [다]를 설명하시오. (400자 내외) (20점)

1번)

[가]의 주제를 나타내는 단어는 공존이다. 문학 작품을 분석할 때 작중 인물을 남으로 단정하면 공존을 공부하는 문학의 의미는 없어진다. 그렇지만 역할 바꾸기를 통해 남을 나로 가정하면 그 인물을 이해할 수 있다. 사람은 누구나 비슷한 얼굴과 두뇌를 지니고 있지만 완벽하게 똑같지는 않다. 이처럼 우리 사회는 비슷하면서도 다르고 다르면서도 비슷한 나와 남이 공존하는 세상이다.

2번)

[나]는 종교 문제에 대해 다른 견해를 가진 사람들이 관용을 통해 공존해야 함을 설명한 글이다. 그리스도의 복음이나 인간의 이성에는 관용이 필연적이다. 그러나 관용의 필연성을 이해하지 못한 채 다른 교파의 사람들을 복지와 법을 핑계로 잔인하게 박해하거나 종교의 미명 아래 방종과 부도덕함을 정당화하면 이들은 공존할 수 없게 된다.

[다]는 인공지능 시대에 인간을 인간답게 만드는 가치를 인식함으로써 인간과 기계가 공존할 수 있음을 설명한 글이다. 인공지능 시대에 인간을 인간답게 만드는 것은 결핍과 고통이고, 이러한 결핍과 고통을 벗어나는 과정에서 체득한 유연성과 창의성을 기계는 지니고 있지 않다. 인간은 기계와는 달리 부족함과 결핍을 지닌 존재이지만, 거기에 인공지능 시대의 인간을 인간답게 만드는 가치가 있다. 이러한 가치를 인식함으로써 인간은 기계와 공존할 수 있다.

[문제 2] [가]와 [다], [나]와 [다]가 결합한 체제에 대해 각각 설명하고, 이 두 체제에서 [라]를 수용하는 이유를 제시문에 근거하여 각각 논술하시오. (600자 내외) (30점)

[가]와 [다]가 결합한 체제는 자유 민주주의이다. 개인의 자유와 권리를 최고의 가치로 여기는 자유주의와 국민 주권과 권력 통제를 통해 국민 스스로의 통치를 실현하는 민주주의가 결합한 이 체제는, 주권을 가진 국민의 평등한 권력 행사를 통해 개인의 자유와 권리를 최대한 보장한다. [나]와 [다]가 결합한 체제는 민주 사회주의(혹은 사회 민주주의)이다. 자본주의의 폐해를 극복하고 평등한 전체 인민의 복리를 추구하는 사회주의와 민주주의가 결합한 이 체제는, 민주주의 방식에 의한 사회주의 실현을 강조한다.

[라]에서 노동법은 노동자의 인권을 보호하기 위해서 자율적 근로 관계에 국가의 개입을 허용하고 있다. 민주 사회주의 체제는 그 형성부터 자본주의를 비판하고 인민의 해방과 평등한 공동체를 만들기 위한 것이었으므로, 노동자 보호 제도로서의 노동법 제정은 당연한 결과물이다. 자유 민주주의 체제에서도 노동법은 수용된다. 근로관계가 비록 사적 계약에 의해 이루어지지만, 상대적으로 불리한 지위에 있는 노동자의 인권을 보호하는 것을 자유주의적 공동선으로 여길 수 있다. 나아가 민주적 절차를 통해 노동자들에 대한 부당한 권리 침해에 대해 관용하지 않는 법을 제정할 수 있는 것이다.

[문제 3] [가], [나], [다]를 연관 지어 설명하고, [라]를 모두 활용하여 [다]를 해결하기 위한 방안을 서술하시오. (600자 내외) (40점)

[가]는 1인 가구의 증가, 저출산, 딩크족 선호 등 다양한 사회적 요인으로 인해 반려동물을 키우는 가구들이 늘어나고 있음을 나타낸다. 이러한 추세에 따라 [나]에 나타난 반려동물 관련 산업이 성장하는 한편, [다]에 나타난 반려인과 비반려인 간의 갈등과 중앙 정부 혹은 지방 자치 단체와 주민 간의 갈등이 발생한다.

[다]에서 반려인과 비반려인 간의 갈등은 주로 반려 문화의 미성숙과 비반려인의 반려동물에 대한 이해 부족에 의해 발생한다. 따라서 반려인은 올바른 펫티켓을 준수해야 하고, 비반려인은 반려동물을 부정적으로 보지 않도록 노력해야 한다. 이를 위해 정부와 지자체는 동물 복지에 대한 사회적 담론 형성, 제도 개선, 반려동물 관련 교육 등을 실시해야 한다. 즉 반려인에게 펫티켓 교육을 의무적으로 받게 하고, 펫티켓을 위반하면 과태료나 벌금을 부과한다. 또한 일반인을 대상으로 반려동물 인식 개선을 위한 교육과 홍보를 강화한다. 다음으로 지자체는 반려동물의 증가에 따라 동물 복지 시설을 확충할 필요가 있는데, 이때 발생하는 지자체와 주민 간의 갈등은 주민이 경험하게 되는 손실에 비례하는 보상이나 경제적 유인을 통해 해소할 수 있다. 한편, 이를 위한 예산은 반려인을 대상으로 하는 직접세나 반려 용품을 대상으로 하는 간접세의 부과를 통해 확보할 수 있다.

9. 2022학년도 단국대 모의 논술

[문제 1] 다음의 제시문을 읽고 주어진 물음에 답하시오. (30점)

1) [가]에서 주제를 나타내는 단어 하나를 찾고, 그 단어를 이용하여 [가]의 내용을 요약하시오. (200자 내외) (10점)
2) [가]에서 찾은 단어를 이용하여 [나]를 요약하고 [다]를 설명하시오. (400자 내외) (20점)

1번)

[가]의 주제를 나타내는 단어는 사랑이다. 현대 사회에서는 사랑에 대한 남녀의 기대가 달라서 동상이몽이 되기도 하고, 자아를 확산하기 위해 사랑을 유용한 가치로 변모시키며 사랑을 통해 자신의 이미지를 찾고자 한다. 따라서 개인주의나 자기애에 빠지기도 한다. 그렇지만 사랑은 현대 사회에서 유대와 소속감, 낭만적 환상과 자아의 실존적 의미를 발견하게 만드는 유일한 것이기 때문에 사랑에 대한 열망은 식지 않을 것이다.

2번)

[나]는 사랑의 성격에는 준다라는 요소 외에도 보호, 책임, 존경, 이해의 요소들이 포함되어 있다는 것이다. 보호는 자식에 대한 모성애에서 확인할 수 있고, 보호에는 책임이 뒤따르는데 이는 자발적인 행동이다. 이 책임이 지배와 소유로 타락하는 것을 막아 주는 것이 존경이다. 또한 존경은 그를 잘 이해하지 않으면 불가능하고, 보호와 책임은 이해에 의해 인도되지 않는다면 맹목이 된다.

[다]는 노부부의 사별을 묘사한 것으로 죽은 할아버지에 대한 할머니의 사랑과 슬픔이 드러나 있다. 할머니는 생전에 사랑했던 할아버지가 보고 싶더라도 참아내리라 다짐하였지만, 정작 할아버지의 무덤을 떠날 때에는 주저앉아 슬퍼하면서 죽은 할아버지를 연민하고 할아버지를 추억할 사람이 자신밖에 없음을 안타까워한다.

[문제 2] [가]를 고려하여 [나]를 설명하고, [가]와 [나]를 활용하여 [다]의 현상들을 소비의 관점에서 모두 설명하시오. (600자 내외) (30점)

[가]에 따르면, 이성은 올바르게 판단하고 진실과 거짓을 구별하는 능력이다. 이 능력을 똑같이 가지고 태어나는 인간은 이성에 기초하여 합리적 의사 결정을 할 수 있다. 경제 활동의 주체는 사고방식이나 관심의 차이에 따라 경제적으로 합리적 의사 결정을 한다. 그들의 관심이 효율성에 있는 경우에는 비용과 편익을 비교하여 비용보다 편익이 큰 쪽을 선택하는 것이 합리적이다. 그러나 이러한 선택은 사적 이익을 극대화하지만 공적 이익, 사회적 이익을 훼손할 우려가 있으므로 사적 이익과 공적 이익, 사회적 이익이 조화되도록 이루어져야 한다.

사고방식이나 관심의 차이에 따라 소비 행태도 다양하게 나타나는데, 가성비 소비는 효율성을 추구하는 합리적 소비이나 환경을 파괴하거나 노동자의 인권을 침해하는 등의 문제가 있을 수도 있다. 윤리적 소비는 의사 결정 과정에서 환경과 사회적 약자를 고려하기 때문에 사적 이익과 공적 이익, 사회적 이익을 조화롭게 추구할 수 있다. 예를 들어, 사람, 동물, 환경에 해를 끼치는 상품은 피하고 공정 무역과 업사이클링에 기반한 상품을 소비함으로써 사회적 이익뿐만 아니라 시장 경제의 원활한 작동에도 이바지할 수 있다.

[문제 3] [가]의 관점에서 [나]와 [다]를 연관지어 설명하고, 이 설명을 바탕으로 [라]의 모든 문제를 해결하기 위한 방안을 서술하시오. (600자 내외) (40점)

[가]는 사회 구성원 간의 희소가치 소유 정도 차이로 사회적 불평등 현상이 심화되고, 이로 인해 사회적 갈등과 같은 문제가 발생할 수 있음을 설명한다. 또한 향후 지속 가능한 사회를 위해 경제 성장과 사회의 안정이 함께 균형을 이룰 필요가 있다고 설명한다. [나]

와 같이 최근 경제 성장이 점차 둔화되고, 낮은 임금의 비정규직 비중이 증가하고 있으며, 코로나19와 같은 외부 요인으로 인해 많은 사람들이 경제적 어려움을 겪어 지속 가능 발전이 힘들어지고 있다. 이에 따라 [다]와 같이 소득 불균형 현상이 더욱 심화되고 있으며, 소득 격차는 다시 건강 격차, 사교육 격차, 정보화 격차, 자살 등의 또 다른 문제를 악화시킨다. [라]의 문제를 해결하기 위해 우리 사회는 청년 빈곤 등과 같은 소득 불균형 문제와 심리적 빈곤 같은 문제를 완화할 수 있는 기본적인 사회 복지제도를 강화하고, 장기 전세 주택 등의 공급을 통한 공간 불평등 해결, 빈곤 노인 등 사회적 약자에 대한 경제적 지원, 코로나19로 인해 경제적 어려움을 경험하는 새로운 약자에 대한 보호 장치 등을 마련함으로써 사회 불평등 문제를 해결해야 한다. 이를 통해 장기적으로 우리 사회의 질적인 성장과 공정한 배분을 함께 추구함으로써 지속 가능한 발전을 기대할 수 있다.

10. 2021학년도 단국대 수시 논술 (오전)

[문제 1] 다음의 제시문을 읽고 주어진 물음에 답하시오. (30점)

1) [가]에서 주제를 나타내는 단어 하나를 찾고, 그 단어를 이용하여 [가]의 내용을 요약하시오. (200자 내외) (10점)

2) [가]에서 찾은 단어를 이용하여 [나]를 요약하고 [다]를 설명하시오. (400자 내외) (20점)

1번)

[가]의 주제를 나타내는 단어는 '인식'이다. '인식'을 이용해 [가]를 요약하면 다음과 같다. 필연성과 엄밀한 보편성은 선험적 인식의 특징이다. 필연성을 가진 명제는 선험적 판단이다. 경험은 판단에 엄밀한 보편성을 부여하지 않고 그럴듯한 보편성을 부여하지만, 엄밀한 보편성이 어떤 판단에 본질적으로 속해 있는 경우 이 보편성은 선험적 인식 능력에 의한 것이다.

2번)

[나]를 요약하면 다음과 같다. 귀여운 아들을 그린 루벤스의 그림은 사람들로 하여금 아름답게 인식하도록 유도하지만, 고생에 찌든 늙은 어머니를 진실하게 그린 뒤러의 그림은 거부감을 가지게 한다. 그런데 뒤러의 그림은 어머니의 모습을 진실하게 그렸기 때문에 이 위대한 진실성으로 인해 명작이 되었다. 아름다움은 그 소재 자체의 아름다움 속에 있지 않고, 아름다움에 대한 사람들의 인식에 달려 있다.

[다]를 설명하면 다음과 같다. 현실주의자는 정치 이론을 부정하여 현실로 인식하면서, 이상주의자가 정치 이론을 소망으로 인식한다고 주장한다. 또한 현실주의자는 정치 이론을 목적을 합리화하는 수단으로 인식한다. 현실주의자는 목적이 단순한 사실들에서 생겨난 것이라고 인식하면서, 이상주의자가 목적을 궁극적인 사실로 인식한다고 주장한다.

[문제 2] [가]와 [나]를 모두 활용하여 [다]의 문제점을 정리하고, [라]~[바]를 모두 이용하여 [다]를 개선하기 위한 방안을 논술하시오. (600자 내외) (30점)

선입견과 편견은 참된 인식과 의사 결정을 방해한다. 인간 상호 간의 소통 과정에서 가짜 뉴스는 [가]의 다양한 우상을 만들 우려가 있다. 가짜 뉴스를 방치하면 왜곡된 정보가 넘쳐 나게 되고, [나]의 미끄러운 경사 길 효과로 인한 정보에 대한 불신으로 이어질 수 있

다. 정보 통신 기업에 의해 유통·확산되는 가짜 뉴스는 [다]와 같이 왜곡된 주장을 확대 재생산함으로써 필터 버블로 인한 확증 편향을 강화한다. 이는 지식 정보 사회화에 따른 정치 과정에의 시민 참여로 이루어지는 실질적 민주주의를 위협할 것이다.

[라]에서 현대 사회에서의 바람직한 정치 문화는 구성원들이 정치 과정에 적극적으로 참여하는 참여형 정치 문화이다. 이를 위해서는 [바]의 왜곡되지 않은 정보를 기반으로 대화와 타협을 통해 공정하게 판단하고 이상적인 합의에 도달할 수 있는 정치 문화를 형성해야 한다. 따라서 가짜 뉴스의 규제에 대한 사회적 논의와 합의가 필요하다. 아울러 [마]와 같이 구성원들이 합리적 판단을 할 수 있도록 비판적 시각을 기르는 노력이 필요하다. 또한 가짜 뉴스를 확대 재생산하는 정보 통신 기업에 의한 기술적·자율적 규제도 이루어져야 할 것이다.

[문제 3] [가]가 [나]의 문제 해결에 도움이 되는 이유를 설명하고, [다]를 고려하여 [가]의 확대를 위한 정부, 기업, 개인의 역할을 각각 논술하시오. (600자 내외) (40점)

[가]의 비대면 활동 활성화는 물리적 접근성의 중요성을 낮춰 교통 혼잡과 같은 사회적 비용을 줄여줄 수 있다. 즉 [가]로 인해 사람들이 반드시 복잡한 도시에 거주해야 할 필요성이 낮아져 [나]의 도시 집중화 문제 해결에 도움이 될 수 있다.

하지만 비대면 활동 증가는 정보 격차로 인한 소득 격차 심화, 직종별 차별 심화, 개인 정보 침해, 지나친 개인화 등 또 다른 사회 문제의 원인이 될 수 있다. 이러한 문제를 해결하기 위해서는 첫째, 정부는 소외 계층의 정보 소유와 활용 능력을 개선하고, 계층 간 정보 격차가 소득 격차를 심화하지 않도록 노력해야 한다. 또한 사이버 범죄, 사생활 침해와 같은 문제가 발생하지 않도록 제도적 규제 장치를 마련해야 한다. 둘째, 기업은 기술 혁신을 통한 다양한 정보 서비스의 제공 및 근무 환경 변화에 따른 기업 구조 개선을 이끌고 이 과정에서 소비자 정보 보호, 새로운 근무 환경에서 창의성 향상 방안 확립 등을 위해 노력해야 한다. 셋째, 개인은 정보의 중요성을 인식하고 온라인 예절을 지켜야 하며, 지나친 개인주의의 부작용 경계를 통해 타인 보호와 배려 윤리를 갖춤으로써 건강한 사회를 만들기 위해 노력해야 한다.

11. 2021학년도 단국대 수시 논술 (오후)

[문제 1] 다음의 제시문을 읽고 주어진 물음에 답하시오. (30점)

1) [가]에서 주제를 나타내는 단어 하나를 찾고, 그 단어를 이용하여 [가]의 내용을 요약하시오. (200자 내외) (10점)

2) [가]에서 찾은 단어를 이용하여 [나]를 요약하고 [다]를 설명하시오. (400자 내외) (20점)

1번)

[가]의 주제어는 '권태'이다. 작중 화자는 지구의 초록색에 처음에는 놀라고 사랑했다. 그러나 얼마 지나지 않아 싫증을 내고 초록을 조물주의 몰취미와 신경 조잡성으로 말미암은 무미건조한 지구의 여백이라고 폄하할 정도로 권태를 느끼며 농민들의 삶 또한 권태 일색이라고 주장한다. 농민들의 일생에 흥분할 대상이 존재하지 않는 것 역시 권태를 일으키는 한 요소이다.

2번)

[나]는 네흘류도프의 정신적 권태를 보여 주고 있다. 그는 완전한 무위, 즉 합리적이고 유익한 지적 활동을 무시하는 상황 속에 처해 있다. 따라서 아무것도 할 일이 없다고 한다. 현재의 삶에 싫증을 느끼고 있기 때문이다. 생산적인 삶을 위해 할 일이 별로 없어서 비생산적인 일상을 되풀이하고 있다.

[다]는 권태로운 삶과 상반되는 실천적인 삶을 영위하도록 권고하고 있다. 실천적인 삶은 탁이 아니라 살아 있는 발로 살아가는 것이다. 실천적인 삶은 권태를 일으키는 한 요소인 '일상의 안이한 연루'와 결별한 자유와 낭만의 삶이다. 사회의 현장이든 대학의 교정이든 삶은 인간관계의 넓이를 키우는 공간이다. 그 공간의 중간은 수많은 사람을 만나는 풍요로운 자리이다. 이런 공간 속에서 인간관계를 맺고 사는 삶은 밝은 미래를 보장한다.

[문제 2] [가]와 [나]를 활용하여 [라]와 [마]를 설명하고, [다]의 관점에서 [마]와 [바]에 대한 자신의 입장을 논술하시오. (600자 내외) (30점)

[가]는 서양 사회가 문화적 주도권을 통해 동양에 대한 강자의 지위를 유지하고 있음을 설명했다. [나]에서 문화는 지식인들의 계획된 합의이다. 지식 계급은 민중에 대한 '문화적 계몽'을 통해 국민 국가 건설의 수단을 제공했으며, 식민 지배의 정당성을 제공했다. [라]는 '약육강식'과 '적자생존'은 자연의 법칙이기 때문에 인종적 귀천과 나라 사이의 권력 경쟁이 당연한 결과라고 했다. [마]는 3·1운동 이래 이루어진 정신의 변화는 우연한 변화이기 때문에 의식 개조를 통한 '민족 개조'를 주장했다. [라]는 나라 간 약육강식의 논리로, [마]는 지식 계급에 의한 '문화적 계몽'의 논리로 식민 지배를 정당화하거나 옹호하였다.

[다]의 관점에서 사회가 질서와 균형을 유지하는 것은 사회의 지배적인 도덕 체계가 아니라, 각기 다른 윤리와 도덕 체계를 갖춘 개인들의 타인에 대한 존중과 배려 때문이다. 따라서 [마]의 자기 목적적이고 조직적인 의식 개조의 논리는 개인의 자유와 권리를 보장할 수 없으며, 특정한 가치 체계와 도덕 체계를 강요하는 것은 사회적 폭압일 수 있다. [바]와 같이 설득과 토론, 합의에 이르는 과정의 공개를 통해 자발적인 참여를 끌어내야 한다.

[문제 3] [가]의 관점에서 [나]~[라]의 문제 해결을 위한 기업의 과제를 설명하고, 이를 이용하여 [마]의 사례 각각에 대한 해결 방안을 논술하시오. (600자 내외) (40점)

[가]는 기업이 이윤 극대화를 추구하는 과정에서 항상 사회적 책임을 다해야 한다고 주장한다. 기업은 [나]의 '환경' 문제를 해결하기 위해 제품과 서비스 생산 과정에서 발생할 수 있는 환경 오염을 사전에 방지하고, 필요 이상의 자원을 소비하지 않도록 노력해야 한다. [다]의 '사회' 문제를 해결하기 위해 기업은 혁신과 이익 추구 과정에서 노동자의 고용 안정과 복지 확대, 소비자 보호 등을 위해 노력해야 한다. [라]의 '공정 경쟁' 문제를 해결하기 위해 기업은 불공정한 기업 간 거래를 지양하고, 기업 활동 윤리를 지켜야 한다.

[사례 1]을 해결하기 위해 기업은 [가], [다]를 참고하여 소비자를 기만하는 영업 활동을 중단하고, 기업 활동 윤리를 지켜 건전하게 이윤을 추구해야 한다. [사례 2]를 해결하기 위해 기업은 [가], [나], [다]를 참고하여 환경 오염으로 다른 경제 주체에게 해를 끼치는 행위를 하지 않아야 하며, 정당하고 합법적으로 생산한 제품을 판매하여 소비자에 대한 책

임을 다해야 한다. [사례 3]을 해결하기 위해 기업은 [가], [라]를 참고하여 능력에 따라 사내 이사를 선임하는 등 조직의 의사 결정 과정에서 공정성을 강화해야 한다.

12. 2021학년도 단국대 모의 논술

[문제 1] 다음의 제시문을 읽고 주어진 물음에 답하시오. (30점)

1) [가]에서 주제를 나타내는 단어 하나를 찾고, 그 단어를 이용하여 [가]의 내용을 요약하시오. (200자 내외) (10점)

2) [가]에서 찾은 단어를 이용하여 [나]를 요약하고 [다]를 설명하시오. (400자 내외) (20점)

1번)

[가]의 주제를 나타내는 단어는 '행복'이다. '행복'을 이용하여 [가]를 요약하면, 치몽에 사는 주민들은 가난함에도 스스로 행복하고 다른 사람들도 행복하게 해 준다. 전기, 텔레비전, 인터넷 등 문명의 이기에 의존하지 않는 치몽 주민들의 삶은 불편하다. 몸을 움직여서 만사를 해결하면서도 이들은 언제나 웃으며 몸과 마음을 다해 손님에게 친절로 행복을 베푼다.

2번)

[나]에서는 새 외투를 맞추기 위한 돈이 부족하여 절망했지만, 극도의 절약으로 외투값을 마련하고 있는 주인공 아카키가 희망을 품게 되어 행복 즉 '정신적 만족감'을 얻고 있다. '정신적 만족감'은 존재의 완전함으로 승화한다. 행복을 느낀 주인공은 잃었던 생기도 되찾고, 사고도 굳건해지며, 의심, 주저, 망설임이 사라지는 긍정적인 일상생활을 영위한다.

[다]에서 나는 어느 봄날 오후 교과서를 가지러 집에 다녀오는 길에 우연히 겪은 일로 느낀 작은 행복을 이야기한다. 행복이란 흔히 말하는 것처럼 좋은 대학, 많은 재산 등의 물질적 풍요로움이나 사회의 평판에서만 찾아지는 것이 아니다. 진정한 행복이란 따스한 햇살, 바쁜 중 잠깐의 휴식, 파란 하늘과 구름을 바라보는 여유와 같은 작은 것에서도 찾을 수 있는 것이다.

[문제 2] [가]와 [나]를 활용하여 [다]와 [라]의 태도를 비교하고, [다]와 [라] 중 하나에 입각하여 [마]를 평가하시오. (600자 내외) (30점)

□ 예시 답안 (제시문 [라]를 선택한 경우)

행복은 바람직한 도덕적 가치를 실천함으로써 얻어지는 것이다. 다른 사람과 어울려 살아가는 인간은 자신과 타인의 행복을 함께 추구하여야 한다.

제시문 [다]는 자신의 책임은 자발적인 경우에만 인정된다는 입장이다. 따라서 역사적 부당행위에 대해 공동체의 연대 책임을 부정하고, 과거사에 대한 현세대의 반성과 배상을 거부하는 태도를 보인다. 이에 반해 제시문 [라]는 공동체 사람들이 공동체의 행위에 대해 역사적으로 책임을 져야 한다는 연대 의무를 인정하는 입장이다. 따라서 역사적 부당행위에 대해 공동체의 연대 책임을 인정하고, 과거사에 대한 현세대의 진정한 반성과 배상을 주장한다.

제시문 [마]에서 일본은 과거의 잘못을 인정하지 않을 뿐만 아니라 진정한 사과와 배상마저 거부하고 이를 미화하고 있다. 공동체의 연대 의무와 책임을 주장하는 [라]의 입장에서

볼 때, 제시문 [마]는 자신의 책임을 회피하고 외면하는 잘못을 범하는 것이다. 진정한 행복은 자신의 이익만이 아니라 다른 사람을 배려하고 그들의 행복을 진정으로 바랄 때 얻어지는 것이다. 따라서 일본의 이러한 태도는 역사적 결과에 대한 도덕적 책임을 저버리고 자신의 이익만을 추구하는 잘못된 태도이다.

□ 예시 답안 (제시문 [다]를 선택한 경우)

행복은 바람직한 도덕적 가치를 실천함으로써 얻어지는 것이다. 다른 사람과 어울려 살아가는 인간은 자신과 타인의 행복을 함께 추구하여야 한다.

제시문 [다]는 자신의 책임은 자발적인 경우에만 인정된다는 입장이다. 따라서 역사적 부당행위에 대해 공동체의 연대 책임을 부정하고, 과거사에 대한 현세대의 반성과 배상을 거부하는 태도를 보인다. 이에 반해 제시문 [라]는 공동체 사람들이 공동체의 행위에 대해 역사적으로 책임을 져야 한다는 연대 의무를 인정하는 입장이다. 따라서 역사적 부당행위에 대해 공동체의 연대 책임을 인정하고, 과거사에 대한 현세대의 진정한 반성과 배상을 주장한다.

제시문 [마]에서 일본은 과거의 잘못을 인정하지 않을 뿐만 아니라 진정한 사과와 배상마저 거부하고 이를 미화하고 있다. 공동체의 연대 의무와 책임을 부정하는 제시문 [다]의 입장에서 볼 때, 제시문 [마]는 자신이 저지르지 않은 일에 대한 책임을 부정하는 것으로 당연하다. 사과와 보상은 잘못을 저지른 사람이 하는 것이지 공동체의 의무를 이유로 현세대에 이를 강요해서는 안 되기 때문이다. 따라서 전쟁과 관련이 없는 현세대에게 앞선 세대가 저지른 잘못에 대해 사과할 것을 요구하는 것은 그들이 부담해야 하는 책임을 넘어서는 부당한 의무를 지우는 것이다.

[문제 3] [가]를 바탕으로 [나]와 [다]를 연관지어 설명하고, 이를 활용하여 [라]에 나타난 문제를 해결하기 위한 개인과 사회의 방안을 논술하시오. (600자 내외) (40점)

[가]는 어린이·청소년의 삶의 만족도에 성적이나 경제 수준보다는 부모와의 관계가 더 큰 영향을 미침을 나타낸다. [나]는 우리 사회에 긴 근로시간과 과중한 업무에 시달리는 근로자들이 많음은 물론 부부가 모두 직장에 다니는 맞벌이 가정이 많음을 나타낸다. 그 결과 [다]에서 설명하는 현상이 나타난다. 즉 우리나라 어린이·청소년은 열심히 일하는 부모 덕분에 물질적인 풍요를 경험하고 있는 반면에, 일에 파묻혀 있는 부모 때문에 정신적인 궁핍을 경험하고 있다.

[라]는 우리나라 어린이·청소년 4명이나 5명 중 1명이 우울증을 앓고 있고, 10명 중 1명이 자살사고를 할 정도로 많은 어린이·청소년들이 스트레스와 불행감을 느끼고 있음을 나타낸다. 즉, 이는 [다]의 구체적인 현상을 나타내고 있다. 따라서 부모는 항상 자녀에게 관심을 두고, 힘들고 지칠 때 격려해주고, 자녀의 생각을 존중해주는 등 자녀와 좋은 관계를 유지하려고 노력해야 한다. 또한, 사회는 근로시간 축소, 유연 근무 등과 같은 제도를 도입하는 등 근로자의 일과 가정이 균형을 이룰 수 있는 환경을 조성하여 근로자가 일에 만족하는 동시에 가정 내 부모와 자녀 사이의 관계에 긍정적인 영향을 미치는 데 도움을 주어야 한다.